BERNARD MINIER

Bernard Minier, né en 1960, originaire de Béziers, a grandi au pied des Pyrénées. *Glacé* (2011), son premier roman, a reçu le prix du meilleur roman francophone du Festival Polar de Cognac. Son adaptation en série télévisée par Gaumont Télévision et M6 a été diffusée en 2017 et est disponible sur Netflix depuis octobre 2017. Après *Le Cercle* (2012), *N'éteins pas la lumière* (2014), *Une putain d'histoire* (2015, prix du meilleur roman francophone du Festival Polar de Cognac) et *Nuit* (2017), il a publié *Sœurs* en 2018. Ses livres, traduits en 20 langues, sont tous publiés aux Éditions XO et repris chez Pocket.

Retrouvez toute l'actualité de l'auteur sur :
www.bernard-minier.com
www.facebook.com/bernard.minier

SŒURS

DU MÊME AUTEUR
CHEZ POCKET

GLACÉ
LE CERCLE
N'ÉTEINS PAS LA LUMIÈRE
UNE PUTAIN D'HISTOIRE
NUIT
SŒURS

BERNARD MINIER

SŒURS

Pocket, une marque d'Univers Poche,
est un éditeur qui s'engage pour la préservation
de l'environnement et qui utilise du papier fabriqué
à partir de bois provenant de forêts
gérées de manière responsable.

ISBN : 978-2-266-29189-7
Dépôt légal : mars 2019

À mes enfants

C'est à vingt ans, quand nous avons cru en ce monde,
qui n'était rien d'autre que notre avenir.

Pierre MICHON

Tous, en quelque partie de leur individu,
ils portent, visibles, les stigmates de cette fatalité
physiologique qu'est le meurtre... Ce n'est point
une aberration de mon esprit mais je ne puis faire
un pas sans coudoyer le meurtre, sans le voir flamber
sous les paupières, sans en sentir le mystérieux
contact aux mains qui se tendent vers moi...

Octave MIRBEAU, *Le Jardin des supplices*

Prélude (1988)

Sœurs

Immense, énorme, la forêt s'étendait devant elles…

Vingt-deux heures trente, un tiède soir de juin qui refusait de plonger dans la nuit. Celle-ci était presque complètement tombée à présent, mais pas tout à fait. Pas tout à fait. Il faisait de plus en plus sombre ; cependant, il y avait encore suffisamment de clarté pour qu'on distinguât – comme une tapisserie aux couleurs passées – la mosaïque délicate des feuillages dans la pénombre, les taches blanches et immatérielles des petites fleurs semées sur l'herbe comme du pop-corn, leurs mains pâles et leurs robes claires, évanescentes, flottant tels des fantômes. Sous les arbres, en revanche, il faisait trop noir pour voir quoi que ce soit. Elles se regardèrent, se sourirent – mais leurs cœurs, leurs cœurs affamés et enflammés d'adolescentes battaient bien trop vite, bien trop fort. Elles s'avancèrent entre les troncs des chênes et des châtaigniers, descendirent la pente légère vers le thalweg au milieu des fougères. Se tenant par la main. Pas un souffle d'air, pas la moindre brise, la nuit était parfaitement immobile entre les troncs ; les feuillages ne frémissaient même pas. La forêt avait l'air morte. Très loin, en lisière de bois, un chien aboya dans une cour de ferme, puis un motard fila sur une route, décélérant dans un virage avant de remettre les gaz. L'une avait quinze ans, l'autre seize – mais on les aurait prises pour des jumelles. Mêmes longs cheveux couleur de foin mouillé, même visage étroit, mêmes grands yeux dévorant le visage, même silhouette montée en graine… Elles étaient jolies, indubitablement ; belles même – à leur façon *bizarre*. Oui, bizarre. Il y avait quelque chose dans leurs regards, dans leurs voix, qui mettait mal à l'aise. Une chauve-souris frôla les cheveux de celle qui s'appelait Alice, laquelle poussa un demi-cri.

— Chut ! fit Ambre, sa sœur aînée.

— Je n'ai rien dit !

— Tu as crié.

— Je n'ai pas crié !

— Si, tu as crié ! Tu as peur ?

— Non !

— Mensonge… Bien sûr que tu as peur, petite sœur.

— Je te dis que non ! protesta la plus jeune d'une voix à peine sortie de l'enfance mais qu'elle essayait de rendre ferme. J'ai juste été surprise.

— Eh bien, tu devrais, décréta Ambre, cette forêt est dangereuse, toutes les forêts le sont.

— Alors qu'est-ce qu'on fait ici ? rétorqua Alice d'un ton provocateur en regardant autour d'elle.

— Tu ne veux pas le voir ?

— Bien sûr que si. Mais tu crois sérieusement qu'il va venir ?

— Il a promis, dit Ambre, l'air grave.

— Les hommes font des promesses, et ils oublient de les tenir.

Ambre émit un gloussement.

— Qu'est-ce que tu sais des hommes à ton âge ?

— J'en sais suffisamment.

— Ah bon ?

— Je sais que papa couche avec son assistante.

— C'est moi qui te l'ai dit !

— Je sais que Thomas se masturbe.

— Thomas n'est pas un homme, c'est un gamin !

— Il a dix-huit ans !

— Et après ?

Ainsi s'avançaient-elles dans le silence de la forêt, se livrant à une de ces joutes verbales dont elles avaient le secret depuis l'enfance, aussi loin que remontât le souvenir. En plein jour on aurait mieux distingué ce qui les différenciait : le front bombé d'Alice, l'air buté, les traits qui s'extirpaient tout juste de la gangue de l'enfance et a contrario la splendide beauté d'Ambre, son corps de femme déjà, qui s'épanouissait et qui faisait tourner les têtes, ses traits plus nets et plus définis.

— Pourquoi viendrait-il ? demanda la plus jeune. Pour lui nous ne sommes que deux idiotes.

— Tu te trompes, répondit Ambre, piquée au vif, alors qu'elles contournaient un ancien chêne couché parmi le chèvrefeuille.

Ses racines pleines de terre noire se dressaient, tels des doigts, vers les étoiles. Un arbre robuste qui avait été vaincu par plus faible que lui – le vent ou un parasite –, c'était toujours ainsi : les forts finissent toujours vaincus par les faibles.

— Pour lui nous sommes autre chose, déclara-t-elle.

Elle eut envie d'ajouter : *En tout cas moi, bien sûr que toi tu n'es qu'une enfant* – mais se retint.

— Ah ouais ? Et qu'est-ce que nous sommes ? demanda Alice d'une voix aiguisée par la curiosité.

— Deux jeunes filles très intelligentes, les plus intelligentes qu'il ait jamais rencontrées.

— Et c'est tout ?

— Oh que non…

— Qu'est-ce que nous sommes d'autre ? voulut savoir Alice de la même voix pleine d'attente.

Ambre s'arrêta, pivota vers sa sœur, l'œil plus vif, plus sombre, les pupilles dilatées.

— Regarde-moi, petite sœur.

Alice la dévisagea.

— Je te regarde, dit-elle. Et cesse de m'appeler petite sœur : on n'a qu'un an de différence.

— Qu'est-ce que tu vois ?

— Une ado de seize ans dans une robe blanche ringarde, persifla-t-elle.

— Regarde-moi, j'ai dit.

— Je te regarde !

— Non, tu vois que dalle !

Ambre défit un bouton de sa robe.

— Des nichons, répondit Alice plus lentement.

— Oui.

— Un corps de femme…

— Oui.

— Une fille canon…

— Oui. Et quoi d'autre ?

— Je sais pas…

— Réfléchis !

— Je ne sais pas !

— Que sommes-nous pour lui ? l'aida Ambre en montrant le livre qu'elle tenait dans la main droite.

— Des fans, répondit aussitôt Alice d'un ton vibrant qui trahit son excitation.

— Exactement, *des fans*. Et il adore ça, les fans. Surtout quand ils ont des seins et une chatte.

Elles se remirent en marche, faisant craquer une branche morte sous leurs pas.

— Est-ce qu'on n'est pas un peu trop jeunes pour lui ? s'enquit Alice. Il a quand même trente ans.

— C'est ça, le truc.

Elles se faufilèrent au milieu des taillis ; elles apercevaient la masse du pigeonnier maintenant, son ombre entre les feuilles, dressée au centre de la clairière. La lune éclairait ses tuiles rondes et sa pierre pâle qui faisaient penser à une tour de guet.

— Deux très jolies jeunes filles. Seules dans la nuit avec lui. Et qui l'adorent, le vénèrent. Voilà ce qu'il voit. Et c'est pour ça qu'il viendra.

— Il se croit fort, beau, intelligent, cool, commenta Alice en écho.

Ambre écarta un dernier feuillage ; le pigeonnier apparut.

— Oui. Mais nous sommes plus intelligentes que lui, pas vrai, petite sœur ?

Il les observait à travers les buissons. Caché. Elles tournaient en rond, elles devenaient nerveuses. Elles commençaient à se disputer. Elles n'allaient pas tarder à se dégonfler et à repartir. Il passa le bout de sa langue sur ses lèvres, puis dans le creux de cette molaire, en haut à droite, qui le lançait la nuit, quand il était allongé dans son lit, et il grimaça. *Carie*… Mais la vue des deux communiantes lui rendit le sourire. Il chassa des sphinx qui voletaient autour de lui et se redressa.

— Ambre, allons-nous-en. Il ne viendra pas. Nous sommes seules… dans cette forêt.

D'avoir prononcé cette phrase à voix haute emplit Alice d'inquiétude. C'était le genre de données qu'il valait mieux éviter de matérialiser. Le genre de truc auquel on évite de songer.

— Tu as peur, dit Ambre.

— Oui, j'ai peur. Et après ?

Elle eut envie de dire à sa sœur le fond de sa pensée : et si quelqu'un d'autre était caché dans ces bois ? Et s'il avait vraiment oublié de venir ? Et si des animaux dangereux rôdaient ? Elle savait bien que les plus gros animaux qui hantaient cette forêt étaient des sangliers, des renards et des chevreuils. Il y avait aussi dans les frondaisons quelques éperviers, des pics mar et un moyen-duc. Ce dernier ulula tout près un *ouhh ouhh* grave – un mâle, avec son intonation solennelle de notaire des forêts, peut-être planqué dans le pigeonnier. Lui répondirent trois notes d'une hulotte qui parut se moquer de sa dignité de hibou.

La forêt était aussi une mosaïque de pièces d'eau, de ruisseaux, d'étangs et, dans la douce obscurité de juin, grenouilles et rainettes s'en donnaient à cœur joie.

— Tu croyais sérieusement qu'il allait venir ? insista Alice.

— Il va venir.

L'impatience commençait à poindre dans la voix de l'aînée – et aussi le doute. Cela n'échappa pas à la cadette.

— Cinq minutes, après je rentre, décréta-t-elle.
— Comme tu veux.
— Et tu resteras toute seule ici.
Cette fois, il n'y eut pas de réponse.
Soudain, un grand frisson passa dans un taillis proche – comme un coup de vent, mais il n'y avait pas de vent – et elles tressaillirent. Se retournèrent en direction du bruit.
Sa silhouette apparut, émergeant des fourrés. Il écarta une branche dans un frou-frou et s'avança lentement vers elles dans son costume de lin blanc, si peu fait pour se faufiler parmi les buissons.
— Tu nous espionnais ? lança Ambre.
— Je vous observais… Vous êtes venues… C'est bien.
Il les détailla l'une après l'autre.
— Ce ne sont pas exactement des robes de communiante, dit-il en souriant.
— C'est ce qu'on a trouvé qui s'en rapprochait le plus, répondit Alice.
— Vous êtes magnifiques, apprécia-t-il. Je suis vraiment touché que vous soyez venues et de cette… attention.
Il prit une main à chacune.
— Nous sommes tes plus grandes fans, dit Ambre ingénument, en montrant le livre et en serrant sa main chaude.
— Tes plus grandes fans, fit écho Alice avec conviction en étreignant son autre main.
Elles étaient sincères. Elles avaient commencé à le lire à douze ans – des romans pour adultes pleins d'une violence quasi insoutenable, de scènes choquantes et révoltantes, de meurtres, de mutilations. Ce qu'elles

aimaient, c'est que les coupables s'en tiraient souvent et que les victimes n'étaient jamais complètement innocentes. Surtout, il régnait dans ses romans une atmosphère décadente ; tous ses personnages étaient mus par des pulsions morbides, des mobiles sordides et des perversions très créatives. Et, bien entendu, il y avait le sexe.

— Je sais, dit-il.

Il eut l'air ému en cet instant, ses yeux embués sous ses longs cils noirs. Il n'avait pas un visage particulièrement beau mais ses traits étaient néanmoins harmonieux et ils exprimaient presque constamment une avidité que d'aucuns pouvaient trouver séduisante.

Brusquement, le vent se leva et un grand charivari se produisit là-haut, dans les plus grands arbres. Il les vit frissonner toutes les deux et son sourire s'agrandit.

— « Ces demoiselles craignent les ombres de la forêt », déclama-t-il.

C'était une citation : Ingmar Bergman, *La Source*. Il hocha la tête, fit mine de regarder autour de lui en fronçant les sourcils.

— C'est un endroit si silencieux et tellement solitaire.

— Pourquoi aurions-nous peur ? riposta Ambre. Nous sommes avec toi.

— C'est vrai, dit-il.

— Et tu es avec nous, poursuivit-elle. Que fais-tu dans une forêt si tard avec deux jeunes filles de seize ans ?

— Quinze, précisa Alice d'un ton qui sonnait comme une accusation.

— Rien de mal, non ? ironisa-t-il.

Il les scruta tour à tour. Cette fois, ses sourcils froncés n'étaient pas du cinoche. Il se demandait visiblement où était le piège. Il inspecta les alentours.

— Quelqu'un vous a suivies ?

— Personne.

— Vous en êtes sûres ?

Ambre lui sourit tout uniment.

— Regarde-toi, le brocarda-t-elle soudain. L'homme qui raconte dans ses livres les crimes les plus cruels, l'auteur célèbre pour ses scènes sanglantes a peur de deux jeunes filles.

— Je n'ai pas peur, s'insurgea-t-il gentiment.

— Mais tu es inquiet.

— Pas inquiet, prudent.

— Nous mettons tous des mots sur nos émotions, mais ça reste des émotions. Comment as-tu fait pour écrire des livres si horribles, si fascinants ? dit l'aînée en plongeant ses yeux dans les siens. Pour écrire toutes ces pages si merveilleusement… *vénéneuses*. Tu as l'air si… *normal*.

Sa voix était sombre à présent, comme la forêt. Les habitants de celle-ci semblèrent avoir ressenti la tension qui régnait, car chouettes, orfraies, hiboux se répondirent brusquement d'un arbre à l'autre ; un cerf brama dans les bois, à moins que ce ne fût un chevreuil : il n'y connaissait rien ; un taillis remua – comme si toute la forêt se réveillait d'un coup et que, tels les instruments d'un orchestre s'accordant avant un concert, les animaux se préparaient pour une symphonie nocturne.

— Tu n'as jamais eu envie de mettre tes idées en pratique ? demanda Ambre.

— Comment ça ?

— Eh bien, tous ces meurtres, ces tortures, ces viols…

Il la fixa, perplexe.

— C'est une blague, pas vrai ?

Il étudia l'expression de l'adolescente. Ce n'en était pas une.

— Tu n'as aucune idée de l'effet que tes livres ont sur nous, ajouta-t-elle.

Il l'observa. Ambre se rapprocha encore.

— Nous sommes tes plus grandes fans, ne l'oublie pas, murmura-t-elle, et il sentit son souffle chaud caresser le pavillon de son oreille. Tu peux *tout* nous demander.

Le ton et le souffle horripilèrent sa nuque, hérissant tous ses poils. Elle s'écarta et vit avec satisfaction la façon dont son regard devenait noir, une noirceur qu'elle avait aperçue dans bien d'autres regards. Une noirceur qu'elle aimait susciter. Elle devina son tumulte intérieur. C'était tellement facile de manipuler les hommes. C'en était presque décevant. Il n'y avait nul besoin d'être belle ni très intelligente. Il suffisait juste de leur donner ce qu'ils voulaient – mais pas trop vite.

Ni trop souvent.

— Alors ? dit-elle.

Même avec cette obscurité elle pouvait voir qu'il avait le visage empourpré. Il les dévisagea. Un large sourire sur sa face, ses yeux étincelant de convoitise et de cruauté.

— Vous êtes de méchantes filles, dit-il.

1993

1

Où deux communiantes sont trouvées

Il aimait ce moment. Trois fois par semaine. Été comme hiver. S'élancer sur l'eau, filer à la vitesse du vent le long des îles de la Garonne. Le Grand Ramier, l'îlot des Moulins, l'île d'Empalot. Dans le soleil levant. Quand la ville en était encore à se réveiller. Il était 6 h 30 du matin et il faisait déjà quinze degrés.

Vêtu d'un short bleu marine et d'un tee-shirt blanc, jambes fléchies, bras tendus, le buste en avant, il propulsait son esquif effilé, dos tourné à la proue, le cul vissé à son siège – qu'on appelait sans rire « la coulisse » –, hypnotisé par le mouvement de l'eau qui filait sous les rames. Sa cadence décomposée en quatre phases : mettre l'embarcation en mouvement – en gros, pousser sur les jambes et tirer sur les bras –, dégager les avirons de l'eau, les ramener dans son dos en fléchissant lentement et régulièrement les jambes pour ne pas perturber la glisse et les plonger de nouveau dans la flotte. La fluidité, c'était la clef. De la glisse pure. Tout était fait pour la favoriser – force, finesse, puissance et relâchement. Un sport qui sollicitait tous les muscles : dos, épaules, bras, cuisses, fessiers, abdominaux… Et aussi la concentration.

Il traçait le long de la berge ouest de l'île du Grand Ramier, avec son stade et sa cité universitaire sur pilotis nichée parmi les arbres, solitaire sur la vaste étendue d'eau, car il détestait ramer en équipe. À sa gauche, à une centaine de mètres, de grandes barres d'immeubles couronnaient une digue de béton. À sa droite, plus proche, une végétation dense et des bras d'eau qui faisaient presque penser à la Louisiane. Son embarcation longiligne filait en direction de la haute cheminée peinte en vert de l'usine AZF, que les riverains appelaient « la Tour verte », et qui crachait ses fumées au nitrate d'ammonium dans le ciel bleu pâle. Il était chimiste. Il savait que la tour de granulation d'AZF aurait dû être équipée d'un système de dépollution comme la plupart des tours de *prilling*, mais que ce n'était pas le cas. L'association Les Amis de la Terre avait récemment dénoncé la « bombe à retardement » que représentait l'existence d'un pôle chimique au cœur de Toulouse. Il était chimiste. Il savait donc de quoi ils parlaient. Non seulement ces installations étaient trop proches des habitations mais, pendant la Première Guerre mondiale, on avait fabriqué ici quantité de poudre et d'explosifs. Après la guerre, la demande ayant carrément chuté, la poudrerie s'était retrouvée avec d'énormes stocks de nitrocellulose sur les bras qu'elle avait immergés dans quatre étangs tout proches, entre la Saudrune et la Garonne. Aux dernières nouvelles, les stocks étaient toujours là. Au fond de l'eau. Attendant depuis quatre-vingts ans que quelqu'un s'intéresse à eux. *Assez de poudre pour faire sauter le département.* À ce jour, personne n'avait encore envisagé de la neutraliser. Et en quatre-vingts ans la population environnante avait été multipliée par combien ? se demanda-t-il.

Il bifurqua avant d'atteindre les parages de l'usine, empruntant un étroit bras du fleuve à tribord. Les deux murailles de végétation l'entourant donnaient l'impression d'évoluer dans un bayou. Comme chaque fois, il fut frappé par le silence et la paix qui régnaient en ces lieux. Un calme presque religieux. C'était comme s'il avait brusquement quitté la ville pour passer dans un univers parallèle. Il ralentit. Ce moment était celui qu'il préférait. Des détritus nageaient près de la berge et quelques sacs plastique s'accrochaient aux branches, mais, en dehors de ça, il ne manquait plus qu'un violon et un mélodéon. *Born on the Bayou.* À la belle saison, on trouvait ici des milans noirs, des libellules bleutées et des grenouilles pisseuses – que l'on appelait ainsi parce qu'elles émettaient un jet d'urine quand on parvenait à les attraper.

On devinait des bâtiments derrière les arbres, mais ici – sur le bras d'eau – il était seul. Il continua de glisser sur l'eau, à vitesse toujours plus réduite, profitant de cet interlude paisible, quand soudain quelque chose qui n'était pas là la dernière fois apparut sur sa droite. Deux grandes formes blanches au pied des troncs. Comme deux sacs plastique géants. Mais ce n'étaient pas des sacs plastique. Oh non… Sainte Mère de Dieu. Cette blancheur diaphane qui tranchait sur les feuillages et les buissons, *c'étaient des robes, flottant au vent*. Et, dans le prolongement de ces robes, il y avait quatre bras, quatre jambes, quatre pieds… deux têtes. Deux êtres humains… Ou ce qui en tenait lieu désormais… Il sentit son rythme cardiaque s'affoler.

L'aviron est un excellent sport pour le cœur, il avait acquis au fil des ans des capacités remarquables en aérobie comme en anaérobie, mais son cerveau n'en interpréta pas moins ce qu'il voyait et envoya aussitôt un message hystérique à ses glandes surrénales – lesquelles se mirent à sécréter de l'adrénaline en veux-tu en voilà. Avec pour conséquence – athlète ou pas – trois effets physiologiques inévitables : l'augmentation de son rythme cardiaque et de sa pression artérielle, la dilatation des poumons et la redirection du sang du système digestif vers les muscles, les poumons et le cerveau. Toutes réactions inscrites dans notre mémoire corporelle avec pour but, à l'origine, de rendre notre organisme apte à fuir ou à combattre le danger.

Et François-Régis Bercot réagit.

D'abord, il mit les rames à l'eau, en position verticale, et poussa dessus pour stopper le bateau.

Dans un deuxième temps, il sortit les avirons de l'eau, ramena ses bras sur sa poitrine, remit les rames dans l'eau et tendit les bras pour reculer – ce que les pros appellent « dénager » – vers les robes blanches (et ce qu'il y avait dedans, quoi que ce fût). De fait, les deux formes blanches se rapprochèrent.

Il se laissa glisser sur son erre jusqu'à s'immobiliser presque à leur hauteur.

Il faut bien le dire, ce qu'il vit ne contribua guère au rétablissement d'un fonctionnement idéal de son métabolisme. Les deux robes blanches ressemblaient à des aubes de communiante, avec leur cordon noué autour de la taille, ou à la rigueur à des robes de mariée très sobres, et – oh Seigneur – les personnes qui se trouvaient à l'intérieur n'étaient autres que deux jeunes filles aux longs cheveux couleur de paille mouillée.

Attachées à deux troncs, face à face, en position assise, leurs mentons sur la poitrine, à trois mètres environ l'une de l'autre, tout près de la rive. De grandes cordes entouraient leurs torses et l'une d'elles – celle qui avait une croix en bois pendant sur la poitrine – semblait avoir le visage hideusement écrasé et boursouflé sous le rideau de ses cheveux trempés. Il réprima un haut-le-cœur. Sentit la bile lui remonter dans la gorge. Fut à deux doigts de vomir, penché au-dessus de l'eau, et même de dessaler – pour autant qu'on pût employer ce verbe en eau douce.

Il se dit absurdement que c'était la dernière fois qu'il empruntait ce chenal – peut-être même la dernière fois qu'il faisait de l'aviron sur ce putain de fleuve, et même de l'aviron tout court, bordel. En tout cas, il savait qu'il ne pourrait plus passer devant cet arbre sans que cette vision revienne le hanter. Il se demanda quelle sorte de monstre était capable de ça et, malgré la douceur de l'air, une vague de frissons le parcourut.

Faire quelque chose… ne pas rester là…

Un coup de tonnerre roula quelque part à l'ouest. Encore frissonnant, Bercot se secoua. Il fit faire demi-tour à son embarcation, ramant d'un côté et dénageant de l'autre, rendu presque aussi maladroit qu'un débutant par l'émotion. L'étroitesse du bras d'eau n'aidait guère et il regretta de ne pas avoir un canoë.

Un téléphone… Il lui fallait trouver de toute urgence un téléphone, songea-t-il en ramant plus vite qu'il eut jamais ramé.

2

Où un père est trouvé (1989)

La Colline inspirée, songea le jeune homme en la découvrant dans le soleil. Le village le plus proche ne s'appelait-il pas Sion ? La maison de son père avait l'air endormie. Les volets de la plupart des fenêtres au rez-de-chaussée – des pièces que son père avait condamnées depuis la mort de sa mère – étaient clos, mais pas ceux du premier étage. Une brise qui n'apportait nulle fraîcheur agitait la cime des arbres dans la forêt et les blés blonds derrière la maison. Pas encore tout à fait mûrs… Dans un peu plus d'un mois, les moissonneuses-batteuses tourneraient à plein régime et des nuages de poussière dorée s'élèveraient au-dessus des champs.

Martin Servaz coupa le moteur de sa Fiat Panda, ouvrit sa portière, descendit sur le gravier de l'allée bordée de platanes centenaires et inspira. Combien de temps depuis la dernière fois ? Un mois ? Deux ? *Il la sentit. La boule. Au creux de son ventre…* Comme ces boules de poils que recrachent les chats. Il l'avait chaque fois qu'il venait ici et elle ne cessait de grossir au fil des ans.

Il se mit en marche vers l'ancien corps de ferme inondé de soleil. Il faisait chaud. Très chaud. Ça ressemblait davantage à un suffocant après-midi d'été qu'à un mois de mai et la sueur collait son tee-shirt à son dos.

Il avait essayé de joindre son père avant de partir, depuis le téléphone de la fac, mais le vieux n'avait pas répondu. Il était peut-être en train de faire sa sieste – ou de cuver son vin. Martin aperçut la Renault Clio paternelle garée à sa place habituelle, près de la grange, là où des engins agricoles rouillaient depuis plus de dix ans. Son père n'avait pas été agriculteur, mais prof de français.

Un prof sobre et apprécié de ses élèves.

Cela, c'était avant que deux individus s'introduisent chez lui, violent sa femme et la laissent pour morte[1]. Aujourd'hui, l'élégant professeur de français mince et fringant comme un jeune homme ressemblait à un de ces pauvres diables qui visitent à intervalles réguliers les cellules de dégrisement de la gendarmerie – là où Martin lui-même avait été le chercher à plusieurs reprises. L'un des gendarmes était un ancien camarade d'école. Tandis que Martin s'orientait vers des études littéraires, son ami avait choisi la voie plus considérée de la maréchaussée. Il avait pris un air profondément compatissant quand Martin était apparu pour récupérer son paternel. Sans doute imaginait-il ce qu'il aurait éprouvé si ç'avait été le sien : l'empathie n'est souvent qu'une forme détournée de l'autoapitoiement.

Le gravier crissa sous ses pas et il écarta quelques insectes, s'arrêta devant la vieille porte en bois dont

1. Voir *Glacé*, XO éditions et Pocket.

les restes de peinture se détachaient comme des mues de serpent. Un instant, il hésita à la pousser. Les gonds auraient eu besoin d'un peu d'huile quand il le fit et le grincement rouillé se propagea à l'intérieur de la maison silencieuse et emplie d'ombre.

— Papa ?

Il s'avança dans le couloir, qui sentait le renfermé et l'humidité jusqu'en plein été. Le silence, la fraîcheur, la disposition des lieux – c'était comme être happé dans l'espace et le temps, comme si un harpon scélérat l'arrachait au présent, comme si maman allait surgir et lui sourire en le caressant de son beau regard brun et chaud. La boule grossit… Il alla jusqu'à la cuisine, seule pièce du rez-de-chaussée que son père utilisait encore, mais la grande cuisine à l'ancienne – avec ses carreaux de faïence blanche semblables à ceux du métro parisien et tout cet espace perdu qui aurait fait fantasmer n'importe quel agent immobilier de ville – était vide quand il actionna l'interrupteur. Une odeur de café planait encore. Et Martin nota qu'une fois de plus son père l'avait laissé brûler au fond de la cafetière. Il n'avait pas pris la peine d'ouvrir les fenêtres pour aérer et Martin le vit, à 5 heures du matin, buvant son café solitaire dans la vaste pièce, sous la lueur de l'ampoule nue, seule habitude à laquelle il n'avait jamais dérogé, même quand l'alcool avait pris la place du café dès 3 heures de l'après-midi et parfois bien plus tôt.

Il se servit un verre d'eau, ressortit et remonta le couloir en direction de l'escalier branlant, grimpa les marches.

— Papa, c'est moi !

Pas plus de réponse qu'auparavant. Les marches émirent un couinement léger, plaintif. À part ça, le silence qui régnait dans la maison lui mettait les nerfs à vif. L'endroit dégageait un tel air d'abandon qu'il eut envie de s'enfuir.

En atteignant le palier du premier toutefois, il entendit quelque chose. Une musique familière… Mahler… Les *ut* majeurs et les *la* mineurs de la coda du *Chant de la Terre*, le bouleversant adieu final agonisant sur ce seul mot *ewig* (« éternellement ») *ewig ewig ewig*… répété sept fois au son mourant du célesta par la voix pure de Kathleen Ferrier. Avant le silence… Douleur, contemplation, et silence… Il se souvint que Mahler lui-même s'était demandé si les gens n'allaient pas se suicider après l'avoir entendue – et que c'était l'œuvre préférée de son père.

— Papa ? Eh oh !

Il s'arrêta. Tendit l'oreille. Pour seule réponse, la musique montait à travers la porte du bureau, au fond du couloir. Le battant en était à peine entrouvert et le soleil qui baignait la pièce de l'autre côté dessinait un rai de feu sur le sol poussiéreux, une diagonale lumineuse qui coupait le couloir en deux masses d'ombre.

— Papa ?

Il fut inquiet, tout à coup. Un gnome malin donnait des coups dans sa poitrine. Il avança, enjamba le rai de lumière. Posa une main sur le battant, le repoussa doucement. La musique s'était tue. Ne restait que le silence.

L'eût-il fait exprès que son père n'aurait pu choisir meilleur timing. Par la suite, Martin calcula que, puisqu'une face durait environ une demi-heure, son père avait dû commettre le geste fatal peu de temps après avoir mis le vinyle sur la platine, c'est-à-dire peu ou prou quand Martin était à mi-chemin. Rien de fortuit dans tout ça. C'était sans doute ce qui, plus tard, lui ferait le plus mal. Que son père eût tout orchestré, scénarisé pour un seul public : lui, Martin Servaz, vingt ans. Son fils.

Se rendait-il compte, ce faisant, des conséquences ? Du fardeau qu'il lui laissait ?

En attendant, il était là : assis dans son fauteuil derrière son bureau, ses papiers en ordre et la lampe bouillotte éteinte sur la table de travail, le visage et le torse caressés par le flot de soleil qui inondait la pièce. Il avait le menton sur la poitrine mais, à part ça, la mort l'avait saisi dans une posture remarquablement droite, les deux avant-bras sur les accoudoirs, que ses mains étreignaient comme s'il s'y agrippait encore. Il avait rasé cette broussaille qui lui tenait lieu de barbe et ses cheveux avaient à l'évidence été shampouinés et rincés. Il portait un costume bleu marine et une chemise bleu pâle impeccablement repassés, comme il n'en avait plus revêtu depuis longtemps, et même sa cravate en soie était irréprochablement nouée – noire, la soie : comme s'il portait son propre deuil.

Martin sentit ses yeux se remplir de larmes, mais il ne pleura pas. Les larmes restèrent au bord de ses paupières, elles refusèrent de déborder.

Il fixait l'écume blanche qui avait coulé de la bouche ouverte sur le menton et laissé quelques gouttes lactées sur la cravate. *Poison*… à l'antique… Comme Sénèque, comme Socrate. *Suicide philosophique, tu parles*.

Espèce de vieux salopard, pensa-t-il, la gorge nouée, puis il se rendit compte qu'il avait prononcé les mots à voix haute – et entendu la fureur, le mépris, la rage dans sa voix.

La douleur vint ensuite, comme une vague arrière, et il en eut le souffle coupé. Son père, lui, continuait de faire preuve du même imperturbable calme. Dans cette pièce étouffante, il eut soudain la sensation de manquer d'air. En même temps, quelque chose gonfla dans sa poitrine et s'envola peut-être, sans qu'il y prît garde : une partie de lui-même sans substance réelle à jamais évaporée dans cet après-midi torride, dans ce bureau où les dorures des livres anciens accrochaient les rayons du soleil.

C'était fini.

À partir de cet instant, il était en première ligne, regardant la mort en face – cette mort qui, quand on est enfant puis adolescent, est pour les autres, et à laquelle les parents font barrage, premières cibles avant de l'être soi-même, dans l'ordre naturel des choses. Mais parfois l'ordre n'est pas respecté et les enfants partent les premiers. Parfois aussi, les parents partent un peu tôt – et il faut alors affronter seul ce vide qu'ils laissent entre nous et l'horizon.

Au rez-de-chaussée, l'horloge sonna trois coups.

— *Papa, est-ce que je vais mourir ?*

— *Nous allons tous mourir, fils.*

— *Mais je serai vieux quand je mourrai ?*

— *Bien sûr. Très vieux.*

— *Alors, c'est dans très très longtemps, pas vrai ?*

Ces mots quand il avait huit ans.

— *Oui, fiston, dans très très longtemps.*

— *Mille ans ?*

— *Presque…*

— Et pour toi aussi, papa, c'est dans très très longtemps ?

— Pourquoi toutes ces questions, Martin ? À cause de Teddy, c'est ça ? C'est à cause de Teddy ?

Teddy était un chien de Terre-Neuve à la robe brune mort d'un cancer un mois avant cette conversation. Ils l'avaient enterré au pied du grand chêne, à dix mètres de la maison. Teddy était un animal affectueux, doux et joyeux, mais aussi têtu et calme. Avec un regard plus expressif que celui de bien des humains. Il était difficile de dire lequel de Martin ou du chien adorait le plus l'autre – et lequel des deux commandait à l'autre.

Ce 28 mai 1989, il fait le vide, prend une inspiration et se dirige vers la platine Dual. Il soulève doucement le bras et dépose la cellule sur le sillon, au bord du 33 tours. Attend que le grésillement s'éteigne et que la musique s'élève à nouveau, solennelle, dans la pièce.

Puis il décroche le téléphone avec la sensation définitive que jamais plus il ne goûtera au bonheur.

3

Où on déménage

28 mai 1993. Quatre ans déjà. Le mensonge de la mémoire, les détails dont il se demandait combien étaient véridiques et combien inventés, la chambre conjugale – dans laquelle il s'était réveillé presque tous les matins ces deux dernières années – comme rempart aux assauts du passé. Incompréhension, confusion, nausée… Même quatre ans après. La nuque enfoncée dans l'oreiller, il tourna la tête vers le radio-réveil. 7 h 07. Il se demandait encore quelle part du souvenir était authentique quand Alexandra entra dans la pièce.

— Ça va ?

Elle n'en dit pas plus. Ils n'en avaient pas parlé la veille mais elle savait aussi bien que lui quel jour ils étaient. Elle était revenue d'un Toulouse-Paris-New York et retour et elle avait rapporté un cadeau à chacun : une licorne en peluche pour Margot, un exemplaire datant de 1953 de *Look Homeward, Angel* pour lui, qu'elle avait déniché dans une petite librairie de livres d'occasion de Manhattan, proche de son hôtel. Elle avait encore les cheveux tirés et ce chignon d'où s'échappaient quelques mèches folâtres quand elle était rentrée – il l'adorait, en vérité, ce chignon : ça lui donnait un air faussement sérieux – mais, ce matin-là, ses cheveux libres cascadaient sur ses épaules. Trois jours de récupération avant de s'envoler pour Hong Kong. Ou était-ce Singapour ? La moitié de sa vie dans des avions, des aéroports et des hôtels, l'autre en compagnie de Margot et lui. Elle lui avait parlé des relations « particulières » qui se nouaient parfois entre hôtesses de l'air et commandants de bord ; dans le jargon de la compagnie, on appelait « nièces » les hôtesses qui succombaient aux charmes des pilotes. Il avait trouvé le terme passablement laid et condescendant. Ils en avaient ri, mais il n'avait pu s'empêcher d'avoir le ventre noué en se demandant si Alexandra serait un jour qualifiée ainsi. Il n'était pas dupe : il savait que plus d'un membre du personnel navigant devait la courtiser comme plus d'un étudiant le faisait quand ils s'étaient connus à la fac. Les trajets, les escales, les hôtels – y avait-il environnement plus propice à la consommation de l'adultère ? Il savait aussi que c'était là une généralisation injuste.

Il entendit le tonnerre rouler. Il faisait jour et déjà chaud, mais le ciel s'était assombri, il allait sûrement pleuvoir. Elle s'était assise sur le bord du lit, sa jupe remontée, et il s'apprêtait à caresser ses genoux quand elle énonça d'un ton détaché et factuel :

— Margot est levée.

Ce ne fut pas tant la réponse que l'absence de frustration dans sa voix qui le contraria. Deux mois sans le faire, songea-t-il – et il résista à l'envie de le dire tout haut.

— Ça va ? répéta-t-elle, comme pour contrebalancer sa réponse précédente.

Oui. Ça va. Tout va bien. Super, merci. Est-ce qu'il commençait à la détester ? Peut-être bien… Peut-on aimer et détester quelqu'un en même temps ? Certainement. Il allait se lever quand Margot, deux ans, surgit en courant et se jeta sur le lit et sur lui.

— Papa !

Il accueillit la petite tornade dans ses bras avec reconnaissance et ils roulèrent sur le lit en riant. Il avait vingt-quatre ans et tellement d'amour à donner.

Il pleuvait des cordes – une pluie lourde, chaude, comme il les aimait – quand il fit son entrée rue du Rempart-Saint-étienne, au siège du SRPJ. 8 h 59. L'orage avait crevé. Ses cheveux trempés s'égouttaient sur le col de sa chemise ouverte. Il ne portait pas de cravate, contrairement à la plupart de ses collègues de la brigade criminelle, lesquels avaient tous vingt ans de plus que lui au bas mot et le considéraient – à juste titre – comme un blanc-bec. Martin devait sa mutation rapide dans le sud de la France – après deux ans seulement passés à Paris – à un oncle bien placé à la direction centrale, oncle qui avait accueilli au début son désir d'entrer dans la police avec scepticisme, puis suivi avec autant de curiosité que d'étonnement ses excellents résultats à l'école de Cannes-Écluse (sauf en tir, où il avait les pires notes de sa promotion) et ses bons débuts à la 2e DPJ.

Il savait ce que certains vieux briscards pensaient de lui. Qu'il n'était pas fait pour ce métier. Qu'il aurait dû se couper les cheveux, mettre une cravate (il n'y avait guère que les types des Stups qui n'en portaient pas). Et aussi qu'il allait trop vite. Ils ne comprenaient pas pourquoi Kowalski l'avait imposé à ses côtés et pris sous son aile, grillant la politesse à des enquêteurs bien plus chevronnés.

Il appela l'ascenseur en secouant ses longs cheveux mouillés comme un chien qui s'ébroue. En entrant dans la cabine, il inhala l'odeur de tabac et d'après-rasage bon marché.

Léo Kowalski. La première fois qu'il avait vu le chef de groupe, Servaz avait songé au capitaine Larsen, le personnage de Jack London, avec sa barbe rousse et son allure de loup de mer. Kowalski possédait la même force brute, la même autorité, le même tempérament tyrannique. La comparaison n'était pas si stupide : à une autre époque et sous d'autres cieux, Kowalski aurait très bien pu se trouver à la barre d'une goélette partie chasser le phoque. Il n'était pas grand mais, quand il se tenait dans une pièce remplie de flics, on savait tout de suite qui était le mâle alpha. Servaz avait été surpris d'apercevoir sa Kawasaki Z1 rouge devant l'hôtel de police en arrivant. Le chef de groupe lui avait pourtant dit la veille qu'il ne passerait pas avant la fin de la journée. Car, bien qu'on fût vendredi, ce n'était pas un vendredi comme les autres. Au cours du week-end, une société privée allait déménager l'intégralité des meubles, des dossiers et des fournitures au 23, boulevard de l'Embouchure, dans le nouveau siège du SRPJ. Par conséquent, en cette fin de semaine, on évitait les gardes à vue et les auditions dans la mesure du possible. De son côté, l'inspecteur principal Kowalski avait estimé qu'il avait d'autres trucs à faire que de remplir des cartons. Servaz s'interrogea sur ce qui l'avait fait changer d'avis. Il accrocha son blouson au perroquet, lorgna l'étiquette accolée au dossier de son siège :

Servaz
2e étage
bureau 212

Même chose pour la machine à écrire électrique Brother, pour l'armoire métallique en face de lui, pour le portemanteau… Pour les gros ordinateurs individuels Dell qu'on n'avait pas encore mis en service et qu'on stockait depuis des mois… On ne faisait pas les choses à moitié pour une fois. En ressortant, il se dirigea vers le fond du couloir. La brigade criminelle occupait tout l'étage. Comme toujours, l'atmosphère était chaotique mais, ce jour-là, le chaos semblait prendre des proportions inconnues jusqu'alors. Tout le monde cavalcadait dans tous les sens, des types en cravate passaient qui avec un carton sous le bras qui avec des piles de dossiers à caser quelque part avant le grand chambard. Dans les bureaux, les officiers de police étaient occupés à vider classeurs métalliques et tiroirs, à trier les papiers qu'ils allaient emporter et à balancer les autres dans les corbeilles, lesquelles débordaient comme un égout un jour d'inondation.

Il trouva Kowalski en pleine conversation avec Mangin, un des enquêteurs du groupe, un grand type chauve à l'allure sèche et maladive. Les deux hommes levèrent la tête quand il entra, et il fut immédiatement aux aguets. *Quelque chose dans leurs regards*… Le téléphone sonna et Kowalski se jeta dessus.

— Oui… je sais… on arrive ! rugit-il avant de raccrocher.

Il se tourna vers Servaz, allait parler quand le téléphone sonna de nouveau. Il décrocha, écouta, répondit « OK » d'une voix forte, reposa violemment le combiné. Un téléphone grelotta dans le bureau voisin. Servaz se rendit compte que son cœur battait plus vite. Que se passait-il ici ?

— Servaz, fit Kowalski, tu…

— Patron ! lança une voix depuis le bureau d'à côté.

— Une minute, putain ! vociféra le chef de groupe.

Ses yeux brillaient d'excitation, et le jeune flic sentit la fébrilité le gagner comme une maladie contagieuse. Un courant électrique. Le téléphone sonna une fois de plus et Kowalski faillit arracher le combiné de son socle.

— On arrive ! Ne touchez à rien ! Le premier qui salope ma scène de crime aura affaire à moi !

— Deux jeunes femmes, exposa le chef de groupe. Dans les vingt, vingt-cinq ans. Sans doute des étudiantes. Peut-être des sœurs… Trouvées mortes sur l'île du Ramier. Attachées à un arbre et vêtues en… *communiantes*. Ou quelque chose d'approchant.

Servaz digéra l'information. Double meurtre. Deux étudiantes. L'équivalent d'une demi-finale aux jeux Olympiques pour un membre de la Crim. Avec le déguisement et la mise en scène, cela tenait carrément de la finale.

Il sentit son pouls passer la quatrième.

— Qui les a trouvées ?

— Un type qui faisait de l'aviron sur la Garonne. (Kowalski consulta ses notes.) François-Régis Bercot. Tu parles d'un nom.

— Qu'est-ce qu'on sait d'autre ?

Kowalski sourit. Il aimait bien la façon dont le bleu faisait fonctionner ses méninges. Il avait tout de suite deviné le potentiel que le gamin avait en lui – et aussi sa façon non conventionnelle de raisonner, ce qui, dans un métier comme celui-là, était à la fois un atout et un inconvénient.

— Rien pour le moment.

— Une mise en scène…, pensa Servaz à voix haute.

Kowalski caressa sa barbe avec son sourire de tigre. Un tigre qui avait faim.

— Attendons de voir… pas de conclusions hâtives… S'il le faut, les types de la Sécurité publique qui ont vu les filles ont fantasmé et elles portent juste des robes de ce style vestimentaire à la con – comment ça s'appelle déjà : celui qui est inspiré d'une musique ?

Il se tourna vers Mangin.

— *Grunge* ? proposa celui-ci tout en tapant à deux doigts sur sa machine à écrire.

— Ouais. C'est ça. Grunge…

Le téléphone se fit entendre à nouveau. Servaz nota combien sa sonnerie était exaspérante. Peut-être pour empêcher les vieux du service de s'endormir. Kowalski écouta un instant, répondit d'un simple « Merci », raccrocha et se leva. Il attrapa son blouson de motard au cuir plein d'éraflures. Ouvrit un tiroir de son bureau, en sortit un bloc-notes et son arme de service.

L'instant d'après, il avait son visage de faune barbu presque collé à celui de Martin, et ce dernier respira son haleine parfumée à la cigarette et au café dégueulasse du distributeur.

— C'est ton premier vrai coup, puceau. Alors, écoute, observe et apprends.

4

Où une croix disparaît

Le cauchemar – qui devait durer vingt-cinq ans – commença donc sous la forme de deux jeunes filles en robe blanche. Ce matin-là, le ciel pluvieux se déployait en nuances de gris, allant du gris perle à des nuées noires qui accouraient par l'ouest, un ciel sans miséricorde, qui ne disait que l'absence d'espoir. Crépitant sur les toits des véhicules quand ils se garèrent sur le petit parking de la cité universitaire, l'averse les accompagna jusqu'au ruban qui délimitait le périmètre de sécurité, au sud de l'île, dans le petit bois. Au-delà, derrière les arbres, des gardiens de la paix tentaient dans la plus grande confusion de tendre une bâche pour protéger la scène de crime de la pluie battante. En attendant qu'ils y parviennent, deux d'entre eux brandissaient des parapluies au-dessus des deux mortes. Soudain, la bâche se gonfla comme une voile et échappa aux mains qui la tenaient pour aller s'enrouler autour d'un tronc. Les gardiens de la paix coururent après elle. Indifférent à cette agitation, un technicien prenait des photos et la lueur blafarde des flashs fouettait les deux corps, les robes au tissu gorgé d'eau, les troncs luisants, le sol détrempé, la pluie elle-même et les silhouettes sombres des flics en tenue. Servaz se dit qu'avec un temps pareil il allait être impossible de ne pas polluer la scène de crime.

Dès qu'il fit son apparition, Kowalski s'employa à remettre un semblant d'ordre dans ce bazar et à rétablir la hiérarchie qui, implicitement, existe sur toute scène de crime. D'abord, il rabroua un gardien de la paix qui fumait près des corps, un jeune type qui avait les yeux rougis et qui tremblait comme une feuille. Puis il s'en prit à ceux qui luttaient avec la bâche, jusqu'à ce que la toile ruisselante fût enfin fixée aux troncs. Il fit installer deux bâches supplémentaires non à cause de l'orage, mais pour protéger la scène du regard indiscret des badauds – pour la plupart des étudiants venus de la cité U voisine – et aussi des objectifs de la presse. Il indiqua au photographe de la police qu'il voulait plans généraux, clichés à mi-distance et gros plans, lui enjoignit de prendre la petite foule, ainsi que les plaques minéralogiques sur le parking de la cité U.

Servaz, quant à lui, contemplait l'horreur absolue, là-bas, sous la pluie, entre les troncs. La lumière crue des flashs conférait aux corps des deux jeunes filles une présence hypnotique, dérangeante. Il avait presque l'impression qu'elles allaient se réveiller d'un instant à l'autre et relever la tête pour le fixer de leurs yeux morts.

Kowalski lui fit un signe et ils pataugèrent dans la boue jusqu'au médecin légiste, en s'efforçant de piétiner le moins d'indices possible – ce qui, dans la confusion qui régnait, tenait du vœu pieux.

— Salut, inspecteur, dit le toubib accroupi près des corps sans se retourner.

— Salut, toubib, répondit Kowalski. On dirait bien qu'on vous a gâché votre week-end.

— Ma fille se marie samedi prochain, je l'ai échappé belle.

Le légiste avait écarté les cheveux d'une des victimes, il passa le faisceau de sa torche électrique sur la nuque dégoulinante. Servaz déglutit. La longue chevelure trempée, le visage encore presque enfantin de la jeune femme et son « déguisement » lui donnaient l'apparence sinistre d'une poupée à taille humaine. La lueur de la torche soulignait la moindre goutte d'eau sur son visage innocent, le moindre bouton d'acné, le plus petit détail – par exemple, ces longs cils blonds perlés de pluie qu'il crut voir frémir. L'espace d'une seconde, il eut vraiment la sensation qu'elle allait ouvrir les yeux.

— Alors ? dit Kowalski.

— Une minute, fit le légiste.

Il se redressa. Il était plus petit qu'eux, plus petit que tous les hommes présents, mais il rayonnait d'autorité. Klas, c'était son nom (Klas et Ko : « les deux K », comme on disait à la brigade), se tourna pour inspecter l'autre corps qui faisait face au premier, à environ trois mètres de distance.

— En me basant sur ce que je vois là, et sans tirer de conclusions prématurées, je crois que celui ou celle qui a fait ça – mais l'hypothèse d'une femme me semble assez peu probable, compte tenu de la force qu'il a fallu – attendait les deux jeunes filles. Il est arrivé par-derrière… a frappé celle-ci (il désigna celle qu'il venait d'examiner et dont le visage était intact) très violemment à l'arrière du crâne. Elle a dû perdre immédiatement connaissance… L'autre a dû alors se retourner et il l'a frappée de face… Ensuite, il s'est acharné sur elle. Pour quelle raison, c'est à vous de me le dire.

Klas essuya les verres de ses lunettes. Il s'accroupit devant le deuxième corps, relevant délicatement le menton entre ses doigts gantés. Servaz eut l'impression que sa pomme d'Adam restait coincée à mi-hauteur de son larynx. Il détourna un instant le regard avant de le poser à nouveau sur la masse de chair tuméfiée. Celle-là n'avait pas seulement été assassinée ; elle avait été la cible d'une fureur, d'un acharnement absolument déments. Son nez, ses arcades et ses pommettes avaient explosé sous les impacts – écrasés comme des pommes de terre dans un presse-purée –, ses yeux disparaissaient sous des paupières si gonflées qu'on ne distinguait plus les cils et la moitié des dents avaient sauté sous les coups. C'était une vision trop scandaleuse pour admettre une explication rationnelle. L'image d'une vie profanée, d'un crachat à la face de l'humanité. Servaz sentit qu'il avait chaud et froid en même temps, comme si sa tête était en feu tandis que des glaçons nageaient dans son estomac. Une espèce de flottement dans ses jambes et dans ses pieds lui fit craindre de tomber dans les vapes et il inspira à fond avant de parler :

— Pourquoi s'acharner sur une des deux seulement ? demanda-t-il, et il s'aperçut que sa voix sonnait aussi faux qu'une corde de guitare désaccordée.

Kowalski se tourna vers lui et le dévisagea. À l'évidence, il avait pensé la même chose. Servaz constata que son chef n'avait pas l'air si fringant que ça.

— Violées ? dit-il.

Le légiste souleva le bas de la robe.

— Je ne crois pas… pas de traces apparentes d'agression sexuelle en tout cas… L'autopsie nous le confirmera ou pas…

Servaz vit son patron s'accroupir à son tour devant la jeune femme et ses doigts gantés s'emparèrent de la croix en bois qu'elle portait en sautoir sous la masse sanguinolente de son visage.

— Une robe de communiante, une croix… (Kowalski pivota vers la première.) Pourquoi l'autre n'a pas de croix ?

— *Venez voir…*

La voix du légiste… Klas était retourné auprès de la première victime. Celle dont il avait examiné la nuque. Servaz et Kowalski le rejoignirent, se penchèrent quand, de nouveau, il souleva les cheveux mouillés.

— Vous voyez ?

Le cou fragile et pâle était couvert de sang séché. Le sang durci avait un aspect noirâtre dans la lumière de la lampe mais, au bas de la nuque, il y avait une trace plus claire, couleur chair : une ligne horizontale de quelques millimètres de large qui laissait la peau à nu au milieu de la tache sombre.

La marque d'un cordon… Le même que portait l'autre victime – le cordon avec la croix au bout…

Kowalski s'était accroupi près de la jeune femme. Quand il leva son visage vers eux, ses prunelles brillèrent telles deux billes incandescentes, la pupille noire et minuscule au centre de l'iris.

— Elle a été retirée, conclut-il. Après que le sang a séché… Putain, quelqu'un a retiré la croix alors que la fille était déjà morte.

— Peut-être que le meurtrier est revenu sur ses pas et a voulu conserver un souvenir, hasarda Martin.

Kowalski lui jeta un regard sévère.

— On n'est pas dans un épisode de *Columbo*. Ici on n'avance des hypothèses que quand on a des éléments tangibles.

Servaz se le tint pour dit.

— L'hypothèse du gamin n'est pas si stupide, objecta le légiste.

Agacé, Kowalski désigna du menton la petite foule d'étudiants massée au-delà du ruban.

— Oui. Ça peut être aussi n'importe quel taré qui est arrivé avant nous et qui a voulu épater sa petite amie ou ses copains… Ou bien le type n'avait qu'une seule croix et il l'a passée d'abord à l'une puis à l'autre… Et pourquoi il a défiguré celle-ci et pas celle-là ? Pourquoi des robes de communiante ? Pourquoi une croix ? *Pourquoi, pourquoi, pourquoi…* Bordel, à ce stade, quand on commence à faire des hypothèses, on se ferme des portes au lieu d'en ouvrir. Alors, évitons de gamberger…

Il essuya son visage. Il avait l'air fatigué. Son teint était aussi pâle qu'un morceau de plâtre. Des rumeurs couraient rue du Rempart-Saint-étienne selon lesquelles Léo Kowalski souffrait d'insomnie et n'avait pas connu une seule nuit de sommeil depuis des années. Était-ce à cause de tous ces morts ? On disait aussi qu'il picolait, qu'il hantait les bars de nuit et qu'il fréquentait les putes. Il tourna vers Servaz sa face ruisselante et sa barbe rousse pleine de gouttelettes – et celui-ci lut dans les yeux de son patron une question muette. Ils étaient cernés par l'humidité pénétrante qui se glissait sous leurs blousons, par l'odeur de boue et de marais qu'exhalait le bras d'eau, par les faisceaux des torches qui se croisaient et écorchaient les troncs luisants au passage, et donnaient à toute cette scénographie un caractère excessif. Une atmosphère de guerre, de champ de bataille, dont ils étaient les soldats et où l'ennemi demeurait invisible. Ou bien de plateau de cinéma.

— Ça va ? lui demanda finalement Kowalski, et cette question fit écho dans son esprit à celle posée par Alexandra quelques heures plus tôt.

C'est vrai, on était toujours ce maudit 28 mai. Pendant un moment, il l'avait complètement oublié.

— Oui, mentit-il.

Il vit que le chef de groupe, qui le fixait toujours, n'était pas dupe. Quand celui-ci posa une main sur son épaule, il lui fut curieusement reconnaissant de son geste.

Papa, est-ce que Teddy est au ciel ?

Je ne sais pas, fils.

Tu ne sais pas si Teddy est au ciel ?

Je ne crois pas qu'il y ait un ciel, fils. Pas ce ciel-là.

Alors Teddy est où ?

Nulle part.

Nulle part, c'est où ?

Nulle part, c'est nulle part.

Teddy est bien quelque part, papa.

Non, fils. Teddy n'est plus, c'est tout.

Il s'était mis à pleurer sans pouvoir s'arrêter après ça.

— L'heure de la mort ? voulut savoir Kowalski.

En guise de réponse, Klas souleva le bras droit de celle qu'il avait baptisée « A » et le secoua doucement comme un enfant joue à la poupée.

— Il y a une heure la température des corps était de 29,5°. Autrement dit en pleine « phase intermédiaire de décroissance rapide ». On a du bol, messieurs. Un sacré bol. C'est le moment idéal. Et la rigidité est avancée mais pas achevée. Je dirais que la mort remonte à huit ou dix heures – ce qui nous amène *grosso modo* entre minuit et 2 heures du matin. Mais restons prudents. Surtout avec cette fichue humidité qui augmente la perte thermique, et elles ne pesaient pas bien lourd, les gamines ; ça aussi, ça accélère le refroidissement. Ce calcul se base sur une température initiale de 37,2°. Mais elles étaient en tenue légère, peut-être alcoolisées si elles sortaient d'une fête. Même s'il fait exceptionnellement doux, elles peuvent s'être trouvées en très légère hypothermie avant leur mort. Dans ce cas, on est baisés. L'avantage, c'est qu'on a deux corps. Et que, les deux présentant la même température, il y a de fortes chances pour qu'on soit dans le vrai. Je vais quand même les mettre pendant trois heures sur un plateau à l'Institut : la température interne des organes nous en dira plus. Mais elles ont été zigouillées cette nuit, pas de doute, et plutôt après minuit, j'en mettrais ma main à couper.

Kowalski parut goûter la démonstration.

— Déplacées ?

— Oui : traînées de là-bas – où il y a une grande quantité de sang imbibant le sol… Immédiatement après leur mort, ou peut-être même qu'elles n'étaient pas tout à fait cannées, allez savoir… Ensuite, il ou elle les a attachées aux troncs. Les lividités cadavériques indiquent qu'elles n'ont plus bougé ensuite, et qu'elles sont restées dans cette position…

Kowalski prenait des notes, mais les pages de son bloc-notes étaient gonflées par l'humidité. Il gratta sa barbe.

— Les robes, dit-il, elles ne sont quand même pas venues dans cette tenue… (Il se tourna vers Mangin, qui les avait rejoints.) Il faudrait savoir s'il y avait une fête, un bal costumé chez les étudiants cette nuit… Renseigne-toi, fais le tour des facs et des discothèques. (Il considéra de nouveau le légiste.) Vous en pensez quoi, toubib ? Les robes : avant ou après ?

— Si vous voulez mon avis, c'est l'assassin qui les leur a passées. Après les avoir frappées et tuées. Il y aurait beaucoup plus de sang dessus dans le cas contraire.

— Merci, doc.

François-Régis Bercot, l'ingénieur qui avait découvert les gamines, se tenait un peu plus loin. Il répondait aux questions d'un brigadier en s'abritant sous une bâche et, quand ils approchèrent, Kowalski fit signe à ce dernier que c'était bon, qu'il prenait la main. Servaz nota que ça ne plaisait pas trop au brigadier, mais on ne discutait pas les ordres de « Ko ».

— Monsieur Bercot ? Ça va ? Vous avez l'air de trembler de froid.

L'ingénieur chimiste les jaugea.

— Ça va faire deux heures que je fais le pied de grue. J'ai les pieds trempés et je grelotte. (Il tira sur son tee-shirt.) C'est des vêtements pour faire du sport, pas pour rester sous la flotte. Je vais choper une pneumonie si ça continue. Et j'ai déjà répondu deux fois à vos questions.

Il resserra autour de ses épaules la couverture que lui avait prêtée l'équipe des secours. Il espérait peut-être que cela mettrait fin à la discussion.

— Je sais. C'est très pénible.

Kowalski avait adopté un ton faussement compréhensif.

— Encore quelques questions et vous pourrez rentrer chez vous. D'accord ?

François-Régis Bercot acquiesça.

— Monsieur Bercot, y avait-il quelqu'un d'autre dans les parages quand vous avez découvert les victimes ?

— Non.

— Vous n'avez vu personne ?

— Non.

— Vous faites ce parcours souvent ?

— Au moins deux fois par semaine.

— Et vous passez toujours au même endroit ?

— Euh… oui.

— Vous aviez déjà vu ces deux jeunes femmes auparavant ?

Bercot écarquilla les yeux.

— Hein ? Non !

— Vous ne les connaissez donc pas ?

— Je vous dis que non.

— Vous étiez où la nuit dernière, monsieur Bercot ?

Cette fois, Bercot leur jeta un regard où passa une ombre d'incompréhension.

— Hein ? Quoi ?

— Vous étiez où la nuit dernière ?

— Chez moi !

— Seul ?

— Non ! Avec ma femme !

— Et après minuit ?

— Je dormais.

Le ton était de plus en plus exaspéré.

— Quelqu'un peut en témoigner ?

Les yeux de Bercot roulaient de l'un à l'autre, et Servaz lut une perplexité croissante dans son regard.

— C'est quoi, ces âneries ? Qu'est-ce que vous… ?

— Répondez, monsieur Bercot, s'il vous plaît.

— Ma femme !

— Vous voulez dire qu'elle était éveillée à ce moment-là ?

À présent, les traits de Bercot exprimaient un mélange d'indignation, d'affolement et de colère.

— Non ! Bien sûr que non ! Elle dormait ! À côté de moi… Enfin, c'est ridicule. Que… ?

— Elle s'est endormie à quelle heure ?

— Je sais pas, moi ! 11 heures, 11 h 30…

— Et à quelle heure elle s'est réveillée ?

— Six heures.

— Z'en êtes sûr ?

— Ouais, ouais, j'en suis sûr ! Elle met le réveil. Écoutez, je n'aime pas du tout ces questions. Je…

— Elle prend des somnifères ?

— Non !

— Vous habitez loin d'ici, monsieur Bercot ?

— J'en ai marre de vos questions. Si j'avais su…

— Répondez, s'il vous plaît.

— Non, merde. Un quart d'heure en voiture, tout au plus. Ça vous va ?

— Et elle est garée où, en ce moment, votre caisse ?

— Sur le parking du club…

— D'aviron ?

Bercot eut l'air las tout à coup. Il se tenait de plus en plus voûté. Comme un boxeur dans les cordes qui n'a plus envie de se battre.

— C'est ça… On m'a d'abord interrogé là-bas… vos collègues. Ensuite, ils m'ont fait venir jusqu'ici. D'ailleurs, comment je rentre, moi ? À pied ?

— Vous avez des enfants, monsieur Bercot ?

— Une petite fille, trois ans… Mais je ne vois pas…

— Et vous, vous avez quel âge, monsieur Bercot ?

— Trente-deux.

— Vous fréquentez des étudiantes ?

— Quoi ?…

— Est-ce que vous connaissez des étudiantes ?

— Si je connais… ? Euh… non… non… À part ma nièce… Mais c'est juste ma nièce, bordel.

— Personne d'autre ?

— Non !

— Vous êtes déjà venu par ici ?

— Comment ça ?

— Sur cette partie de l'île. À pied ou en voiture…

— Non !

— Jamais ?

— Non, putain ! Il faut vous le dire comment ? Je peux rentrer chez moi maintenant ?

— Merci, je n'ai plus de questions. (Kowalski fit signe à un de ses hommes.) Et non, monsieur Bercot, vous ne pouvez pas rentrer chez vous. Je vais vous demander de suivre mes collègues au commissariat pour y signer votre déposition. Et je vous déconseille de parler à la presse.

— Allez vous faire foutre.

Le flash jaillit au moment où Bercot s'éloignait. Kowalski tourna la tête. Servaz l'imita. Le photographe, qui avait franchi le ruban et pénétré dans le périmètre, semblait sortir d'une cellule de dégrisement avec son gilet chiffonné plein de poches, ses cheveux en bataille et sa barbe de huit jours.

— Peyroles, qu'est-ce que tu fous là ?

— Salut, Léo.

— Dégage, lui lança Kowalski. Tu n'as rien à faire de ce côté-ci. Je pourrais te mettre en garde à vue pour ça.

— Sérieux ?

Le journaliste parut amusé par l'idée. Il passa sa main libre dans son épaisse chevelure. Servaz lui donna dans les cinquante ans. Il avait des poils blancs dans sa barbe et des valises *king size* sous les yeux. Il tendait le cou pour tenter d'apercevoir la scène de crime, mais Kowalski s'interposa et lui mit une main sur le bras pour le repousser hors du périmètre.

— File-moi quelque chose, le supplia le reporter. Sinon je vais être obligé d'inventer et ce sera pire. Allez. Juste une petite info, Ko…

— Il y aura une conférence de presse, répondit « Ko ».

— Quand ?

— Bientôt. J'en sais pas plus que toi.

Le journaliste fit une moue d'enfant gâté.

— T'es pas cool, dit-il. T'as pas un p'tit truc ? Rien que pour moi…

Kowalski souleva le ruban et Peyroles repassa en dessous. Puis le flic alluma une cigarette et fixa l'énergumène derrière ses paupières plissées de loup de mer.

— N'essaie pas de me baiser, OK ?

— Parole de Peyroles, dit le journaliste.

— Deux jeunes filles, dans les vingt ans, probablement étudiantes. Frappées à mort. Portant des robes blanches.

— Violées ?

— Pas de traces apparentes… L'autopsie en dira plus.

— Quoi d'autre ?

Peyroles prenait des notes, fébrilement.

— Attachées à deux arbres…

— Elles sont là depuis longtemps ?

— Non. Cette nuit.

Kowalski tourna les talons. Servaz remarqua qu'il n'avait pas parlé de la croix. Il se demanda jusqu'à quand ils pourraient garder l'info secrète.

— Merci, *man*, lança le journaliste derrière eux.

Il était 11 heures passées de quelques minutes quand Kowalski rassembla ses hommes et répartit les tâches.

— On va commencer l'enquête de voisinage par la cité U, dit-il. Il y a de fortes chances pour que les filles soient des étudiantes.

Il distribua des clichés Polaroid du visage intact.

— Il y en a aussi pas mal pour qu'une bonne partie des étudiants soient en cours à cette heure-ci. Et on est vendredi : un grand nombre vont rentrer chez eux avant ce soir. Il faut faire vite. J'ai appelé le service technique pour qu'il nous prépare une affichette pour appel à témoins avec cette photo et un numéro de téléphone. On va la placarder un peu partout, ici et dans toutes les facs : Paul-Sabatier, le Mirail, Capitole et toutes les écoles supérieures. Martinet, c'est toi qui t'y colles. Et c'est toi qui répondras au téléphone. Les autres, on se partage en groupes de deux, un groupe par étage. Servaz, tu viens avec moi. Des questions ?

Kowalski balaya le groupe d'un regard inquisiteur. Il y en avait sans doute, mais Martin avait déjà appris qu'avec « Ko » les questions idiotes étaient accueillies fraîchement et valaient souvent à leur auteur une remontrance. En conséquence de quoi même les questions pertinentes étaient passées sous silence. Kowalski consulta sa montre.

— Dans cinquante minutes dans le hall. C'est parti.

Servaz entendit son cœur cogner dans sa poitrine. Il ne cessait de penser aux jeunes filles. Au visage écrasé de l'une et à celui intact de l'autre. À cette croix qui manquait. Instinctivement, comme un mulot devine la présence d'un danger, il comprit qu'ils s'engageaient dans les ténèbres – et que c'était pour longtemps.

5

Où on reparle d'Alice et Ambre

En ce vendredi matin, la plupart des portes auxquelles ils cognèrent restèrent désespérément closes, les étudiants étaient en cours. Les premières réponses derrière celles qui s'ouvrirent furent négatives. Ici, on se croisait, on dormait, on faisait l'amour. On s'engueulait à cause du boucan, on étudiait et on se plongeait dans les livres en espérant sans trop y croire que les diplômes fussent la clef d'une vie meilleure. Mais on se côtoyait peu. Les amitiés se nouaient ailleurs : dans les amphis, les cafés, les boîtes de nuit, entre étudiants d'une même ville ou d'un même village.

Ce lieu n'était rien d'autre qu'un vaste dortoir. Et un dortoir vétuste qui plus est : murs aux teintes pisseuses, peinture qui s'écaillait et, au bout du couloir, des gouttes de pluie tombaient sur le revêtement de sol crasseux à travers un carreau cassé. Ils avaient frappé à plus de quinze portes demeurées obstinément muettes et obtenu en tout et pour tout trois réponses négatives quand une quatrième s'ouvrit devant eux. Le visage qui s'encadra était mince, hâve, couronné d'une tignasse de cheveux si rouges qu'ils semblaient en feu. Surtout, il possédait, encadrés de cils roux, des yeux d'une pâleur telle qu'ils en paraissaient presque blancs. Une pièce remplie d'ombre derrière lui.

— Ouais ?

— Bonjour, vous vous appelez ? dit Kowalski.

Une lueur brève dans le regard délavé. De contrariété et de défiance.

— Et vous ? Vous êtes qui ?

Kowalski, qui n'attendait que ça, décocha son plus beau sourire.

— SRPJ de Toulouse, on peut vous poser quelques questions ? demanda-t-il en exhibant sa plaque.

— À quel sujet ?

Le rouquin n'avait toujours pas complètement ouvert sa porte. Kowalski tendit le cou pour jeter un coup d'œil par l'entrebâillement sans se cacher une seconde.

— On peut entrer ? Ou bien vous pouvez sortir dans le couloir, si vous préférez. Mais ouvrez grand cette porte, s'il vous plaît.

— Écoutez… On peut faire ça plus tard ? Je suis déjà en retard et je…

— FAIS PAS CHIER AVEC TON RETARD. OUVRE CETTE PUTAIN DE PORTE, GAMIN !

Servaz vit l'étudiant devenir encore plus pâle, s'il était possible avec une peau si blanche semée de dizaines de taches de rousseur. Il y avait dans son attitude quelque chose de fuyant et de dissimulé qui lui mit instantanément la puce à l'oreille.

— D'accord…

Le rouquin fit un pas dans le couloir. Une odeur familière s'enfuit aussitôt de la piaule obscure. Une odeur que le gamin portait également sur lui. Kowalski leva son visage. Ses narines se dilatèrent.

— C'est autorisé de fumer du shit dans les chambres ?

Il planta son regard dans celui de l'étudiant. Lequel s'assura rapidement qu'il n'y avait personne d'autre dans le couloir, puis baissa la tête et contempla ses pieds. Kowalski fixait la chambre plongée dans l'obscurité.

— Il est un peu tôt pour s'en rouler un, non ? Tu t'appelles comment ?

Servaz vit le rouquin respirer un peu trop vite.

— Cédric.

— Cédric comment ?

— Dhombres.

— Tu as quel âge, Cédric Dhombres ?

— Vingt ans.

— Et tu étudies quoi ?

— Médecine, troisième année.

Kowalski hocha la tête sans rien dire. Satisfait. Puis il sortit très lentement la photo à la manière d'un prestidigitateur qui va faire un tour.

— Regarde bien cette photo, s'il te plaît, Cédric Dhombres. Et surtout ne me balade pas, compris ?

— Ouais.

— Tu la reconnais ?

— Oui.

Servaz entendit son sang battre plus fort. Kowalski attendit la suite.

— C'est Alice.

— Alice comment ?

— Je sais pas… Alice… Elle est en lettres modernes, je crois. Sa piaule est là-bas.

Il désignait une porte vers le mitan du couloir.

— La 33 ou la 35 ?

— La 35. Celle d'à côté, c'est celle de sa sœur, Ambre. Elle est en médecine, comme moi.

Le silence, soudain. Leurs regards braqués sur le jeune homme, la pulsation de la pluie contre le carreau cassé, et des voix à l'étage inférieur, qui montaient par l'escalier.

— À quoi elle ressemble, la sœur ? s'enquit Kowalski d'une voix qui parut brusquement plus sourde, plus ténue, plus prudente.

— Elles se ressemblent beaucoup, mec. On dirait des jumelles, mais en fait elles ont un an de différence. (Le rouquin tapota la photo de l'index.) Même couleur de cheveux, même coupe, même silhouette, vous voyez ?

Puis, il sembla se rendre compte, tout à coup, à qui il avait affaire et de la tension qui régnait, et il les scruta l'un après l'autre.

— Pourquoi ? Qu'est-ce qui leur est arrivé ?

À 11 h 27, grâce au passe du gardien, lequel était rentré d'une course en ville, ils pénétrèrent dans la chambre 35.

La pluie dessinait des larmes sur les vitres. Un jour gris et triste éclairait la petite chambre avec douche. Kowalski entra sans bruit, Servaz sur ses talons.

En s'approchant de la fenêtre, ce dernier constata qu'elle avait vue sur le petit bois au sud de l'île et aperçut la lueur intermittente des gyrophares là-bas, entre les arbres, comme les étincelles d'un briquet dont la flamme refuse de jaillir. En se retournant, il avisa la photo présente sur le minuscule bureau : de toute évidence, Alice et Ambre. Effectivement, les deux sœurs se ressemblaient. Même blondeur, même visage étroit, mêmes grands yeux mangeant la figure… Jolies, sans l'ombre d'un doute. Quelque chose dans le regard, dans leur façon de fixer l'objectif attira toutefois son attention… Mais quoi ?

Kowalski, qui se penchait également sur la photo, la glissa dans un sachet transparent.

Servaz étudia ensuite le lit fait, la table de nuit. Il nota l'ordre strict, presque spartiate. Et comment Alice avait su tirer parti du moindre espace. Il s'efforça de respirer plus calmement, de refréner l'appréhension que lui communiquait cette chambre qui avait été occupée par une morte. Alice n'irait plus en cours, elle ne s'assoirait plus à ce bureau, elle ne rirait plus, ne bavarderait plus avec ses amies.

Sur le mur, un seul grand poster sur lequel était écrit :

ACHTUNG BABY,
IT'S U2 IN PARIS
MAY 07, 1992

Un groupe en concert. Servaz n'en avait jamais entendu parler.

Ils jetèrent un coup d'œil sous le lit, dans les tiroirs, mais sans s'attarder. Ils mèneraient une exploration plus minutieuse ultérieurement : l'urgence était ailleurs.

Ils ressortirent et passèrent à la porte suivante, devant laquelle les attendait le gardien, un petit bonhomme sec et chauve, aux sourcils noirs et broussailleux, avec des yeux minuscules en forme de bouton. Très noirs, les boutons. Ce furent eux qui les alertèrent.

— Regardez, dit le gardien.

Il désignait la serrure et le chambranle. Servaz aperçut des éclats de bois arrachés à celle-ci.

La porte était fracturée…

Contrairement à celle de sa sœur, la chambre d'Ambre était plongée dans la pénombre. Kowalski tourna l'interrupteur et ils s'attardèrent un instant sur le seuil. Elle était à l'opposé de celle d'Alice : un vrai chaos. Fringues, livres, cassettes, CD, cahiers jetés en vrac jonchaient le sol et le lit défait tandis que des feuillets couverts d'une écriture syncopée recouvraient dans le plus grand désordre le bureau et la table de nuit. Servaz aperçut une tasse transformée en cendrier, remplie à ras bord de mégots, dont certains tachés de rouge à lèvres, des bols pleins d'élastiques de couleur, d'épingles et de bijoux de pacotille, des jeans, des soutiens-gorge et des culottes abandonnés à même le sol, des bouteilles de bière vides… Alors que la chambre d'Alice ne sentait rien, celle d'Ambre empestait le tabac froid, le parfum et la bière. Les murs étaient presque intégralement recouverts de posters et de photos. Servaz lut des noms comme NIRVANA, GUNS N'ROSES, 4 Non Blondes. Comme pour l'affiche dans la chambre d'Alice, ils lui étaient parfaitement étrangers, mais il était sûr que ses anciens coreligionnaires de la fac de lettres les auraient reconnus. Il inspecta les W.-C. Aperçut un long cheveu blond dans la cuvette.

Il se retourna et faillit se cogner à Kowalski.

— Martin, dit celui-ci.

Kowalski le regardait fixement. Il brandissait quelque chose.

6

Où le silence se fait

Ils franchirent la limite entre les départements de la Haute-Garonne et du Gers sous la même pluie compacte. En dépit des rincées qui cinglaient le pare-brise, la Renault 21 2 litres Turbo de Kowalski filait à une allure qu'auraient sûrement désapprouvée les représentants de la maréchaussée s'il s'en était trouvé un dehors.

— Alors, qu'en dis-tu ? l'interrogea son chef. Qu'est-ce qui s'est passé selon toi ?

Il prit le temps de réfléchir avant de répondre.

— Eh bien, à ce stade, ça peut être n'importe quoi… Un crime passionnel qui dégénère, un cinglé, ou bien elles étaient au mauvais endroit au mauvais moment…

— Ça a l'air plutôt prémédité, non ?

Martin acquiesça.

— Oui, les robes de communiante – il est sans doute venu avec…

— Sauf si elles sortaient d'une petite fête, objecta Ko en quittant la N124 pour une départementale, et qu'elles étaient déguisées. On n'a pas retrouvé leurs habits… Quoi d'autre ?

De nouveau, il réfléchit.

— *Quelque chose ne colle pas.*

— Explique…

— Il n'y avait aucun signe religieux dans les chambres. Rien. Pas une croix, pas une bible. Alors pourquoi ces aubes de communiante et cette croix en bois ? Pourquoi cette mise en scène ? Et puis la porte d'Ambre est fracturée, mais pas celle d'Alice…

— Peut-être que celui qui les a tuées était religieux, lui. Et qu'il désapprouvait leur conduite. Je veux que tu consacres tes prochains jours à cerner la personnalité des deux sœurs. À fouiller dans leurs vies. À trouver qui elles fréquentaient, ce qu'elles pensaient, les endroits où elles descendaient. Tu as remarqué la différence entre les deux chambres ?

— Oui. Celle d'Alice était très ordonnée. Presque trop. Celle d'Ambre un vrai bordel.

Ils roulaient à présent sur une route qui sinuait au milieu des collines noyées et Servaz vit la pluie avancer sur les champs en rideaux serrés, telles les lignes d'une armée de fantassins au XIXe siècle. Des fermes et des bosquets surgissaient et disparaissaient, engloutis par la grisaille. Pas âme qui vive. Kowalski opina.

— Le Gers, moins de trente habitants au kilomètre carré, dit-il. Si on pense que l'état de leurs chambres était un reflet de leurs personnalités, ça veut dire que les deux sœurs se ressemblaient physiquement mais pas forcément mentalement, non ?

Servaz savait que ce « non » à la fin de chaque phrase n'était pas une interrogation – son chef avait déjà un avis sur la question – mais une façon de l'encourager à poursuivre.

— Tu en déduis quoi ? demanda-t-il.

— Rien pour l'instant, répondit Ko. Tu l'as dit : c'est trop tôt.

Vingt minutes plus tard, ils entraient dans un village. Tout juste s'ils aperçurent un facteur dont la mobylette refusait obstinément de redémarrer sur la place de l'église, devant le monument aux morts. La pluie crépitait sur son ciré. Sous la capuche enfoncée jusqu'aux yeux, l'homme pivota vers eux et, pendant un instant, Servaz crut voir une face spectrale qui hurlait, avant que l'illusion d'optique ne se dissipe et qu'il constate que l'homme ne hurlait ni même ne les regardait. Cette hallucination – peut-être due à la pluie – distilla en lui un malaise. À la sortie du village, la route se divisa en deux et ils prirent à gauche. La maison des Oesterman était l'avant-dernière.

Ambre et Alice Oesterman. Dans la deuxième chambre, Kowalski lui avait montré le passeport qu'il avait déniché dans un tiroir.

Ils avaient appelé le rectorat pour obtenir l'adresse.

Sous les nuages boursouflés, le pavillon gris avait un aspect sinistre. Servaz se fit la réflexion que la plupart des maisons dans cette région avaient la même apparence. Pourquoi pas des façades pimpantes peintes en bleu, en jaune, en vert ou en rouge ? À l'âge de huit ans, il avait accompagné ses parents en Alsace et il avait été surpris par cette explosion de couleurs dans les rues. Des demeures qui semblaient tout droit sorties d'un conte d'Andersen.

Ils descendaient de voiture lorsque la pluie s'arrêta net. L'instant d'après, un rayon de soleil avait jailli d'entre les nuages et caressait leurs visages. Le portail grillagé et mangé par la rouille grinça quand ils le poussèrent. Ils remontèrent l'allée de gravier et pressèrent le petit téton d'acier de la sonnette. Servaz vit que les gouttières au bord du toit fuyaient et débordaient.

Une tête de cerf empaillée les accueillit dans le couloir de l'entrée, de même que deux visages inquiets.

— M. et Mme Oesterman ? dit Kowalski d'une voix qui ne trahissait rien.

— Oui ?

Le soleil dessinait un rectangle coupé en quatre par la croisée sur le plancher du salon et sur le tapis usé jusqu'à la trame. Une lumière qui ne laissait rien ignorer de la façon dont les visages des deux parents s'étaient affaissés en apprenant la nouvelle quelques secondes plus tôt. Celui de la mère, les yeux rougis et débordants de larmes, n'exprimait qu'une douleur insondable ; sur les traits sombres du père en revanche s'ajoutait la colère – une colère peut-être dirigée à la fois contre le meurtrier et contre l'institution policière qui avait été incapable de protéger ses filles.

Ils se tenaient serrés l'un contre l'autre, dans le canapé recouvert d'une couverture écossaise, les deux flics dans les fauteuils défoncés qui lui faisaient face, le bras du mari, du père passé autour des épaules de sa femme, mais on sentait que chacun était enfermé dans sa propre douleur. En un instant, une famille avait été saccagée, quatre vies brisées, ravagées de fond en comble, songea Servaz. Il n'en restait plus rien, sinon des morceaux qui jamais ne se recolleraient.

Tous deux avaient dans la soixantaine – ils avaient eu leurs filles tardivement – et Servaz imagina l'abîme qui devait exister entre eux. Le père devait avoir un visage jovial en temps normal, des yeux bleus un peu aqueux, un nez charnu et des favoris grisonnants, mais le chagrin le rendait méconnaissable. La mère était blonde et pâle et on devinait d'où les filles tenaient leur beauté ; elle tamponnait un mouchoir humide sur ses paupières gonflées, bordées de rouge, se mouchait dedans, et ses joues rebondies étaient griffées par la souffrance. Par intervalles, une crise de sanglots l'agitait et son mari la serrait un peu plus fort et la secouait légèrement, comme pour lui intimer de se reprendre, ce qu'elle faisait. Servaz n'avait jamais rencontré une douleur si énorme, si écrasante, sauf peut-être celle de son père au cimetière, à l'enterrement de sa mère – mais il avait dix ans alors, et le souvenir qu'il en gardait était flou, à part la sensation étrange qu'en cet après-midi ensoleillé où flottait le pollen des tilleuls il était le centre de toutes les attentions, que tout le monde voulait prendre dans ses bras et embrasser le petit garçon endimanché, sauf la seule personne contre laquelle il aurait voulu se presser, elle aussi enfermée dans sa douleur.

Sur le rebord de la fenêtre, là où la poussière dansait dans la lumière, se trouvait une photo encadrée de la famille au grand complet. Les filles devaient avoir six ou sept ans. Tout le monde avait l'air si heureux – et Servaz songea que rien n'est plus mensonger qu'une photo de famille. Une mouche bourdonnait contre la vitre, faisant ressortir le silence qui régnait.

— Est-ce qu'on peut voir leurs chambres ? demanda doucement Kowalski.

Le père acquiesça, les dents serrées. Il se leva. Les précéda vers l'escalier étroit mais ne monta pas. Posa une main sur le bras de Ko.

— Écoutez, commença-t-il, les gendarmes ne vous ont…

— Après, le coupa le chef de groupe. C'est par où ?

— Là-haut… Les deux portes à droite. Celle du fond, c'est la salle de bains. Celle de gauche notre chambre.

Il s'approcha de la fenêtre. Le soleil inondait les jardinets à l'arrière des maisons. Étroites, parallèles et séparées par des haies ébouriffées, les parcelles descendaient en pente douce vers une rivière qui se frayait un passage entre deux murailles de verdure. Servaz aperçut un bois sur l'autre rive, une balançoire en plastique orange, une table métallique et des chaises de jardin aussi rouillées que le portail, des dizaines de pots de fleurs posés de guingois sur l'herbe semée de pissenlits.

Dans un des jardins voisins, un homme taillait les feuilles grasses d'un laurier. Il portait un débardeur sale qui laissait voir des bras musculeux et tatoués, un peu mous. Sa calvitie luisait et il accomplissait sa tâche mécaniquement, d'un air renfrogné.

Servaz se retourna. Le soleil avait chauffé la chambrette sous les toits, et cette chaleur enclose, dans laquelle bourdonnaient des mouches, sentait la poussière des pièces demeurées inoccupées. Ici, le silence avait une autre qualité qu'en bas. C'était celui de l'absence. Servaz se dit que la pièce était moins triste que le reste de la maison, mais c'était sans nul doute dû aux rayons printaniers qui l'égayaient, et il ne put s'empêcher de penser à l'employé des pompes funèbres qui tenterait pareillement de donner un peu de couleur et de vie au visage d'Alice – et qui échouerait avec celui d'Ambre.

Il observa la chambre un moment. Par où commencer ? Elle était à l'image de celle qu'Ambre occupait à la cité U, même si le chaos y était moins grand. Peut-être parce que la mère était venue mettre un semblant d'ordre. Il entendit Kowalski remuer des tiroirs dans la pièce voisine et il se décida à bouger.

Sur le lit traînaient un walkman et des dizaines de CD qui brasillaient dans la lumière. Il ouvrit un placard et aperçut, suspendus à des cintres, un débardeur en jean au moins deux tailles trop grand, un bomber vert olive, des tee-shirts à l'effigie de groupes qu'il ne connaissait pas, une chemise aux carreaux rouges et vert foncé, un gilet noir et des Doc Martens. Une boîte à chaussures remplie d'élastiques, de pinces à cheveux multicolores, de tubes de rouge à lèvres et de vernis à ongles. Des culottes à fleurs et des chaussettes en laine dans un tiroir. C'était la première fois de sa vie qu'il fouillait dans les affaires de quelqu'un et il ne cessait de penser à Ambre, à son beau visage mutilé. Ambre était la plus belle des deux. Était-ce pour cela que son assassin s'était acharné jusqu'à effacer ses traits ?

Le bureau en bois blond bon marché ne supportait qu'une lampe, un pot de crayons et de trombones et un album photo. Il le parcourut. Sur les clichés les plus anciens, les filles devaient avoir quinze ou seize ans. Elles étaient presque toujours entourées de copines hilares ou faisant des grimaces, et les photos étaient accompagnées de commentaires ponctués de nombreux points d'exclamation. Sur deux d'entre elles cependant, Ambre et Alice étaient seules. Elles ne souriaient pas. La joie un peu factice des autres clichés avait totalement disparu. Leurs regards avaient exactement la même intensité et la même expression.

Il approcha le cliché de son visage et fut gagné par un nouveau malaise. Quel message les deux sœurs cherchaient-elles à transmettre en fixant ainsi l'objectif ? Il se demanda qui avait bien pu prendre cette photo.

Un petit ami ? Une copine ?

Certainement pas un parent – il en aurait mis sa main au feu. Ce double regard était trop ambigu, trop prometteur, trop obscur pour s'adresser à un membre de la famille.

Il referma l'album et sentit sous ses doigts l'épaisseur de la couverture. Ses yeux se hissèrent ensuite jusqu'à l'étagère de livres au-dessus du bureau. Une trentaine de volumes… À en juger par les titres, essentiellement des romans policiers. Serrés les uns contre les autres par deux galets, peut-être trouvés dans le lit de la rivière.

Brusquement, les poils de sa nuque s'électrisèrent. Son examen s'était arrêté sur un livre vers le milieu de la rangée : un roman au titre familier.

7

Où il est question de livres et de lectrices

Il retint sa respiration. Écarta précautionneusement les autres livres avant de le tirer à lui. Comme s'il manipulait un ouvrage très ancien, comme si ces volumes et ces pages allaient tomber en poussière. Il détailla la couverture : la photo d'une jeune fille debout au pied d'un grand arbre – un peuplier ou un tremble –, les pieds nus sur un parterre de pâquerettes. Vêtue de blanc. Telle une mariée. *Ou une communiante*… Sa robe blanche dessinait des plis verticaux de la ceinture à ses pieds, pareils aux crevasses longitudinales qui creusaient le tronc de l'arbre voisin. Une grosse croix pendait en sautoir sur sa poitrine.

Le livre s'intitulait *La Communiante*, il était signé d'un certain Erik Lang.

Servaz fronça les sourcils. Qu'est-ce que ça signifiait ? Il eut l'impression que sa gorge s'asséchait. Il souleva la couverture, chercha la date de première parution. 1985. Revint aux autres livres sur l'étagère. Il y avait trois titres du même Lang. Que se passait-il ici ? Deux cadavres vêtus en communiantes et à présent ça : qu'est-ce que cela pouvait bien vouloir dire ?

Le cœur battant, il eut l'étrange sensation de mettre le pied en territoire inconnu en tournant les pages :

CHAPITRE 1

Son cœur était lourd comme une pierre. Il était au bord de penser quelque chose, il entrevoyait une hypothèse – mais elle semblait par trop absurde, par trop extravagante pour la soumettre à Ko : *le meurtrier s'était-il inspiré du bouquin ?* L'instant d'après, cette hypothèse lui parut ridicule. C'était le genre d'astuce scénaristique à deux balles qu'on trouvait dans les films et il imaginait déjà la réaction du chef de groupe. Et pourtant, pourtant… pouvait-il s'agir d'une simple coïncidence ?

Le livre à la main, il se rapprocha de la fenêtre. Dans le jardin d'à côté, le colosse chauve avait terminé de tailler le laurier. Il fumait une cigarette à l'ombre d'un figuier avec toujours le même air morose. Servaz se souvint de ce que disait sa mère : qu'il ne fallait jamais faire la sieste sous un figuier.

Tout à coup, une autre pensée le traversa. Quelque chose avait attiré son attention pendant une demi-seconde tout à l'heure, quand il avait fouillé la chambre, puis ce quelque chose lui était sorti de la tête. Qu'est-ce que c'était, bon Dieu ? Il se retourna. Son regard balaya la pièce. Un détail mais lequel ? Il s'arrêta sur l'album photo.

Oui. *Cela avait à voir avec l'album…* Il s'en approcha lentement.

Le plat arrière lui avait paru bien plus épais, plus rembourré que celui de devant quand il l'avait refermé. Oui, c'était ça. Il tourna doucement les pages cartonnées avec les photos collées sous un cellophane protecteur, tâta de nouveau le carton arrière… Pas de doute : *il y avait quelque chose à l'intérieur*… Il parvint assez facilement à désolidariser le tissu d'ornement bleu pastel de l'ossature en carton. Les écarta précautionneusement. Une dizaine d'enveloppes apparurent.

Des lettres…

Il les extirpa soigneusement et revint vers la fenêtre, le paquet à la main. Les enveloppes étaient anciennes, jaunies, l'encre avait pâli, l'adresse était à peine lisible, mais il reconnut celle de la maison où ils se trouvaient. Toutes les enveloppes portaient la même écriture.

Il les retourna. Pas de nom d'expéditeur.

Il essaya de déchiffrer le tampon de la poste mais il était presque entièrement effacé à l'exception de la date : 1988. Quel âge avaient Ambre et Alice à ce moment-là ? Dans les quinze ou seize ans, calcula-t-il… Il souleva le rabat déchiré de la première, tira deux feuillets que le temps avait rigidifiés. Le papier craqua quand il le déplia, les lettres avaient été ouvertes et repliées un si grand nombre de fois que les feuilles étaient déchirées dans les coins.

Mes chères fiancées,

(L'espace d'un instant, il s'attarda sur cet incipit. Songea à toutes les significations que le dernier mot pouvait impliquer.)

Hier, je me trouvais dans un restaurant plein de monde, d'amis, de moins amis, de pas du tout amis.

Ça discourait, ça riait, ça pérorait. Ça se voulait amusant, caustique et surtout intelligent. Moi, dans mon coin, je ne pensais qu'à vous. À votre jeunesse, à votre beauté, à votre intelligence. Celle du cœur. Celle de l'âme. À votre innocence et à votre vice. Je pense à vous tout le temps, jour et nuit, quand je n'arrive pas à dormir. Où êtes-vous ? Que faites-vous ? Je veux tout savoir – de vos rêves, de vos espoirs, de vos désirs. Est-ce que vous m'aimez ? Dites oui, même si ce n'est pas vrai. Si une lettre arrive d'ici la fin de la semaine, cela voudra dire que vous m'aimez.

(Il interrompit sa lecture. Qu'est-ce que ces mots disaient de leur auteur ? À l'évidence, ce n'était pas un ado mais un adulte qui s'exprimait ici. Un adulte qui savait manier la langue, même s'il était resté – sans doute volontairement – simple et factuel : il n'y avait pas la moindre faute de syntaxe ni d'orthographe… Il en déplia une autre, au hasard.)

Mes chères amies de cœur,

Je me moque bien d'être aimé et encore plus de plaire. La plupart des gens me détestent, redoutent mon cynisme, mon esprit et ma langue acérés. Tant mieux. Qu'ils continuent. Il n'y a qu'à vous que j'ai envie de plaire. Que vous que j'ai envie d'embrasser, de serrer contre moi. J'attendrai cinq ans s'il le faut et ensuite je vous épouserai – toutes les deux. Dans un pays où la polygamie est autorisée. J'espère que vous savez que je vous aime.

Nom de Dieu, ce type leur parlait comme à des femmes… Ce qui l'intriguait le plus, c'était la teneur des lettres. Cette intimité entre un adulte et deux adolescentes. Quel âge avait-il ? Vingt ans ? Quelque chose dans son écriture faisait penser à quelqu'un de plus vieux… Était-il sincère ou bien tendait-il ses pièges de mots pour prendre deux jeunes filles naïves dans ses filets ? Servaz chercha une signature, la trouva au bas de la page suivante :

Sándor

Pendant un court instant, il s'abîma dans la contemplation de ce prénom. Qui était Sándor ? Un fantôme, pour l'heure. Une ombre dans un coin. La sonorité elle-même avait quelque chose de mystérieux. Cela sonnait comme un pseudo. Il replaça la lettre dans son enveloppe. Examina les cachets de la poste, les dates, une par une, jusqu'à identifier la plus ancienne – la première missive –, et il reprit sa lecture.

Chère Ambre, chère Alice,

Mon cœur explose de joie en vous lisant, vos éloges me font tellement plaisir. Si jeunes et déjà si clairvoyantes, si éveillées, si perspicaces ! Il n'y a rien de plus grand, de plus beau que de trouver une âme sœur – alors imaginez ma joie, chère Alice, chère Ambre, d'en trouver deux pour le prix d'une ici.

Ô chères lectrices, quand je pense que vous avez failli ne pas m'écrire…

(De nouveau, il arrêta sa lecture. *Chères lectrices ? un auteur…* Était-ce Erik Lang lui-même qui leur avait écrit ? Ou bien s'agissait-il d'un imposteur qui se faisait passer pour lui ?)

… *Quand je pense que vous avez hésité – comme vous le dites dans votre si belle et si pénétrante lettre – avant d'oser « déranger le grand auteur », de peur de paraître ridicules… Non, il n'y a rien de ridicule dans votre lettre ! Au contraire. Quand vous dites que* La Communiante *est un grand livre* (derechef, Martin sentit ses battements s'accélérer), *mais aussi un livre noir, un livre immoral, je ne peux qu'y souscrire. Quand vous écrivez : « vous n'imaginez pas avec quels délices nous nous sommes plongées dans votre univers et nous avons échangé nos impressions de lecture pour conclure que vous êtes notre auteur préféré », vous faites de moi le plus heureux des hommes. Écrivez-moi encore ! Encore ! Je veux plein d'autres lettres comme celle-là !*

De nouveau quelque chose ne collait pas. Si Erik Lang répondait à des fans, pourquoi signer Sándor ? Était-ce un code entre eux ? La porte s'ouvrit et il se retourna. Kowalski pénétra dans la chambrette surchauffée. Son regard se posa aussitôt sur les lettres.

— Qu'est-ce que c'est ?

Sans répondre, Martin attrapa le livre sur le bureau et le lui tendit.

Il avait aperçu un téléphone dans l'entrée. Ils redescendirent et Servaz demanda aux parents l'autorisation de s'en servir. Fouilla dans l'annuaire près de l'appareil et composa un numéro.

— Salut, Eva, dit-il quand une voix teintée d'accent chantant eut répondu. Qui s'occupe des romans policiers chez vous ?

Le numéro qu'il avait composé était celui d'une librairie toulousaine où il avait ses habitudes. « L'Exquis Mot ». Servaz la fréquentait assidûment du temps où il était étudiant, un peu moins depuis qu'il était flic. En matière de récits policiers, cependant, il s'était arrêté aux classiques : Poe, Conan Doyle, Gaston Leroux, Chandler et Simenon, en gros. Ses auteurs favoris avaient nom Tolstoï, Thomas Mann, Dickens, Gombrowicz, Faulkner et Balzac. Comme son père avant lui, il considérait que les meilleurs livres demandent des efforts et que, plus globalement, tout ce qui est obtenu facilement est vain et sans valeur.

— Tu peux me le passer ? dit-il quand il eut obtenu la réponse.

Il attendit que son nouvel interlocuteur vînt en ligne.

— Erik Lang, vous connaissez ?

La voix au bout du fil ne se montra guère loquace.

— Bien sûr.

— Et *La Communiante* ?

— Évidemment.

— C'est son roman le plus célèbre ?

— Oui. Gros carton.

Servaz soupira. Le libraire – qu'il devinait jeune – paraissait considérer que chacune de ces informations allait de soi et que perdre son temps à les fournir n'entrait pas dans ses attributions.

— Il a écrit combien de romans ?

— Ce que j'en sais, moi… Une dizaine.

— Il a quel âge ?

— Quoi ?

— Quel âge ? répéta Servaz.

Il perçut la perplexité de son interlocuteur à l'autre bout.

— Un instant.

Le libraire reprit la communication au bout de quelques secondes. Ton encore plus las – on atteignait les limites de sa patience et de ses obligations professionnelles.

— Né en 59.

Servaz fit le calcul. En 1988, Lang avait vingt-neuf ans. Que faisait-il à frayer avec des gamines de quinze ans ? Certes, il s'agissait de répondre à des fans. Mais les lettres qu'il avait lues allaient bien au-delà d'un simple courrier à des lecteurs. Elles témoignaient d'un surprenant degré d'intimité… À quelle occasion cette intimité était-elle née ?

— Et Sándor, ça vous dit quelque chose ?

— Erik Lang est un pseudo, répondit la tête à claques du même ton condescendant et professoral. Il est né en Hongrie. Son vrai nom, c'est Sándor Lang.

— Merci, dit-il, mettant fin à la conversation.

Ils avaient repris place dans le salon, face aux parents qui n'avaient pas bougé pendant toute la durée de leur visite et qui donnaient l'impression que, s'ils revenaient le lendemain, ils les retrouveraient au même endroit.

La mère ne pleurait plus mais ses yeux demeuraient bordés de rouge. Elle avait l'air d'avoir vieilli de quinze ans. Le père semblait remâcher des pensées sombres. L'atmosphère de désespoir était difficilement soutenable et Servaz sentit qu'il ne pourrait la supporter très longtemps. Kowalski les avait interrogés d'une voix étonnamment douce et unie – qui contrastait totalement avec le Ko qu'il connaissait – sur les fréquentations de leurs filles, leurs habitudes, leur scolarité. Finalement, il se frotta l'arête du nez et se pencha lentement en avant. Servaz discerna un élément nouveau dans son intonation – une tension qui ne s'y trouvait pas auparavant – et dans le soin avec lequel il choisit chaque mot :

— Est-ce qu'il est arrivé quoi que ce soit… d'*anormal* ces derniers temps ? Quelque chose qui aurait attiré votre attention d'une manière ou d'une autre, même si c'est insignifiant…

À leur grande surprise, ils virent les deux parents échanger un regard entendu et même hocher la tête, comme s'ils attendaient cette question depuis le début. Tout à coup, Servaz fut aux aguets. Ko se tourna doucement vers le père, qui le fixait les lèvres pincées.

— Pas insignifiant du tout, répondit celui-ci. J'ai essayé de vous le dire tout à l'heure : il est arrivé quelque chose, oui, quelque chose qui nous a fait très peur… et si vous aviez réagi plus tôt, peut-être qu'Ambre et Alice seraient encore là.

La voix du père vibrait de colère. Martin vit la nuque de Ko se raidir, les muscles de ses épaules se tendre sous le blouson de cuir.

— C'est-à-dire ? s'enquit le chef de groupe sans cacher son incompréhension.

— Les gendarmes ne vous ont rien dit ?

— Quels gendarmes ? Expliquez-vous.

— Ça a commencé il y a environ six mois… le téléphone qui sonne et personne au bout du fil… Trois nuits de suite, même heure chaque fois : 3 h 30.

Le père d'Ambre et Alice les scruta à tour de rôle avant de poursuivre.

— Je m'en souviens parfaitement… Les filles étaient à la fac. La première fois, on a cru qu'il leur était arrivé quelque chose, on a paniqué.

Il marqua une pause, les mâchoires serrées.

— La deuxième nuit, je savais déjà qu'il n'y aurait personne pour répondre. J'ai dit : « Vous devez vous tromper de numéro », mais ne me demandez pas pourquoi : je savais que ce n'était pas le cas… Et puis, il y avait cette respiration à peine perceptible. Tout ça au beau milieu de la nuit… La troisième fois, j'ai demandé à celui qui se trouvait à l'autre bout ce qu'il voulait et de nous ficher la paix. Comme les autres fois, il n'y a pas eu de réponse.

— Vous avez une idée de qui ça pouvait être ?

Le père fit « non » de la tête.

— Et ça s'est arrêté là ?

Nouvelle dénégation.

— Il a rappelé. Des semaines plus tard… C'était un week-end, les filles étaient à la maison. Il a dit : « Est-ce que je peux parler à Ambre ou à Alice ? » Il était 3 h 30. Je lui ai demandé qui il était et s'il avait vu l'heure. Il a répété : « Est-ce que je peux parler à Ambre ou à Alice ? », comme s'il ne m'avait pas entendu. Je lui ai dit que j'allais raccrocher, il a dit encore une fois : « Est-ce que je peux parler à Ambre ou à Alice ? » Je l'ai prévenu que j'allais appeler les gendarmes. Il a alors dit : « Dites à Alice et Ambre qu'elles vont mourir. »

Servaz vit remonter dans les yeux du père la peur immense, démesurée, qu'il avait éprouvée cette nuit-là.

— Le téléphone a sonné une bonne dizaine de fois cette même nuit. Les filles se sont réveillées. Tout le monde était terrorisé. J'ai fini par le débrancher.

— Il a rappelé ensuite ?

— Oui. Tous les samedis à 3 h 30 du matin, quand les filles étaient à la maison, pendant des semaines… À la fin, je débranchais systématiquement le téléphone avant de m'endormir.

— Vous leur avez demandé si elles savaient qui ça pouvait être ?

Il hocha la tête.

— Elles ont dit qu'elles n'en avaient pas la moindre idée.

— Vous avez prévenu la gendarmerie, c'est ça ?

Il acquiesça de nouveau.

— Et… ?

La colère réapparut.

— Aucune nouvelle de ce côté… Ils ont dit qu'ils ne pouvaient pas faire grand-chose…

— Vous pourriez décrire sa voix ?

— Un homme… jeune… peut-être vingt ans… ou trente, allez savoir… Il parlait très doucement.

— Vous pourriez la reconnaître ?

Il secoua la tête.

— Je ne crois pas, non, je vous l'ai dit : il parlait très doucement.

— Merci, M. Oesterman.

— Ce n'est pas fini…

Sa voix tremblait, de fureur et de reproche, ses yeux lançaient des éclairs.

Kowalski se redressa, comme s'il avait reçu un coup de pied dans les reins.

— Ah non ?

— *Il a rappelé la nuit dernière*...

Cette fois, ils se figèrent.

— Et qu'est-ce qu'il a dit ?

Servaz vit le visage de Richard Oesterman s'effondrer.

— Qu'elles étaient mortes. Et aussi... aussi *qu'elles n'avaient que ce qu'elles méritaient*.

8

Où il est question de virginité et de football

Les morts ne parlent pas. Les morts ne pensent pas. Les morts ne pleurent pas les vivants. Les morts sont morts, tout simplement. Mais la seule vraie tombe, c'est l'oubli, songea-t-il.

Il observa les parents d'Alice et Ambre. Il ne savait pas ce qu'ils ressentaient. Comment l'aurait-il pu ? Nourrissaient-ils encore quelque infime et fol espoir qu'il s'agît peut-être d'une méprise et que donc ce ne fût pas leurs filles qui se trouvaient là ? Étaient-ils pressés d'en finir et de rentrer chez eux pour pleurer tout leur saoul à l'abri des regards ? Redoutaient-ils que la dernière image qu'ils conserveraient d'elles fût celle qu'ils allaient affronter dans un instant ? Il repensa à ce qu'ils avaient dit : les coups de fil nocturnes – et l'ultime et lugubre appel la nuit du double homicide pour leur annoncer que leurs filles étaient mortes. Un fax avait été envoyé à France Télécom pour identifier l'appelant. Ils avaient tenté de les joindre à la cité universitaire. En vain. Ils avaient rappelé les gendarmes, qui avaient conclu à une mauvaise plaisanterie…

Les parents se tenaient l'un près de l'autre, sur deux chaises face au bureau du légiste, mais sans se toucher – et Servaz se demanda si leur couple résisterait à ce double deuil.

Klas ne semblait guère travaillé par ce genre de considérations. Il avait vu trop de cadavres, trop de violence, trop de chagrin, réel ou simulé. Il était assis derrière un bureau sur lequel ne traînait aucun objet qui pût évoquer la mort – de ceux qu'on trouve dans les hôpitaux, sur les tables de travail des grands spécialistes : cerveaux, poumons ou cœurs en résine.

Au contraire, dans la serre ensoleillée transformée en bureau, avec sa verrière sale et ses grands vitraux de couleur, c'était la vie même qui croissait de toutes parts. Sur le mobilier, comme suspendue aux poutres métalliques : une jungle de plantes exotiques en pots qui se déployait, envahissait tout l'espace, dispensant une odeur de terre nourricière et d'humus. Des pots étaient même posés sur la table en chêne du légiste, près du gros téléphone et du Rolodex. Servaz lut quelques étiquettes : *Dracula chimaera* (une orchidée), *Chamaecrista fasciculata* (une sorte de fougère), *Dionaea muscipula* (un attrape-mouche ?). Néanmoins, il trouva que cela sentait quelque peu la décomposition sous la verrière, l'invincible cycle de la nature : mort et renaissance.

— Allons-y, fit Klas en se levant.

Servaz vit les parents des deux jeunes filles rentrer un peu plus la tête dans les épaules. Le petit légiste les précéda le long d'un couloir en pierre grise qui évoquait les entrailles d'une forteresse, poussa une porte métallique, actionna un interrupteur, et ils pénétrèrent dans une pièce carrelée et froide éclairée par des néons. Un des murs était entièrement tapissé de tiroirs frigorifiques en acier brillant. Klas consulta les cartons d'identification glissés dans les porte-étiquettes, puis il ouvrit l'une des portes et ramena le long tiroir à lui dans un discret cliquetis de roulements à billes. Il fit signe aux parents de s'approcher.

— Ne vous attardez pas, conseilla-t-il. Ça ne sert à rien. Il vaut mieux se souvenir d'elles comme elles étaient avant. Je veux simplement que vous les regardiez le temps de les reconnaître.

Le père acquiesça, la mère paraissait statufiée.

Klas souleva le drap.

C'était Alice, pas de doute... Le légiste la découvrit jusqu'en haut des seins. Servaz remarqua que la jeune femme avait une tache de naissance caractéristique près de l'épaule gauche. Elle avait l'air de dormir. Les deux parents opinèrent presque simultanément. Klas remonta le drap.

Il ouvrit un autre tiroir.

Souleva à nouveau le drap – et Servaz, les dents serrées, anticipa la réaction qui allait suivre.

Un hoquet d'horreur étouffé de la part de la mère, un brusque mouvement de recul chez le père – puis des sanglots. Servaz nota qu'ils détournaient rapidement le regard d'Ambre défigurée. La bouche pincée par une grimace, le père confirma d'un coup de menton et tourna le dos à la civière et à ses filles pour prendre sa femme dans ses bras.

— Vous confirmez donc qu'il s'agit bien d'Ambre et Alice Oesterman, vos deux filles ? questionna Klas d'un ton bureaucratique.

Servaz murmura un « Je suis désolé » et fila respirer l'air du dehors, maudissant Kowalski qui l'avait envoyé seul ici.

À l'extérieur, il se sentit brusquement épuisé. Il alluma une cigarette, la fuma en suivant des yeux deux jeunes filles qui passaient sur le trottoir opposé. Elles riaient, elles l'arpentaient à grandes enjambées comme si la ville leur appartenait. Il ferma les yeux. Tira sur sa cigarette et écouta. La rumeur de la ville. Les klaxons, les scooters, le bourdonnement régulier de la circulation, les cloches d'une église, un pigeon sur un toit, des bribes de musique… La vie même.

En fin d'après-midi, Gambier, le procureur de la République, s'exprima devant un parterre réduit de journalistes. Il évoqua deux jeunes étudiantes, parla de premières constatations, de robes de communiante – Servaz vit Kowalski se crisper à cette évocation –, mais passa sous silence les deux croix, celle absente et celle présente. En ressortant, Kowalski prit Martin à part :

— Rentre au bureau et lis ce fichu bouquin. Vois s'il y a d'autres points communs. Si le meurtrier s'en est vraiment inspiré. S'il y a quelque chose dans ce putain de livre. C'est toi l'intellectuel du groupe, ajouta-t-il en tapotant sur son épaule et en lui tendant le sachet à scellé contenant l'exemplaire trouvé dans la chambre d'Ambre.

Servaz devina à quoi Kowalski faisait allusion. À ses cheveux longs, à ses études de lettres, à ses grandes phrases, au fait que les vieux briscards du service redoutaient et méprisaient en même temps sa cervelle trop pleine.

— Il serait peut-être intéressant de savoir qui a eu accès à la chambre d'Ambre à part les parents, dit-il soudain. Le meurtrier était-il au courant que les deux sœurs étaient fans d'Erik Lang ? Et qu'Ambre avait *La Communiante* dans sa chambre ? Ça ne peut pas être une coïncidence.

— Il y a au moins une personne qui le savait, dit Kowalski.

— Oui : Erik Lang.

Il était 20 h 30 quand Servaz quitta le SRPJ. Il n'y avait plus la moindre trace d'humidité ; c'était une agréable soirée de mai qui jetait les Toulousains dans les rues, aux terrasses des cafés. Le ciel avait pris une teinte saumonée qui ravivait le rose des façades et des bribes de chansons qui ne passeraient pas l'été – émanant des fenêtres ouvertes comme des voitures en stationnement – flottaient dans l'air tels des éphémères.

Il descendit à pied jusqu'à la rue de Metz, tourna à gauche et marcha vers la place Esquirol, puis poussa jusqu'à la Garonne, qu'il traversa sur le Pont-Neuf, en direction du quartier Saint-Cyprien, arpentant des trottoirs qui restituaient la chaleur emmagasinée. L'air avait la douceur d'une caresse.

En pénétrant dans le petit trois-pièces, il constata qu'il y régnait une température étouffante malgré les fenêtres ouvertes. Margot courut vers lui et se jeta dans ses bras. Alexandra apparut. Elle était pieds nus, portait un tee-shirt blanc à rayures bleues trop grand pour elle et un jean troué au-dessus de ses genoux bronzés. Elle le scruta, lui souffla un baiser puis retourna dans le salon – et il l'entendit parler à voix basse au téléphone. Il reconnut la musique qui monta soudain : The Cure, le concert au Zénith de l'année dernière (il la reconnut parce qu'Alexandra l'y avait traîné), et se demanda fugitivement si elle ne l'avait pas mise pour masquer ses propos.

Il joua un moment avec sa fille, la souleva et la bascula par-dessus son épaule, la chatouillant et déchaînant une tempête de gloussements, de gazouillis, de rires et de feintes protestations. Assurément, sa fille était encore un petit animal aux besoins élémentaires : manger, dormir, jouer, rire, être aimée… Tout le contraire de sa mère, pensa-t-il un peu perfidement.

Plus tard dans la soirée, alors que la température commençait à peine à redescendre dans l'appartement mais qu'une agréable brise nocturne se coulait dans la pièce, assis dans le coin du canapé le plus proche de la fenêtre ouverte, il sortit le livre du sachet pour pièces à conviction.

Il n'avait pas encore commencé sa lecture qu'il doutait déjà. Cela avait-il le moindre sens de se plonger dans ces pages ? À quoi s'attendaient-ils ? À trouver la solution au milieu ? Mais il fallait bien que quelqu'un s'y colle. Si le meurtrier s'était inspiré du roman, ce qui semblait à tout le moins être le cas, peut-être qu'ils pourraient remonter sa trace d'une manière ou d'une autre. Combien de librairies avaient vendu le livre dans la région ? Combien de bibliothèques le possédaient ? À en croire le libraire, *La Communiante* avait été un succès. Cela signifiait sans doute trop de lecteurs pour les passer tous en revue. Il débuta sa lecture. Au bout de deux pages, il se dit que ça n'était pas mauvais du tout, dans le genre économe. Moins ampoulé que celui des lettres, le style, même si ça manquait d'ambition. Il poursuivit alors que, en bas dans la rue, un ivrogne passait en chantant d'une voix avinée un air qu'il ne reconnut pas cette fois. Il n'était pas un spécialiste mais il y avait quelque chose dans l'écriture de cet auteur, se dit-il. *Un fond de méchanceté, de morbidité et de perversité*. Présent presque à chaque page. Corruption, dépravation, sadisme… Il se demanda si c'était ce qui avait plu aux deux adolescentes, à l'âge où la transgression, le dépassement de ses peurs, le besoin d'aller à l'encontre des valeurs parentales et d'être reconnu et aimé ont le même attrait irrésistible que la lumière pour le papillon. Alice et Ambre étaient-elles cela : des chrysalides devenues papillons et prenant leur essor ? Se cherchant et mettant à l'épreuve les interdits parentaux ? Après tout, sur des esprits aussi avides de nouveauté, les romans d'Erik Lang devaient exercer une attraction puissante.

Au point d'oublier toutes les règles de prudence ? À cet âge, la perception du risque était souvent faible et le diagnostic faussé par un sentiment trompeur de toute-puissance. *Seigneur, tu parles comme un psy*.

— Qu'est-ce que tu lis ? voulut savoir Alexandra en entrant dans la pièce.

Il lui montra la couverture. De toute évidence, elle n'en avait jamais entendu parler.

— Qu'est-ce que c'est ?

— Un roman policier.

Elle se laissa tomber dans un fauteuil, jambes croisées par-dessus un accoudoir, balançant un pied nu aux ongles peints.

— Tu lis des romans policiers maintenant ?

— Pas des, un…

— Qu'est-ce qu'il a de particulier ?

— C'est très… tordu.

— Ohhh, *tordu*… un bon point pour lui…

C'est alors qu'il se rendit compte qu'elle avait bu. Quelque chose dans sa voix. De fait, elle avait un verre à la main. Le bout de ses ongles roses posés sur le verre était carré et souligné par une large bande de vernis blanc. Elle souriait comme si quelque chose dans ce qu'il avait dit l'amusait au plus haut point.

— Quoi ? fit-elle. Pourquoi tu me regardes comme ça ?

Il ne dit rien. Elle le fixait et il discerna une solennité nouvelle dans son regard.

— Margot dort ? demanda-t-il.

Elle acquiesça. Une légère rougeur sur ses joues, ses lèvres plus gonflées qu'à l'ordinaire.

— Je suis bourrée, admit-elle.

— Combien ?

— C'est le troisième.

Il lut l'invite dans ses yeux. Un rituel renouvelé chaque fois qu'elle rentrait d'un séjour un peu prolongé à l'étranger. Dans ces moments-là, elle se montrait aussi aguicheuse qu'une fille rencontrée dans un bar. C'était comme si, tout à coup, il avait une inconnue en face de lui.

Une inconnue qui le mettait mal à l'aise. Il se demandait parfois, sans s'y attarder, comment Alexandra se comportait pendant ses escales. Il savait qu'elle préférait la compagnie des hommes à celle des femmes, et qu'elle pouvait très bien aller au restaurant avec un type sans considérer que c'était la première étape vers le lit. Du moins était-ce ce qu'elle avait toujours prétendu.

Il savait aussi qu'elle avait des secrets. Bien plus de secrets que lui, en vérité. Cette dissymétrie les avait éloignés au fil du temps. Il les devinait à ses réponses évasives de retour de Hong Kong ou de Singapour. À ses contradictions. À de petits détails. Par exemple, le téléphone de sa chambre d'hôtel qui sonnait souvent occupé quand il l'appelait. Quand il lui posait la question, elle lui répondait coïncidence. Il ne croyait pas aux coïncidences. Était-ce le métier de flic qui avait commencé à déteindre sur lui ? Il hésitait à mettre un mot là-dessus. *Mensonges*. S'il avait un jour la preuve formelle, définitive, qu'Alexandra lui mentait, comment réagirait-il ? C'était une chose qu'Alexandra lui avait déclarée au début de leur relation : « Ne me mens jamais. J'ai le mensonge en horreur. Jamais je ne te mentirai, tu m'entends ? » Il se souvenait d'un temps où il avait tenu cette affirmation pour parole d'évangile.

— À quoi es-tu en train de penser ? le sonda-t-elle avant de porter son verre à ses lèvres.

Il était presque vide. Ses yeux brillaient de plus en plus.

— À ton prochain voyage.

— Merde pour mon prochain voyage, dit-elle en se levant et en contournant la table basse pour s'approcher de lui.

Debout devant le canapé, elle se pencha sur lui et l'embrassa. Enfouit ses doigts dans sa chevelure. Elle avait le goût du vin blanc sur la langue. Elle releva son tee-shirt, attrapa ses mains à lui et les plaça d'autorité sur sa poitrine nue.

— La fenêtre est ouverte et on est devant, murmura-t-il, renversé contre le dossier du canapé. C'est les voisins qui vont être contents.

— Merde pour les voisins, répondit-elle en respirant plus vite.

Il savait que la possibilité d'être vue l'excitait. C'était son truc. Elle aimait être regardée. Elle défit les boutons de son propre jean, abaissa la fermeture éclair tout en continuant de l'embrasser, prit la main de Martin et la glissa dans sa culotte. Elle commença à se masturber avec, la poussant toujours plus loin vers le fond de son slip.

Elle l'enjamba, les deux genoux plantés dans le cuir du canapé, penchée sur lui, à califourchon, sa main à lui toujours enfouie dans la chaleur de sa culotte. Elle ruisselait.

De sa main libre, Alexandra fourragea dans ses longs cheveux, caressa son crâne et gémit. Malgré l'inconfort de la position, il parvint à défaire la ceinture de son jean de sa main gauche, déboutonna maladroitement et fébrilement sa braguette et retira la main d'Alexandra de ses cheveux pour l'approcher de son sexe gonflé. Il la sentit résister – comme s'il avait l'intention de la poser sur une plaque électrique. Elle s'ouvrait pourtant, les doigts de Martin profondément enfoncés en elle. Il respira. Tira à nouveau avec douceur sur le poignet d'Alexandra.

— Arrête !

Elle s'était dégagée avec brusquerie, l'air agacée. Il refréna sa colère. Retira ses doigts. Même si elle avait toujours été assez égoïste dans l'amour, cela ne faisait pas si longtemps qu'elle ne le touchait plus, de quelque façon que ce soit. Et quand il essayait de s'occuper d'elle, la tête enfouie entre ses cuisses, elle l'attirait rapidement à lui pour qu'il la pénètre mais aussi, il le savait, pour mettre fin à l'expérience. La seule chose qui la rendait littéralement dingue, c'était ses doigts ou son sexe en elle. Elle exigeait la pénétration, toute forme de pénétration, comme une amazone.

Il allait dire quelque chose – son érection presque douloureuse diminuant peu à peu et ses doigts imprégnés de l'odeur d'Alexandra – quand un cri s'éleva. Margot. Son hurlement se transforma en un appel à l'aide. « Papa ! » Alexandra se redressa aussitôt, mais il la devança et la contourna en se levant.

— Laisse. Ces derniers temps, elle fait des cauchemars. C'est rien. Je m'en occupe.

En passant devant le grand miroir à l'entrée du couloir, sa mâle fureur pas encore éteinte, il surprit Alexandra dans le reflet. Elle avait posé son verre vide sur la table basse et sorti une cigarette d'un paquet. Elle regardait par la fenêtre, tournant le dos à l'appartement.

« Klas le classieux ». C'était le surnom du légiste à l'hôtel de police. Avec des variantes qui témoignaient de l'imagination des flics : « Klas le classique », « Klas l'inclassable ». Quand il n'était pas en blouse verte devant un cadavre, le patron du laboratoire de pathologie arborait des costumes croisés bien coupés, des chemises à poignets mousquetaire, des boutons de manchettes S.T. Dupont et des nœuds papillons en soie italienne. Manteau de laine de rigueur l'hiver et imperméable l'été. Tous griffés et fort coûteux.

Servaz et Ko le virent arriver sur le trottoir, son imper soigneusement plié sur l'avant-bras, un attaché-case en cuir noir à la main.

— Armani, dit Kowalski.

— Quoi ?

— C'est un petit jeu et une tradition. On parie sur la marque de la veste ou du costar. On lui pose la question à la fin. Celui qui trouve gagne un resto.

Servaz considéra le légiste qui approchait.
— Ralph Lauren, hasarda-t-il.
— Et l'imper ?
— Burberry.
— Facile.
— Bonjour, messieurs, leur lança Klas en les dépassant pour pénétrer sous le porche du bâtiment. Vous initiez ce jeune homme à vos petits jeux débiles, Kowalski ? S'il vous plaît, ne le contaminez pas. Il a l'air encore relativement intelligent pour un flic.
— On a nos traditions, toubib, commenta le chef de groupe tout sourire sans s'offusquer.
— Si les gens connaissaient celles des étudiants en médecine et de leurs professeurs, personne ne serait assez fou pour donner son corps à la science, l'approuva Klas.

Ils franchirent une porte vitrée sur la droite, suivirent un couloir et entrèrent dans la jungle qui faisait office de bureau. Il faisait déjà chaud sous la verrière, malgré l'heure matinale. Klas posa son imperméable sur le dossier de sa chaise, retira sa veste et l'accrocha à un cintre, passa en revue ses plantes puis ouvrit un tiroir et en sortit un gros magnétophone à cassettes Philips.
— Allons nous occuper de ces jeunes filles, dit-il.

Ils entrèrent dans la salle par la porte à double battant et l'atmosphère changea. Servaz examina les paillasses et les tables roulantes recouvertes de flacons, tubes, bassins, pinces, scalpels, ciseaux, balances, les tuyaux d'arrosage qui attendaient par terre, avant de poser les yeux sur le centre de la pièce. Les corps d'Alice et Ambre avaient été préparés. Alignés sur deux tables d'acier, dans la lumière brillante qui ne laissait rien ignorer de leur nudité et de leur fragilité. Si les vivants ont des secrets, constata-t-il en pensant à Alexandra, les morts, eux, n'en ont plus guère pour le légiste. Analyses, prélèvements, examens visuels et palpations révéleront leur état de santé et, bien souvent, leur état mental, voire moral. Cirrhoses, hématomes, anciennes fractures ressoudées et cals osseux portant témoignage de coups et de mauvais traitements, vieilles cicatrices par impacts de balle ou arme blanche, scarifications et automutilations, somnifères, antidépresseurs, drogues, maladies vénériennes, lésions anales, traces d'asphyxie autoérotique, poumons goudronnés par plusieurs centaines de milliers de cigarettes, piqûres de seringue, liens, mauvaise hygiène de vie, malpropreté, déliquescence, folie, mort – rien ou presque n'échappe à l'œil du légiste. Rien sauf les sentiments, les émotions, les pensées – ce qui fait qu'un être humain a passé un moment sur cette Terre avant de disparaître.

Dans le long couloir, Kowalski avait tendu à Martin des pastilles mentholées et du Vicks pour les narines. En entrant, celui-ci comprit pourquoi. Les exhalaisons de sang frais qui flottaient dans la salle, mêlées aux émanations du formaldéhyde et des autres produits chimiques, constituaient un cocktail passablement rebutant.

À présent, alors qu'il la balayait du regard, il s'étonnait de n'être pas plus remué. Il se souvenait que son père avait été autopsié après son suicide. Bien entendu, personne ne lui avait demandé d'assister à l'autopsie. Klas disparut un moment. Quand il revint, il portait un tablier en plastique blanc sur une blouse verte, deux paires de gants passées l'une sur l'autre pour éviter toute blessure avec le scalpel et il sentait le savon antiseptique. Un jeune type l'accompagnait, revêtu de la même blouse, de lunettes et d'un masque chirurgical, une planchette avec des feuilles fixées par une pince dans une main, un stylo dans l'autre.

Klas posa le magnétophone au bord de la table d'autopsie, vérifia qu'il y avait une cassette à l'intérieur, rembobina et appuya sur la touche d'enregistrement.

— Autopsie d'Alice Oesterman, vingt ans, et d'Ambre Oesterman, vingt et un ans, annonça-t-il. Nous allons procéder à l'examen externe.

Il se tourna vers eux.

— Normalement, je devrais faire deux autopsies. Mais, puisque nous cherchons non seulement à déterminer les causes et les circonstances de la mort, mais aussi des similitudes et des différences entre les deux sœurs, on va avancer concomitamment – ce qui est, je ne vous le cache pas, une façon fort peu orthodoxe de procéder, messieurs.

Au cours des minutes suivantes, il détailla poids, sexe, corpulence, s'employa à scruter minutieusement les corps – à l'exception des têtes, qu'il examinerait plus tard – à la recherche d'ecchymoses, de plaies et d'anciennes cicatrices. Il inventoria les lividités (que, dans un accès de pédanterie ou par souci d'exactitude, il appela *livor mortis*), s'attardant sur leur répartition et leur aspect. Chaque fois qu'il trouvait quelque chose, il faisait signe à Kowalski qui prenait une photo à l'aide d'un Polaroid. Le légiste palpa doucement le cou d'Alice, en vérifia la mobilité.

Puis il passa à Ambre et Servaz évita soigneusement de regarder la masse informe qui avait remplacé le joli visage, un œil à peine entrouvert, l'autre disparu sous un amas de chairs tuméfiées. Le légiste décrocha ensuite une radio et les invita à s'approcher.

— Multiples traumatismes maxillo-faciaux, commença-t-il en présentant la radiographie dans la lumière. Fractures des os du nez avec atteinte de l'auvent nasal, déviation de la cloison nasale et irradiation aux structures adjacentes. Fractures mandibulaires. Multiples fractures de l'orbite. L'œdème facial est considérable. On constate de nombreuses lésions : ecchymoses massives, hématomes, plaies ouvertes… On a surtout une fracture de l'étage antérieur de la base du crâne, avec un important traumatisme crânien. Présomption d'hématomes intracrâniens, d'atteinte neurologique et d'hémorragie intracérébrale. L'ouverture du crâne nous en dira plus.

Servaz crut discerner dans la voix du légiste une ombre de colère. Peut-être Klas n'était-il pas aussi dépourvu d'affect qu'il le laissait paraître en fin de compte. Il reposa la radio, revint à Alice – dont il écarta les cuisses avec un geste plein de déférence. L'assistant lui tendit un objet en acier brillant dont ils comprirent très vite la fonction : un écarteur gynécologique. Klas mit l'instrument en place et braqua un petit crayon-lampe entre les jambes de la jeune femme.

— Pas de traces de lésion vaginale, dit-il au bout d'une seconde.

Il fit pivoter le corps avec l'aide de l'assistant, les fesses orientées vers la lumière, et Servaz détourna le regard.

— À confirmer, mais pas de lésions anales non plus. (Il y eut un silence.) *Voilà qui est intéressant, messieurs*, dit soudain le légiste, et Servaz vit qu'il se tenait à présent entre les jambes d'Ambre, la lampe pareillement braquée vers ses organes génitaux.

Ko et lui se rapprochèrent à contrecœur. Klas fronçait les sourcils avec perplexité.

— On a la présence d'un hymen…

— Ce qui veut dire ? demanda Kowalski, qui connaissait déjà la réponse mais voulait l'entendre de la bouche du légiste.

— Vierge, même si certains hymens peuvent rester intacts après un coït complet… Ambre, pas sa sœur… Même dans le cas improbable où elle aurait eu un rapport sexuel, celui-ci a dû être unique et consenti… Là encore, je ne vois aucune lésion vaginale ni anale.

— Donc, c'est confirmé : pas de viol.

Servaz sentit le malaise grandir en lui. *Vierge.* Qu'est-ce que cela signifiait ? Ambre Oesterman avait vingt et un ans, elle lisait la littérature d'Erik Lang depuis l'âge de douze ans, entretenait avec lui depuis ses quinze ans une relation épistolaire qui – à en croire la tonalité des réponses – allait très loin dans la familiarité et l'intime. Elle était belle, sans nul doute courtisée, tandis que sa chambre d'étudiante, soit dit en passant, sentait l'alcool, le tabac, le parfum, était pleine de mégots qu'elle n'avait certainement pas fumés toute seule et ressemblait à un champ de bataille après une fête bien arrosée. Et malgré tout ça, *vierge* ? Pourquoi pas… Sauf que sa sœur Alice, la cadette, la plus ordonnée et la plus structurée des deux, ne l'était pas, elle. Rien ne collait dans ce tableau. Au lieu d'apporter un éclaircissement, l'autopsie ne faisait qu'épaissir le brouillard. Quelque chose nous échappe, se dit-il.

Klas passa encore en revue les yeux et les conduits auditifs avant de procéder à l'examen interne. Son premier geste consista en de profondes incisions dans les masses musculaires des bras et des cuisses, puis – quand il eut retourné le corps avec l'aide de son assistant – des fesses, des mollets et du dos, afin de mettre en évidence des marques sous-cutanées de lutte ou de coups.

Il se livra au même manège avec la deuxième victime, puis – les deux corps remis sur le dos – s'empara d'un nouveau scalpel. Pratiqua trois rapides incisions en forme de Y sur le torse d'Alice, des omoplates à la symphyse pubienne, donna quelques petits coups de scalpel supplémentaires, reposa l'instrument, et Martin le vit alors tirer d'un coup sec sur la peau – qui se détacha avec un bruit mou et répugnant – pour mettre à nu les muscles du cou et de la poitrine, la grille thoracique et le sternum, tandis qu'il repliait les grands pans de peau sur les côtés comme s'il ouvrait un manteau. Quand, à l'aide d'une pince, le légiste sectionna la langue en passant sous la mâchoire inférieure, puis la trachée, et enfin les cartilages de la cage thoracique avec des craquements sinistres et qu'il dégagea hors du torse une arborescence de viscères rosés – larynx, poumons, cœur… – comme s'il s'agissait d'un chapelet de saucisses, Servaz fonça en direction de la porte.

— Ça va ?

Trente minutes plus tard, dans le couloir, il fit signe que oui. Il reprenait ses esprits et la couleur était revenue sur ses joues. Kowalski l'informa que l'autopsie avait confirmé le scénario initial : Alice était bien morte de coups très violents portés à la nuque, avec traumatisme crânien et atteinte de la moelle épinière à la clef. Ambre avait été frappée à la face jusqu'à ce que mort s'ensuive. À moins que la mort ne fût survenue un peu après. La violence avec laquelle les coups avaient été portés témoignait de la fureur démentielle de l'assassin, mais – indépendamment de la question de la responsabilité pénale – tout homicide ne s'opérait-il pas aux limites de la raison et de la folie ? Cette fureur posait cependant question : elles n'avaient pas été violées… Alors, quel était le mobile ?

Il était 11 h 30 quand ils quittèrent l'Institut médico-légal et rejoignirent le centre de Toulouse en voiture avant de s'attabler à une terrasse place du Capitole et de commander deux cafés. Il faisait déjà chaud et le ciel bleu pâle vibrait au-dessus des toits. Servaz s'assit et son regard tomba sur un journal abandonné.

L'OM roi d'Europe !

Il soupira. À la radio comme à la télé, et surtout dans les couloirs du commissariat, c'était devenu l'unique sujet de conversation. Qui se réjouissait de la suspension imminente des essais nucléaires britanniques, russes et américains ? Qui se souciait que le monde comptât, en cette année 1993, 70 000 vecteurs d'armes nucléaires, dont certaines prêtes à l'emploi en quelques minutes, braquées sur nos têtes en permanence pendant que nous prenions notre café, faisions l'amour ou parlions du dernier PSG-OM ? Personne. Mais la victoire de l'Olympique de Marseille sur le Milan AC en finale de coupe d'Europe était devenue une source intarissable d'anecdotes et de gloses pour la gent masculine du SRPJ, celui-ci s'étant apparemment métamorphosé en un gigantesque club de supporteurs, et il n'osait plus approcher la machine à café, de peur de voir étalée au grand jour son ignorance de la chose footballistique.

Il tourna bruyamment les feuilles. Passa rapidement sur une brève : le club de foot de Valenciennes avait déposé plainte pour une tentative de corruption. L'article se trouvait en page 6 : « Deux étudiantes retrouvées mortes sur l'île du Ramier ». Il le parcourut rapidement. Le journaliste – Peyroles – s'en était tenu aux faits et n'avait ni brodé ni recouru à un ton exagérément dramatique. Un bon point pour lui. La croix était passée sous silence. Le reporter promettait toutefois des révélations prochaines, histoire sans doute de tenir ses lecteurs en haleine. La photo était floue – on n'y voyait que des troncs d'arbres, des silhouettes sombres de flics en tenue et de la pluie – et prise de trop loin pour qu'on distinguât les deux victimes. Bien. Mais cela n'allait pas durer. D'autres gratte-papier allaient monter au créneau et Peyroles lui avait davantage fait penser à un fox-terrier fouineur et têtu qu'à un saint-bernard.

— Putain, quelle histoire ! s'exclama Kowalski.

— Quoi donc ? fit-il par-dessus son journal, pensant que son chef faisait allusion à l'enquête en cours.

— Ça, dit Ko en montrant la première page.

— Ah, dit-il en retournant le journal pour la regarder.

— Je suppose que tu ne t'intéresses pas au football ? voulut savoir Ko avec un sourire.

— Pas le moins du monde.

— On n'a jamais eu une équipe comme celle-là, poursuivit le flic sans tenir compte de la réponse.

Capable de mettre à genoux le Milan de Rijkaard, de Gullit et de Van Basten, la meilleure équipe au monde, à tous les coups. Deux demi-finales, deux finales et une coupe d'Europe, quel autre club français a fait ça, hein ? Quel autre ?

— Aucune idée.

— Désormais, la meilleure équipe du monde, c'est nous, fiston. Ouais… Elle a pas sa pareille dans les matchs internationaux et elle fait la pige à tout le monde. Un palmarès comme ça, on n'en reverra plus avant trente ans. (Kowalski lui donna une bourrade sur l'épaule et il en renversa son café sur le journal.) Bon… revenons à l'enquête, dit Ko, conscient de l'indifférence abyssale de son subordonné. Qu'est-ce qu'on a ?

— Deux filles frappées à mort près de la cité universitaire où elles résidaient. Pas de viol mais une mise en scène qui rappelle le roman d'un auteur dont elles étaient fans, répondit-il en portant à ses lèvres le peu de café et de sucre qui restait au fond de la tasse. Et des coups de fil anonymes aux parents.

Ko réfléchit.

— Mettons que le type les ait attendues dans ce petit bois. Il est planqué, disons, derrière un tronc. Elles passent devant lui. Il se précipite sur Alice qui ferme la marche et la frappe très violemment à l'arrière du crâne. Elle tombe inanimée, peut-être meurt-elle dans les instants qui suivent. Puis il se rue sur Ambre qui se retourne à ce moment-là et la frappe au visage. Ensuite, pour une raison inconnue, il s'acharne sur elle. Avant de revenir vers Alice et de l'achever.

— Il l'a frappée deux fois ? dit Servaz, surpris.

Ko prit le temps de terminer son café et d'allumer une cigarette.

— Trois, selon Klas. Sans doute pour s'assurer qu'il lui avait bien réglé son compte. Puis il les déshabille, probablement à la lueur d'une torche, et leur passe les robes de communiante. On n'a pas retrouvé leurs vêtements, il est vraisemblable qu'il les ait emportés avec lui – et qu'il soit venu avec un sac ou quelque chose comme ça…

— Avec quoi les a-t-il frappées ? Est-ce qu'on le sait ?

— Klas penche pour un objet large et plat. Il aurait utilisé tantôt le tranchant, tantôt le plat de l'arme. Pas une lame : le tranchant aurait pénétré beaucoup plus profondément. Plutôt un truc en bois…

— Un aviron.

— Possible. J'y ai pensé. J'ai envoyé Mangin et Saint-Blanquat vérifier les emplois du temps des membres du club d'aviron et voir si une rame a disparu.

— Il y a aussi cette histoire de croix…

— Ouais, fit Ko d'un air songeur.

— Il passe une croix autour du cou d'Alice mais pas à Ambre. Pourquoi ? S'il avait voulu respecter jusqu'au bout la mise en scène du roman, il aurait placé une croix autour du cou de chacune d'elles, non ? Et où s'est-il procuré ces robes ?

Kowalski l'observait intensément.

— Peut-être qu'il avait qu'une seule croix… Alice en avait une aussi à un moment donné mais on la lui a retirée… Tu as lu le roman ?

Il acquiesça.

— Oui. Page 150 : une jeune fille au pied d'un arbre, morte, habillée en communiante, avec une croix autour du cou – *exactement la même mise en scène…*

— Qu'est-ce que ça veut dire, d'après toi ?

Il réfléchit.

— Eh bien, il y a deux possibilités…

— Je t'écoute.

— La plus probable, c'est qu'on ait affaire à quelqu'un qui a lu le livre – et qui savait qu'Alice et Ambre étaient fans. Il a reproduit, à peu de chose près, ce qu'il a lu.

— Et ils les auraient tuées pour quelle raison ?

— J'en sais rien…

— Et l'autre ?

Il hésita.

— L'autre est plutôt… tirée par les cheveux.

— Accouche.

— C'est Lang lui-même qui a fait le coup.

— Et il serait assez con pour imiter un de ses livres, sachant qu'on va le retrouver dans la chambre d'Ambre ou d'Alice en même temps que les lettres qu'il leur a écrites ? Quel serait son mobile ?

— Je sais, ça ne tient pas debout.

Kowalski parcourut lentement la terrasse du regard avant de revenir à Martin.

— Sauf s'il se croit assez sûr de lui pour penser qu'on n'arrivera jamais à le pincer ou tout au moins à prouver que c'est lui. J'ai lu les lettres, ajouta-t-il.

— Et ?

— Ce Lang, il n'est pas net. Ces lettres… C'étaient des gamines, merde, quand il a commencé à leur écrire…

— Ou elles à lui, fit remarquer Servaz.

— Oui, enfin bref, il leur parlait comme à des femmes. Elles avaient quinze ans, putain ! C'est truffé d'allusions sexuelles… Par ailleurs, la correspondance court sur deux ans. Après, ça s'arrête brusquement. Soit qu'ils n'aient plus eu de contacts par la suite, soit qu'ils aient communiqué d'une autre façon…

— Tu en conclus quoi ?

Kowalski se pencha par-dessus la table et planta un doigt sur le formica.

— J'en conclus qu'il est temps d'aller rendre visite à Erik Lang.

— Sous quel prétexte ?

— Un meurtre inspiré par un de ses livres. Et il était en contact avec les filles. Ça devrait suffire.

Ils se levèrent. Ko laissa sur la table une pièce de dix francs.

9

Où on dresse un premier bilan

Le domicile d'Erik Lang était situé sur les coteaux de Pech-David, au sud-est de la ville, dans la très chic commune de Vieille-Toulouse, parmi les greens et les bunkers.

Ils grimpèrent dans les collines pour l'atteindre, passèrent devant les bâtiments et les voitures du golf-club, roulèrent sur une route sinueuse bordée de barrières blanches, de belles maisons et de grands conifères. On se serait cru aux États-Unis. La route s'achevait sur une rotonde face aux pelouses mollement vallonnées du golf. Servaz aperçut des joueurs qui les arpentaient tranquillement au soleil, seuls ou en groupe. Le portail d'Erik Lang donnait sur la rotonde – la dernière propriété avant le golf. Elle était abritée des regards par de grandes haies qu'on avait laissées pousser de manière anarchique et qui formaient à présent une muraille impénétrable de plusieurs mètres de haut.

Sous ce ciel proto-californien, Servaz se dit que la formule « Pour vivre heureux vivons cachés » méritait d'être complétée : « Pour vivre heureux, vivons cachés *et* groupés. » Mais quelque chose dans la disposition des lieux, dans la taille impressionnante et l'épaisseur rebutante de cette haie – en vérité plus un bosquet qu'une haie –, lui fit penser qu'Erik Lang préférait se tenir à l'écart de ses semblables. Comme le portail était ouvert, ils jetèrent d'une pichenette leurs cigarettes, les écrasèrent et le franchirent à pied. Une allée en gravillons et terre battue conduisait à la maison. Au-delà des limites du jardin, la propriété était cernée de toutes parts par les fairways et les greens et Servaz se dit que c'était une façon fort pratique de tenir le voisinage à distance.

La maison d'Erik Lang témoignait de la frustration que doivent éprouver certains architectes en se conformant aux canons de la dernière mode en vigueur : du béton gris, des verrières en plans inclinés, des baies vitrées et, en contre-partie, des fenêtres à peine plus larges que des meurtrières. Une bâtisse haute, carrée, grise, un brin lugubre, mais qui avait dû coûter un bras à son propriétaire : assurément, Erik Lang avait d'autres lecteurs qu'Ambre et Alice. À moins qu'il n'eût d'autres sources de revenus.

Cyprès, ifs et pins ajoutaient une touche méditerranéenne. Une Jaguar Daimler Double Six rutilante était garée devant le garage, ses chromes lustrés lançant des éclairs dans la lumière. L'air sentait le jasmin et l'essence de tondeuse – celle que Lang lui-même était en train de pousser sur le gazon. Bien qu'il eût troqué le costume gris, la chemise Oxford bleue et la pochette à pois pour un pantalon en lin blanc, des sandales de plage blanches et un sweater bleu, Servaz reconnut l'homme sur la photo en quatrième de couverture de ses livres.

Tandis qu'ils marchaient dans sa direction et alors qu'il leur tournait le dos, arc-bouté sur son engin pétaradant, comme mû par un secret instinct il s'arrêta, coupa le moteur et fit volte-face.

Erik Lang les examina ensuite d'un air prudent et rusé par-dessus ses lunettes de soleil, et Servaz se souvint de l'impression qu'il avait eue en découvrant la photo du livre. Celle d'un type arrogant et insaisissable. Lang déployait une impeccable rangée de dents blanches devant l'objectif, mais son sourire n'atteignait pas ses yeux qui, sous les sourcils noirs étonnamment épais pour quelqu'un de son âge, demeuraient aussi inexpressifs qu'une porte de prison. La forme du sourire elle-même – commissures des lèvres mécaniquement relevées – évoquait plus une grimace, une moue blasée et indifférente, qu'un authentique sourire. La même expression qu'affichait Erik Lang ce jour-là, derrière ses lunettes de soleil.

— Il y a une sonnette, leur lança-t-il.

Kowalski exhiba sa carte et le sourire disparut. Lang passa une main dans son épaisse chevelure brune, courte et bouclée.

— Je suppose que c'est à cause de cet horrible assassinat, dit-il. J'ai lu l'article dans le journal.

— Double meurtre, rectifia Kowalski. C'est ça. Est-ce que vous auriez quelques minutes à nous consacrer ?

L'écrivain releva ses lunettes sur son front. Servaz lui donna la trentaine.

— Pourquoi ? Parce que ça ressemble à un de mes livres, c'est ça ?

— Parce que l'une des victimes l'avait dans sa chambre, et surtout parce que vous leur écriviez de bien jolies lettres, monsieur Lang.

Le romancier les considéra d'un air cauteleux.

— Bien sûr… C'est très désagréable d'être mêlé à ça… Je souhaite tout autant que vous que cette enquête avance vite. Quand je pense à ce qu'elles ont subi…

C'est très désagréable d'être mêlé à ça. C'était tout ce que le meurtre d'Alice et Ambre lui inspirait.

Lang les précéda dans la maison. L'écrivain les fit entrer dans un vaste séjour éclairé par plusieurs longues baies vitrées à travers lesquelles on pouvait suivre les évolutions des golfeurs. L'un d'eux tentait de s'extirper du piège de sable d'un bunker. Les canapés, la cheminée et les murs étaient blancs. Une guitare électrique appuyée contre un mur, un meuble télé noir contre un autre, avec un écran haute définition, un magnétoscope et une chaîne stéréo comprenant platine vinyle, lecteur de CD, tuner et lecteur de cassettes.

Pas le moindre livre en vue – le romancier devait les garder dans son bureau – mais un piano à queue et des partitions. Un air tzigane s'élevait en sourdine de la chaîne hi-fi – un violon tantôt sautillant et plein de trilles, tantôt mélancolique – et Servaz se souvint des origines hongroises de Lang.

Erik Lang les invita à s'asseoir et leur proposa un café. Servaz prêta l'oreille. Pas le moindre bruit ne montait de la maison. Kowalski dut se faire la même réflexion car, quand l'écrivain revint avec un pot en verre plein de café, il demanda :

— Vous vivez seul, monsieur Lang ?

— Oui, pourquoi ?

— Comme ça.

Erik Lang s'installa confortablement dans le canapé en face d'eux, croisa les jambes, sortit un paquet de cigarettes de son pantalon de lin blanc et en alluma une.

— En quoi puis-je vous être utile, messieurs ? s'enquit-il en remplissant les tasses, ronronnant et débonnaire, tel un matou qui fait patte de velours la plupart du temps mais sort les griffes sans prévenir.

— Vous les aimez jeunes, monsieur Lang ? dit Kowalski.

— Plaît-il ?

— Vous êtes marié ?

— Non.

— Les femmes… vous les aimez plutôt jeunes, n'est-ce pas ?

— De quoi parlez-vous ?

— Vous me pardonnerez d'avoir lu ces lettres… mais il s'agit d'une enquête criminelle et tout, dans ce que nous avons vu, nous ramène à vous.

Lang le considéra d'un air songeur derrière la fumée de sa cigarette.

— Je ne comprends rien… si vous éclairiez ma lanterne ?

— Eh bien, pour commencer, une mise en scène exactement semblable à celle de votre roman *La Communiante*…

— Oui. Quand j'ai lu cet article, c'est immédiatement ce que j'ai pensé, l'interrompit le romancier.

— Hmm. Et vous n'avez pas songé à appeler la police ?

Lang s'enfonça dans son siège.

— J'avoue que non. Je suppose que ça m'aurait traversé l'esprit tôt ou tard et que j'aurais fini par le faire.

Mais vous avez dit, je cite : *tout* nous ramène à vous. Il y a donc autre chose.

— Oui.

— Je peux savoir ce que c'est ?

Ko lui lança un regard aigu.

— Non seulement la scène de crime ressemble à votre roman, mais, qui plus est, on en a trouvé un exemplaire dans la chambre d'Ambre Oesterman.

— *La Communiante* a connu un succès fulgurant, plus de six cent mille exemplaires, toutes éditions confondues, fit remarquer Lang calmement. Et c'est dans cette région qu'il a eu le plus de succès. La probabilité d'en trouver un exemplaire dans une maison par ici est par conséquent assez élevée.

— Mais Ambre Oesterman, ça vous dit quelque chose, pas vrai, monsieur Lang ?

L'écrivain se raidit.

— Je n'aime pas trop le ton que vous employez, commissaire.

— *Inspecteur*... Vous n'avez pas répondu à ma question.

Lang haussa les épaules.

— Oui, bien sûr, Ambre était une fan. Une vraie. Nous avons correspondu pendant quelque temps. Mais c'était il y a plusieurs années : il y a longtemps qu'on a cessé d'être en contact.

— Pourquoi avez-vous rompu le contact ?

Lang esquissa un demi-sourire plein d'arrogance. Les buissons noirs de ses sourcils – qui se rejoignaient presque au-dessus de l'arête du nez – dessinèrent un V.

— C'est le problème avec certains fans. Ils deviennent trop envahissants, ils veulent faire partie de votre vie, ils exigent une attention constante... Ils veulent être importants pour vous, ils estiment que le fait d'avoir lu tous vos livres leur donne certains droits.

— Vous avez bien peu de considération pour vos lecteurs, monsieur Lang. Que se passerait-il si demain tous ces gens arrêtaient de vous lire ?

La phrase ne parut guère du goût de l'écrivain.

— Détrompez-vous, inspecteur. Mes lecteurs, je les aime. Ce sont eux qui m'ont fait.

Arrête ton baratin, pensa Martin en promenant son regard sur les murs. Il le laissa errer sur les objets, les meubles, les cadres. Soudain, il sursauta et son regard revint en arrière. Il y avait une dizaine de cadres. Des photos en noir et blanc. Toutes de la même taille, environ 50 × 40. Dans un premier temps, il n'avait pas saisi ce qu'elles avaient en commun. Ce n'est qu'en revenant dessus qu'il comprit. *Des photos de serpents*… Tous les clichés avaient pour thème les reptiles, mais ça ne sautait pas aux yeux car certains étaient de très gros plans sur les écailles luisantes, sur un œil fendu d'une inquiétante fixité, sur une langue bifide, alors que d'autres représentaient une simple trace laissée dans le sable par le passage du reptile, ou encore le reptile tout entier – crotale, vipère ou cobra –, chacune de ces images absolument effrayante aux yeux de Martin, qui avait horreur des serpents et qui reporta son attention sur la joute verbale entre les deux hommes.

— Revenons à Ambre et Alice Oesterman, dit Kowalski. Comme je vous l'ai dit, monsieur Lang, j'ai lu les lettres que vous leur avez écrites… Celles que nous avons trouvées dans la chambre d'Ambre, dans la maison familiale, soigneusement dissimulées dans… la doublure d'un album photo – sans doute parce qu'Ambre ne tenait pas à ce que ses parents tombent dessus…

Il y avait comme une menace en suspens dans l'air. Lang plissa les paupières en écrasant sa cigarette dans un cendrier.

— Écoutez, inspecteur…

— Je n'ai pas fini. Comment vous dire, monsieur Lang ? Si je n'avais pas su à qui ces lettres étaient destinées, j'aurais pensé que le destinataire était une femme adulte, plutôt qu'une enfant.

— Ambre et Alice n'étaient plus des enfants.

— Mais pas encore des adultes… Vous écrivez toujours ce genre de lettres à vos fans de quinze ans ?

Une lueur de colère passa dans les yeux de Lang.

— Qu'insinuez-vous au juste ?

— Est-ce que vous avez déjà rencontré Ambre et Alice en personne ?

— Oui, bien sûr, plusieurs fois.

— En quelles occasions ?

— Dans des séances de signatures.

— C'est tout ?

— Non…

Kowalski haussa un sourcil pour l'inviter à poursuivre.

— ... nous nous sommes aussi rencontrés ailleurs.

— Dans quel but ?

— Eh bien, bavarder… prendre un verre… échanger des points de vue…

— Échanger des points de vue ?

— Oui.

— Où ça ?

— Dans des cafés, des restaurants, des librairies… et même une fois dans un bois…

— Dans un bois ?

Servaz crut percevoir une hésitation dans la voix de Lang :

— C'était une de leurs idées… une sorte de défi qu'elles s'étaient lancé, je suppose. Comme on s'en lance à l'adolescence. Un jeu, quoi. Elles voulaient me voir dans un bois… à la nuit tombée…

Kowalski le regarda, effaré.

— Et vous avez accepté ?

Le petit sourire arrogant revint.

— Je trouvais l'idée stimulante…

— *Stimulante* ?

— Originale, si vous préférez. Drôle. Excitante… Mais n'allez pas vous méprendre…

— Rencontrer de nuit dans un bois deux adolescentes, vous trouviez ça excitant ?

Lang soupira.

— Je savais que vous alliez dire ça… Vous salissez tout. Et vous ne comprenez rien.

— Ah bon ? Expliquez-moi.

— C'étaient des jeunes filles très intelligentes, bien plus matures que la plupart des filles de leur âge. Elles étaient passionnées, sincères, émouvantes. Brillantes dans leurs analyses et certaines de leurs réflexions. Elles admiraient mes livres, cela allait même au-delà d'une simple admiration… À cet âge, l'impact d'un roman, d'un film ou d'une chanson est bien plus puissant qu'il ne l'est plus tard : souvenez-vous de vos premières émotions cinématographiques, souvenez-vous de vos premières lectures… C'était de… *l'adulation*…

une sorte de culte qu'elles rendaient à mon univers, à mes romans… elles *vénéraient* mes livres…

— Et, par voie de conséquence, leur auteur…

— Oui.

— Et ça vous flattait.

— Non, je trouvais cela émouvant, touchant. Et important, si vous voulez savoir.

— Important en quoi ?

— Toute cette énergie, cet enthousiasme, cette… *foi.*

— Pourtant, ce n'étaient rien que des gamines.

Lang parut énervé par cette remarque.

— Je vous l'ai dit : elles étaient bien plus que cela. Il y a des adultes qui n'atteindront jamais leur niveau de compréhension.

Kowalski hocha la tête.

— Et ces rencontres n'ont jamais eu lieu ici, dans cette maison ?

— Jamais.

— Parlez-moi d'elles… Quel effet vous faisaient-elles ? Quels autres traits de caractère dominaient chez elles ?

Le romancier se calma un peu. Il réfléchit.

— Je vous l'ai dit : elles étaient très intelligentes. Très intuitives, vives. Mais avec quelque chose d'insaisissable, de mystérieux… Je n'ai jamais réussi à les percer à jour complètement, à les cerner tout à fait… Et puis, des traits de caractère qu'on retrouve chez pas mal d'adolescents : le goût du risque, la confrontation avec les idées des autres et en particulier avec celles des parents – elles détestaient leurs parents, elles leur reprochaient l'étroitesse de leur cadre de vie, l'endroit d'où elles venaient –, le besoin de provoquer aussi, de mesurer leur pouvoir de séduction…

— Elles ont essayé avec vous ?

— Bien sûr.

— Continuez…

— Je ne suis pas sûr que ça vous soit très utile, le tempéra Lang : ça fait des années que nous n'avions plus de contact. Je ne sais pas quelle direction elles ont prise entre-temps, comment elles ont évolué. Si elles ont pris toujours plus de risques, ou si elles étaient rentrées dans le rang. À cet âge-là, tout peut basculer d'une année sur l'autre.

— Vous êtes sûr que vous n'aviez plus aucun contact ?

— Je viens de vous le dire.

Kowalski se gratta la barbe.

— N'empêche que celui qui a fait ça s'est référé à votre livre, monsieur Lang. D'une manière ou d'une autre, vous n'étiez pas totalement sorti de leur vie…

— Comment ça ?

— Eh bien, que vous le vouliez ou non, vous êtes dedans jusqu'au cou.

Si l'effet escompté était d'impressionner Lang, le flic en fut pour ses frais. La petite grimace arrogante – mi-sourire mi-rictus – était revenue sur les lèvres de l'écrivain.

— Vous essayez de me foutre les jetons, c'est ça ? Laissez-moi vous dire qu'il en faut un peu plus. Vous avez quoi ? Un paquet de lettres et un bouquin ? Ça ne fait pas de moi un meurtrier…

Kowalski fixa Lang en silence pendant une seconde.

— Ça ne fait pas de vous un innocent non plus. Vous étiez où dans la nuit de jeudi à vendredi, monsieur Lang ?

— Ah, on en est là ?

— Simple question de routine. On la pose à tous ceux qui sont concernés de près ou de loin par cette affaire…

— Ici.

— Quelqu'un peut le confirmer ?

— Non. J'étais seul.

Lang se leva.

— Vous avez terminé ? Ou il y a d'autres questions ? Je suis attendu pour une partie de golf et je suis déjà en retard.

— Alors, vous n'avez pas loin à aller… On est près de tout ici, ajouta Kowalski.

Servaz se leva à son tour. Il vit les deux hommes se toiser en se serrant la main.

— Bon courage, inspecteur, dit Lang, du même ton qu'il aurait souhaité un bon match aux rugbymen du Stade toulousain.

Ils se dirigèrent vers la sortie. Au passage, le regard de Servaz effleura les peaux de serpent sur les murs. Il frissonna.

Vers 16 heures, après avoir déjeuné dans le centre, ils regagnèrent le SRPJ. Servaz avait oublié le déménagement. Une noria de types en salopette portait qui des cartons qui des tables ou des chaises emballées dans du plastique à bulles, qui des lampes et des machines à écrire. Les déménageurs les regardèrent passer d'un air agacé : on avait sans doute dû leur promettre que les locaux seraient vides du vendredi soir au lundi matin – seulement voilà, personne ne pouvait prévoir que deux cadavres viendraient gâcher la fête. Les autres membres du groupe les attendaient dans leurs bureaux et Kowalski les rassembla pour faire le point. Ils découvrirent une salle de réunion dont on avait retiré le mobilier et ressortirent à la recherche des derniers sièges que les déménageurs n'avaient pas emportés.

— Et trouvez-moi un tableau ! gueula Kowalski.

On finit par en dénicher un déjà emballé. Ils déchirèrent le film à bulles et le ruban adhésif qui le recouvraient.

— Qu'est-ce que vous faites ? demanda un gros bras interloqué.

— Une urgence, répondit Mangin. On ne va quand même pas écrire sur les murs.

Ils placèrent leurs chaises en arc de cercle devant le tableau, dans la grande pièce vide, et Servaz pensa à une réunion des alcooliques anonymes. Kowalski inscrivit à l'aide d'un gros feutre :

Nuit 27 au 28 mai : AMBRE et ALICE assassinées
Découvertes par FRANÇOIS-RÉGIS BERCOT
Tuées par objet large et plat (AVIRON ?)
Pas de VIOL
Préméditation :
ROBES COMMUNIANTES passées post mortem
Une CROIX (où est la deuxième ?)
Mortes sur place
Présence dans bois de nuit : Rdv ?
Avec QUI ? Assassin ? Autre ?
Appel à témoins
Mise en scène identique roman ERIK LANG
Correspondance avec Erik Lang (mineures)
Pas d'ALIBI
Ambre VIERGE
Porte Ambre fracturée
Appels anonymes aux PARENTS : attente numéro

— Quelqu'un a quelque chose à ajouter ?

Une conversation s'engagea que Servaz n'écouta pas. Il resta silencieux, les yeux fixés sur le tableau. Moins de quarante-huit heures s'étaient écoulées depuis le double homicide. L'enquête de voisinage avait été interrompue parce que la plupart des témoins potentiels – des étudiants qui rentraient chez eux le week-end – s'étaient éclipsés à la sortie des cours sans même passer par leurs piaules, qu'ils retrouveraient lundi matin, date à laquelle elle reprendrait.

Il y avait dans ce meurtre – ou bien était-ce parce que c'était son « premier » ? – quelque chose qu'il ne comprenait pas. Si c'était Lang qui les avait tuées, Kowalski avait raison : il fallait être stupide – ou fou – pour imiter un de ses propres romans en sachant que les flics retrouveraient tôt ou tard la correspondance qu'il avait entretenue avec les victimes. En dehors du fait que c'était une théorie passablement alambiquée. Et si ce n'était pas lui, quel était le sens d'un tel acte ? La folie ? Un fan cinglé et/ou jaloux de l'attention qu'il portait aux gamines ? Mais, selon Lang lui-même, il avait coupé tout contact avec elles depuis longtemps… Quelqu'un essayait-il de lui faire porter le chapeau ? Mais comment ce quelqu'un pouvait-il être au courant des lettres qu'Ambre gardait planquées dans son album photo ? Un petit ami pouvait l'être, songea-t-il, si Ambre ou Alice s'étaient confiées à lui… À supposer que Lang eût menti et qu'il continuât à voir l'une des deux, était-ce suffisant pour déclencher la jalousie et pousser quelqu'un au meurtre ? Il changea de position sur sa chaise métallique. Assurément, la jalousie était l'un des premiers mobiles en cas de meurtre non prémédité ou d'assassinat, non ? C'était une des choses qu'on leur apprenait à l'école de police.

— Martin, une idée ? lança Kowalski.

Tous les regards se tournèrent vers lui. Certains curieux, d'autres agacés ou ironiques. Bon, c'était le moment. Ou il se faisait étriller en direct et cela ferait sans nul doute la joie de certains collègues présents, ou sa théorie était validée et l'hostilité envers lui n'en serait qu'augmentée.

Il l'exposa.

Le silence qui suivit, même s'il ne dura que deux secondes, lui parut interminable. Il s'interrogea soudain sur ce qui s'était dit pendant que ses pensées vagabondaient. Craignit d'avoir répété à peu de chose près les échanges qu'ils avaient eus.

— Intéressant, dit finalement Kowalski.

L'espace d'un instant, il crut que le chef de groupe se payait sa tête. Mais non, il était on ne peut plus sérieux.

— Intéressant, répéta-t-il.

Ce qui – dans sa bouche – équivalait à des louanges.

— Martin, je veux que tu creuses dans la vie d'Alice et Ambre. Elles étaient jolies, intelligentes, et elles dormaient dans une cité U pleine de filles et de garçons de leur âge. Elles ont forcément noué des relations, forgé des amitiés. Et la question se pose de savoir pourquoi Ambre était restée vierge.

Il entreprit de noter ces dernières questions sur le tableau :

Lang vraiment ROMPU *tout contact ?*
Copain jaloux ?
Fan ?

Le reste de la réunion se passa en discussions logistiques et répartition des tâches. Quelqu'un demanda comment on allait faire pour rédiger les rapports puisque les machines à écrire étaient déjà parties boulevard de l'Embouchure.

— Même pas sûr qu'on retrouve nos bureaux, paraît que c'est grand, là-bas !

Il y eut des rires et l'atmosphère se détendit un peu. Mais en surface seulement. Servaz remarqua combien tous avaient l'air préoccupés. Ce n'était pas tous les jours qu'on se trouvait confronté aux cadavres de deux jeunes filles habillées en communiantes : deux gamines massacrées dans un bois, cela relevait de l'incompréhensible ; cela obligeait l'esprit à s'aventurer sur des rivages dont chacun savait qu'il ne reviendrait pas complètement indemne. Là, dans cette pièce, tandis que le soir descendait, ils avaient tous conscience qu'ils s'avançaient vers l'inconnu.

— C'est samedi soir, lança Ko. Si certains ont envie d'aller se mettre sur le toit, ils ont ma bénédiction. J'ai juste besoin de deux personnes jusqu'à lundi.

Martin pensa à Alexandra, à Margot, à tous ceux qui allaient sortir ce soir profiter de la douceur de ce dernier samedi de mai, il ressentit un pincement de culpabilité. Puis il pensa à Alice et Ambre et il leva la main. Il surprit un ou deux sourires moqueurs. Mangin l'imita.

— Merci, dit le chef de groupe.

Il retourna dans son bureau. Sa table de travail et son téléphone étaient encore là ; il décrocha le combiné et composa le numéro de son domicile, mais tomba sur le répondeur. Marcha jusqu'au bureau de Mangin.

— Putain, y a plus de distributeur de boissons, dit celui-ci. Comment on va faire pour tenir jusqu'à lundi ?

— Qu'est-ce que vous avez trouvé d'intéressant dans les chambres des filles à la cité U ? demanda Martin sans commenter cette question pleine de bon sens.

— Pas grand-chose. Quelques photos…

— Je peux voir ?

Mangin sortit un sachet pour pièces à conviction d'un tiroir. Une liasse de clichés à l'intérieur. Servaz ouvrit le sachet, prit les photos et les parcourut rapidement. Puis il recommença et examina soigneusement chaque cliché, s'attardant sur certains. Un détail avait retenu son attention. Sur plusieurs photos de groupe, un visage revenait.

— Cette fille-là, dit-il en pointant l'index, elle a l'air d'être proche des deux sœurs.

— Possible, fit Mangin.

— Je peux la garder ?

— Pas de souci, dit son collègue. Franchement, ça t'emmerde pas, toi, de déménager ? Putain, ils nous envoient aux Minimes !

Servaz sourit. Le nouveau siège du SRPJ se dressait à deux kilomètres à vol d'oiseau de l'ancien, au bord du canal du Midi, au sud du quartier des Minimes – qui devait son nom à l'installation d'un ordre religieux au Moyen Âge –, mais, dans la bouche de Mangin, ça ressemblait à une déportation dans les camps de travail forcé de l'Union soviétique.

— Ko m'a demandé de me pencher sur la vie des victimes. Je peux aussi avoir tes notes ? Celles que tu as prises sur leurs chambres.

— Pas pu les taper vu qu'on n'a plus de machines à écrire. C'est illisible.

— J'essaierai de déchiffrer.

Mangin lui refila son bloc-notes.

Il quitta le SRPJ à 10 heures du soir. Il n'avait guère avancé. Il avait passé plusieurs coups de fil – au rectorat, à la fac de médecine, à celle de lettres – mais on était samedi et il n'avait obtenu que des interlocuteurs incapables de lui fournir des réponses satisfaisantes. Il faudrait attendre lundi. Seuls les parents d'Alice et Ambre avaient répondu à ses questions concernant leurs filles, mais il avait soigneusement évité les plus dérangeantes – même s'il devrait sans doute se résoudre à les poser plus tard.

Les réverbères étaient allumés mais la soirée encore étouffante. Il fit le chemin à pied, dans la nuit chaude, passant devant les terrasses illuminées des restaurants, où se mêlaient bruissements des conversations, cliquetis des couverts, rires et grondements des voitures. Il songea que deux mondes coexistaient sans se mêler, comme l'huile et l'eau : celui de la vie, de l'insouciance, de la jeunesse et de l'espoir ; et celui de la maladie, de la souffrance, du déclin et de la mort. Tout un chacun, tôt ou tard, était amené à connaître les deux, mais certaines professions – infirmières, pompiers, pompes funèbres, flics… – passaient chaque jour de l'un à l'autre. Soudain, il se demanda comment il serait dans vingt ans, dans trente ans, s'il continuait d'exercer ce métier.

Il fuma une cigarette sous le platane desséché qui se dressait devant la façade de son immeuble, entre deux réverbères, l'écrasa du talon, salua une voisine qui sortait son chien et regarda les fenêtres du troisième étage. Pas de lumière. Pourtant, il n'était pas tard. Une lune famélique s'accrochait au bord du toit, comme un ballon retenu par un fil.

Il délaissa l'ascenseur et emprunta l'escalier, sortit la clef de sa poche et déverrouilla la porte aussi silencieusement que possible. Actionna l'interrupteur du couloir au moment précis où la minuterie du palier s'éteignait. Il fut dans le noir pendant une demi-seconde, eut l'impression d'entendre un bruit provenant du fond de l'appartement et appela :

— Alexandra ?

Pas de réponse. Il se souvint qu'elle n'avait pas répondu non plus quand il lui avait téléphoné. *Elles étaient sorties*... Pour aller où ? Il venait de refermer derrière lui quand le bruit se reproduisit et il sentit un courant d'air lui caresser la nuque.

Il prêta l'oreille, mais n'entendit plus rien. Alexandra avait dû laisser une fenêtre ouverte pour permettre à la fraîcheur de la nuit d'entrer et de tempérer les pièces. L'appartement était une étuve. Dans la lumière crue du plafonnier, il vit le mot posé sur la commode, dans l'entrée.

Le prit.

On passe le week-end chez ma sœur, on sera de retour demain.

Pourquoi Alexandra ne l'avait-elle pas appelé au poste de police ? Pour le pousser à bout ? Pour lui envoyer un signal ? Lequel ? Mais peut-être l'avait-elle fait et s'était-il trouvé ailleurs quand le téléphone avait sonné dans son bureau. Il aurait dû essayer de la joindre plus tôt…

Mais il ne l'avait pas fait.

Il était 8 heures dimanche matin quand le téléphone dans le salon le réveilla. Servaz l'entendit du fond de son lit. Il était en nage, il se souvenait d'avoir rêvé mais pas du rêve lui-même. Il bondit hors du lit et courut vers le living tandis que la sonnerie insistait. Elle déchirait le silence de cette matinée dominicale, un des rares matins où il n'y avait aucun bruit dans l'immeuble sauf parfois – en représailles à une fête qui s'était prolongée trop avant dans la nuit – quelques coups de perceuse vindicatifs.

La veille, il avait laissé la fenêtre ouverte pour faire descendre la température, mais un orage avait éclaté à l'aube et il pleuvait à présent dans le salon. Il décrocha, dit « une seconde », reposa le combiné et referma la croisée, pieds nus sur la moquette détrempée, non sans laisser un instant la fraîcheur de la pluie caresser sa poitrine nue.

— Qu'est-ce qui se passe ? s'enquit Alexandra.

— Hmm, rien. J'avais laissé la fenêtre ouverte et il pleut. Comment va ta sœur ?

— Toujours pareil. J'ai une sœur qui, à quarante ans, ne s'intéresse qu'à son ménage, à son foyer et à son connard de mari, c'est à désespérer.

— Pourquoi être allées passer le week-end chez elle dans ce cas ?

Un silence au bout du fil, suivi d'un soupir.

— Primo, parce que c'est quand même ma sœur et que je ne l'ai pas vue depuis six mois. Deuzio, parce que Margot adore la maison et surtout la piscine et que grand-père est là… Et tu sais combien Margot aime son grand-père… Tout le monde te salue, à propos. Tertio, parce que tu n'étais pas là…

Parce que Margot adore la maison et surtout la piscine et que grand-père est là… Il fut fouetté par l'injustice du sous-entendu. Était-ce sa faute si son propre père s'était foutu en l'air avant d'avoir connu ses petits-enfants ? S'il avait hérité d'une ancienne ferme à moitié délabrée et s'il n'avait ni frère ni sœur aux affaires florissantes ? Il eut envie de dire que le seul mérite de sa sœur était d'avoir su mettre le grappin sur un beau parti, mais c'eût été se tirer une balle dans le pied.

Au-dehors, le tonnerre roulait dans le ciel livide et la pluie rinçait les rues. Ils échangèrent quelques paroles sans le moindre enthousiasme et il raccrocha. Son biper retentit presque aussitôt. Il composa le numéro du service.

— Servaz ? rugit Kowalski.

Ce n'était plus Martin. Il avait déjà remarqué que l'emploi alternatif du prénom et du patronyme était le baromètre des humeurs du chef de groupe.

— On a reçu un coup de fil anonyme sur le numéro dédié aux appels à témoins. Rapplique. Fissa !

10

Où on est pris au piège

La pluie noyait la ville sous un rideau sale, opaque et tiède quand Servaz quitta le parking souterrain de son immeuble. Le Pont-Neuf étant en sens interdit, il franchit la Garonne plus au sud, sur le pont Saint-Michel, remonta les allées Jules-Guesde jusqu'au Grand Rond puis mit cap au nord. Deux camions de déménagement compliquaient considérablement la circulation dans la rue du Rempart-Saint-étienne et des abrutis s'acharnaient sur leurs klaxons comme s'il s'agissait de buzzers dans un jeu télévisé ou s'ils avaient le pouvoir de faire léviter les poids lourds de vingt-quatre tonnes.

Il se gara en amont de la rue et finit le trajet à pied. En été, le climat, ici, était à l'image des habitants – exubérant, démonstratif et peu porté sur les nuances. Aussi lui fallut-il moins de cent mètres pour être trempé et, quand il pénétra dans l'hôtel de police, il avait tout du clébard mouillé. En émergeant de l'ascenseur, il constata que le déménagement était bien avancé : les couloirs avaient été entièrement vidés, de même que les bureaux.

Il gagna celui de Kowalski. Mangin était déjà là. La pièce était nue à l'exception d'un téléphone posé par terre.

— Tu es là, dit Ko. On va pouvoir se répartir les tâches. Tu te souviens du rouquin qui nous a ouvert sa porte à la cité U ?

— Celui qui fumait autre chose que des cigarettes ?

Kowalski opina. Une ride soucieuse barrait son front.

— Un type nous a appelés. Appel anonyme. Selon lui, notre rouquin, Cédric Dhombres, étudiant en troisième année de médecine, aurait été au centre d'un mini-scandale impliquant Ambre Oesterman. En travaux pratiques d'anatomie, elle faisait partie, avec une autre fille, d'un groupe de trois auquel appartenait également notre rouquin. Elle se serait plainte des commentaires déplacés à caractère sexuel que le garçon aurait faits pendant la manipulation des cadavres, ainsi que de plusieurs attouchements furtifs. L'autre fille a confirmé. Après ça, Dhombres a été changé de groupe. Le truc serait quand même remonté assez haut, jusqu'au directeur ou quelque chose comme ça, et même s'il n'y a pas eu vraiment de suites, le bruit s'est répandu et Dhombres est devenu la risée des autres étudiants de troisième année. Il y aurait eu des graffitis insultants sur sa porte et du… hmm… *sperme* dans sa boîte aux lettres… – celles des étudiants sont dans le hall.

— Du sperme dans… ? répéta Mangin.

— Me demandez pas comment le type qui a fait ça s'y est pris, s'il a amené son yaourt dans une éprouvette ou s'il s'est directement secoué la nouille dans la boîte aux lettres – ce qui, en dehors du fait qu'il est préférable de choisir une heure tardive, exige une faculté de concentration assez exceptionnelle.

Kowalski leur décocha un clin d'œil.

— Bref, toujours selon notre correspondant anonyme, Dhombres nourrissait une haine tenace contre Ambre Oesterman.

— Au point de la tuer et de tuer aussi sa sœur ?

— Peut-être qu'il voulait juste leur donner une leçon et que ça a mal tourné, peut-être qu'il a frappé un peu trop fort, suggéra Mangin. Après, il n'avait plus vraiment le choix, il lui fallait aller jusqu'au bout.

Servaz repensa à l'attitude du jeune homme quand il avait ouvert, ce je-ne-sais-quoi de fuyant et de dissimulé qui leur avait mis instantanément la puce à l'oreille. Est-ce que c'était seulement dû à la peur d'être pris en train de fumer un joint ? Et qui était ce correspondant bien intentionné qui avait vendu la mèche ?

Au sol, le téléphone sonna. Kowalski se plia en deux et le souleva avec son fil tout en décrochant.

— Vous en êtes sûr ? dit-il après un moment. Très bien… Merci ! On arrive… Désolé de vous emmerder un dimanche.

Il raccrocha et reposa l'appareil par terre.

— C'était le gardien. Il a cogné à la porte de Dhombres sans obtenir de réponse. On est dimanche, il est sans doute en train de dormir. Mais il parle avec lui de temps en temps et il croit savoir que le gamin a un boulot au département d'anatomie de la fac de médecine, certains dimanches. Du nettoyage ou un truc dans le genre – ça a peut-être à voir avec cette histoire : une façon de le mettre à l'amende.

Il regarda sa montre.

— Servaz, tu files là-bas au cas où il s'y trouverait. S'il y est, tu nous le ramènes fissa. Mangin et moi, on part pour la cité U. Il est probable qu'il soit encore en train de roupiller. Il ne doit pas nous filer entre les doigts.

— Il faut l'autorisation de son président pour intervenir dans l'université, fit remarquer Mangin.

Servaz se souvint d'avoir appris ça à l'école de police. Cela s'appelait la « franchise universitaire » – une règle datant du Moyen Âge, reprise par le Code de l'éducation. Elle stipulait que c'était le président de l'université qui était chargé du maintien de l'ordre sur le campus. Par conséquent, la police ne pouvait y entrer qu'à sa demande.

— Sauf réquisition du parquet, répondit Ko. J'ai passé un coup de fil avant que vous arriviez.

Servaz aurait pu emprunter une voiture de service, mais il préféra rejoindre sa Fiat Panda, la même qu'il traînait depuis la fac et qui, un de ces jours, allait décider de prendre une retraite définitive après des années de bons et loyaux – quoique polluants – services. La circulation était plus fluide qu'à l'ordinaire et, un quart d'heure plus tard, il doublait un autobus de la Semvat, la régie des transports toulousaine, dont les roues soulevaient de grandes corolles d'eau.

Peu après l'IUT et la faculté de chirurgie dentaire, il bifurqua vers l'entrée de la fac de médecine. Bas et longs, les bâtiments s'étiraient au pied d'une colline que couronnaient les gigantesques installations du CHU. Vues d'ici, celles-ci faisaient penser à une place forte médiévale, une citadelle imprenable d'où quelque souverain aurait surveillé nuit et jour ses sujets.

Il mit quelques minutes à s'orienter et à trouver le bâtiment de l'accueil. Le hall était désert. Il appela plusieurs fois, jusqu'à ce qu'apparaisse une femme entre deux âges à la mise en plis soignée. Elle ne devait pas avoir l'habitude d'être dérangée dans ses activités annexes du dimanche matin, car elle lui jeta un regard aussi impatient qu'agacé par-dessus son comptoir.

— On est dimanche, c'est fermé.

Il montra sa carte.

— On est dimanche, c'est ouvert, répliqua-t-il.

Il fut lui-même surpris par sa sortie. Si peu habituel chez lui, ce genre de réponse du tac au tac. Encore une fois, il se demanda si c'était le métier de flic qui commençait à déteindre. La femme renifla, même si, il en était certain, elle n'avait pas le moindre rhume.

— Le département d'anatomie, dit-il.

Elle lui expliqua l'itinéraire en marmonnant.

— Il pleut des cordes, vous allez être trempé, fit-elle observer.

Ce qui n'eut pas l'air de la désoler le moins du monde. Il haussa les épaules et ressortit sous l'averse. Marcha sur les dalles inondées, pataugeant dans cinq centimètres d'eau à travers le petit campus planté d'ifs qu'un grand souffle agitait. Le tonnerre tournait au nord, le ciel était sombre ; il faisait aussi chaud et humide que dans un sauna.

Toutes les constructions étaient identiques : un rez-de-chaussée, un étage et des dizaines de fenêtres frappées par la pluie. Il repéra le sien, grimpa quelques marches et pénétra dans le hall. Pas âme qui vive. Il prêta l'oreille, mais le bâtiment avait un aspect déserté. Il traversa le hall, franchit une double porte battante.

Un couloir perpendiculaire au-delà. Sur le mur face à lui, des flèches partaient vers la droite et vers la gauche, dont une indiquait le département d'anatomie. Il la suivit, tourna à droite comme un autre écriteau l'invitait à le faire, se retrouva en haut d'un escalier qui plongeait vers les sous-sols.

Servaz l'emprunta. Au bas des marches, une nouvelle double porte s'ouvrit en gémissant, le caoutchouc en bas des portes frottant contre le lino. Un nouveau couloir derrière. Avec une troisième porte à son extrémité, pareillement percée de deux hublots. Il la repoussa et découvrit un corridor beaucoup plus long, profond comme un puits et peu engageant. Une clarté grise et diffuse dans le fond, alors que le centre était plongé dans la pénombre. Il se mit en marche, ses pas constituant le seul bruit dans le calme absolu. De toute évidence, il n'y avait personne à part lui et le gamin dans le bâtiment, et il commença à se dire qu'il aurait peut-être mieux valu ne pas venir seul.

Il était arrivé presque au milieu, là où l'obscurité était le plus dense, quand il surprit un mouvement au bout du couloir. Une silhouette basse et ramassée venait d'émerger de la droite, d'où provenait la clarté, et se dirigeait vers lui en silence. Cela avançait lentement dans les ombres, seules les griffes émettaient un léger cliquetis en raclant le sol. Soixante-dix centimètres au garrot, une robe noire et un corps musclé. *Doberman*. Servaz sentit une sueur glacée mouiller sa nuque. Il s'arrêta. Incapable de faire un geste comme de détacher les yeux du chien qui avançait toujours. Il s'aperçut que tous ses organes et son centre de gravité étaient apparemment descendus beaucoup plus bas, dans les parages de son scrotum, et il était tenaillé par l'envie de faire demi-tour et de repartir au pas de course – tentation qui hurlait silencieusement dans son cerveau et contre laquelle il devait mobiliser toute sa volonté.

Repartir. Courir. Ressortir. *Ce serait une erreur et tu le sais : il n'attend sans doute que ça, le toutou, que tu te comportes comme quelqu'un qui a quelque chose à se reprocher.*

Bon Dieu, qui avait bien pu laisser ce molosse en liberté ! Tous ses poils hérissés, il eut la sensation que ses jambes ne le portaient plus vraiment. L'adrénaline accélérait son rythme cardiaque et il se mit à respirer vite. Trop vite. Le chien s'immobilisa à moins de six mètres et émit un grondement rauque et menaçant – presque une vibration : dans les fréquences basses – qui fit se tordre un peu plus son estomac.

Il le distinguait parfaitement à présent. Ses petits yeux le jaugeaient sans ciller, comme si l'animal évaluait ce qu'il avait en face de lui et soupesait encore s'il devait attaquer ou non. Servaz se dit que la conclusion dépendrait sans doute de ce que lui-même allait faire dans les secondes qui suivraient. Il était inondé de sueur. Il n'osait même pas produire un son, de peur que sa voix déplût suffisamment au molosse pour emporter sa décision. Son imagination galopait et il avait la vision du chien se jetant sur lui.

Tous ses muscles tendus sous le poil noir, la bête semblait prête à s'élancer. Il déglutit. Il demeurait parfaitement immobile. Des rushs d'adrénaline n'en fusaient pas moins dans ses veines.

— Sultan ! cria soudain une voix que l'écho du couloir fit rebondir sur les murs comme une balle de squash.

Servaz vit Sultan tendre les oreilles, frissonner et se relâcher d'un coup, reposant son arrière-train sur le sol, la gueule ouverte et la langue pendante, avant qu'une autre silhouette – humaine celle-là – n'apparaisse au bout du couloir. Le gaillard approcha à grands pas, ses bottes résonnant dans l'espace vide, et Servaz découvrit un uniforme.

— Qu'est-ce que vous foutez là ? lança le vigile.

Il sortit sa carte. Il aurait voulu son geste plus ferme et plein d'autorité, mais sa main tremblait.

— Et vous ? Vous étiez où, bordel ? Qu'est-ce que… ? Qu'est-ce que ce chien fait en liberté ? dit-il, la voix pleine de colère mais aussi de soulagement. Vous êtes là pour assurer la sécurité ou pour fournir des cadavres au département d'anatomie ?

Le type était plus grand que lui, et sa silhouette se découpait à contre-jour sur la clarté provenant du fond. Il toisa le flic et passa sa laisse au chien.

— J'étais en train de pisser, se justifia-t-il.

— Il y a quelqu'un d'autre dans ce bâtiment ? l'interrogea Martin.

Le vigile lui montra le bout du couloir.

— Il y a un gamin en train de nettoyer un peu plus loin. C'est tout.

— Si je revois ce chien sans laisse, je le descends, dit Servaz que ni la peur ni la colère n'avaient quitté.

Le vigile l'observa avec l'air de se demander si un étudiant aux cheveux longs pouvait être un flic. Ou peut-être était-il en train de penser que tout foutait le camp, même la police. Martin s'éloigna. Son cœur tambourinait encore dans sa poitrine quand il tourna à droite. Une salle éclairée par des fenêtres zébrées de pluie. Une grande table métallique au milieu, des armoires vitrées sur les côtés, la pluie se reflétait dedans. Il s'avança vers les vitrines et s'immobilisa. Ce qu'il voyait, dans de grands bocaux en verre – têtes démesurées et corps chétifs –, c'étaient des fœtus. Des feuilles arrachées par l'orage giflèrent tout à coup la vitre du soupirail derrière lui et le firent se retourner.

Où était Cédric Dhombres ?

Il y avait quelque chose un peu plus loin, posé contre une autre table métallique semblable à la première…

Il s'approcha.

Un seau, une serpillière et un balai… Le sol, à cet endroit, était *humide*. Il pensa à ce film sur la guerre du Vietnam qu'il avait vu au cinéma avec Alexandra, où les soldats américains trouvaient un camp viêt-cong dans la jungle et des cendres encore chaudes. *Platoon.*

Le gamin n'était pas loin…

Il se rendit compte qu'il était maintenant seul dans cette partie du bâtiment. Où étaient le grand vigile et son molosse ? En train de faire leur ronde dans les étages ? Et pour quelle raison Cédric Dhombres avait-il abandonné ce seau et ce balai si précipitamment ? Y avait-il une autre issue par où il avait filé ?

— Dhombres ! Vous êtes là ?

Il était conscient que sa voix devait sonner aussi juvénile que la sienne aux oreilles de l'étudiant en troisième année, s'il traînait encore dans le coin.

Cratch, cratch, cratch… Une branche basse grattait – tel un doigt – contre la vitre. Il pivota de nouveau vers le fond de la salle.

Elle communiquait par un étroit passage avec une autre. Il s'avança. Nouvelles tables métalliques, nouveau soupirail frappé par l'orage et nouvelles vitrines. Il évita de regarder de ce côté.

Où était passé le gamin ?

Une dernière porte au fond. Une simple porte en bois. Close. *Et merde.*

— Dhombres ! C'est la police !

Il traversa la salle, marcha vers le battant, posa la main sur la poignée en porcelaine. Il allait sortir son arme mais quelque chose le retint. Il était nul au stand de tir. Si le type de l'autre côté se jetait sur lui, qui sait ce qui pouvait se passer ? Une balle ricochant sur une table métallique pouvait finir dans votre foie, votre crâne ou vos bijoux de famille. Sans compter que, dans une pièce fermée, un coup de feu le rendrait sourd pendant des jours. Il n'avait nullement l'intention de se faire exploser les tympans.

Merde, merde, merde…

Il tourna lentement la poignée, poussa le battant, entendit le martèlement de son sang dans ses oreilles, ses battements avaient dû grimper dans les 180 pulsations/minute. Il savait d'où ça venait. *Il se revit poussant la porte du bureau de son père…* Mais pas de rayon de soleil ici, il faisait noir comme dans un four.

Il fit un pas à l'intérieur. L'attaque vint sans prévenir.

Une forme se détacha de l'obscurité et le bouscula. Il perdit l'équilibre. Une douleur fulgurante quand sa tempe heurta l'angle d'une table. Des points blancs devant ses yeux. Malgré la douleur, il se releva et se précipita hors de la pièce.

— Dhombres !

Quelque chose de chaud coulait le long de sa joue. Il entendit une cavalcade, contourna les tables métalliques en tanguant comme un navire en pleine tempête et se rua à sa poursuite. Fit irruption dans la première salle, celle des fœtus.

Cédric Dhombres était là.

Au milieu de la salle, il s'était immobilisé, lui tournant le dos. Fixant sans nul doute le molosse noir et le grand vigile qui le tenait en laisse. Le doberman grondait sourdement et guignait Dhombres d'un air tranquille, mais néanmoins aussi dissuasif qu'un missile balistique intercontinental.

— J'ai comme l'impression que c'est après lui que vous en avez, dit le vigile.

Servaz s'arrêta, porta une main à sa tempe et considéra le bout de ses doigts rougis. Puis il reporta son attention sur le gamin.

— Vous voulez toujours descendre mon chien ? lui lança le vigile.

Mais, avant qu'il réponde, l'étudiant s'était brusquement rapproché d'une des vitrines. Tout se passa si vite que Martin n'eut pas le temps de faire le moindre geste. Il vit Dhombres donner un coup de poing dans la vitre et le poing en question passer au travers dans un fracas cristallin de verre brisé. Puis les doigts du gamin se refermèrent sur un gros morceau de verre triangulaire. L'instant d'après, la pointe du triangle était appuyée sur sa carotide et Servaz s'aperçut qu'un mince filet de sang coulait dans son cou.

— N'approchez pas ou je me tranche la gorge !

Servaz fut frappé par l'expression de peur sans mélange, de terreur pure qui déformait ses traits, exorbitait son regard, et il se fit la réflexion qu'elle n'était pas seulement due à leur présence.

— Laissez-moi partir !

Le gamin les regarda tour à tour, la pointe fichée dans son cou.

— Laissez-moi partir !

Servaz leva les mains en signe d'apaisement.

— Vous ne comprenez pas ? leur cria l'étudiant. Il me tuera s'il sait que je vous ai parlé !

— Je comprends, Cédric. Je suis là pour t'aider ! Qui te tuera, Cédric ?

— Non, vous ne comprenez rien !

Il vit le gamin enfoncer un peu plus la pointe dans son cou. Il avait du sang sur son tee-shirt, il tremblait comme une feuille et des larmes roulaient sur ses joues comme si on avait ouvert un robinet.

— Ne fais pas ça ! Ce n'est pas une bonne idée ! D'abord, parce que si tu as l'intention de te suicider, tu n'y arriveras pas comme ça. Tu vas juste souffrir atrocement et te couper les cordes vocales. Tu as envie de rester muet pour le restant de tes jours et de souffrir le martyre ?

Il racontait n'importe quoi. Il improvisait, d'autant qu'il s'adressait à un étudiant en médecine. On ne l'avait pas formé pour ce genre de situation. Et il n'avait qu'une vague idée des conséquences si le gamin décidait de se trancher la gorge. Il constata cependant que le doute était apparu sur les traits de celui-ci.

— Vous bluffez…

L'étudiant sanglotait.

— Il me fera du mal… il sera *impitoyable*… vous ne savez pas de quoi il est capable…

— Qui ça, Cédric ? Qui est impitoyable ?

— Taisez-vous ! Jamais je ne le trahirai, vous entendez ?… Ce serait bien pire que de mourir…

— Calme-toi.

— Que je me calme ? Allez vous faire foutre ! Allez en enfer ! Moi, l'enfer, j'y suis déjà…

Un ou deux millimètres de plus dans la peau fine qui séparait le verre de la carotide… Il ne l'avait pas atteinte, sinon le sang aurait jailli comme un geyser. C'était celui de sa main coupée qui imbibait son tee-shirt.

— Laissez-moi partir et je me calmerai ! Laissez-moi partir, s'il vous plaît ! Je vous en supplie ! Vous n'imaginez pas de quoi il est capable…

Sa main tremblante appuyant toujours la flèche de verre sur sa carotide palpitante, Dhombres le fixait, et Servaz ne le lâchait pas des yeux non plus. Quelque chose bougea à la limite de son champ de vision, dans le dos du gamin.

Il inspira à fond. Pensa : *Non, non, non ! ne fais pas ça, putain ! Très mauvaise idée…*

… très… très… mauvaise…

… idée…

Mais le vigile n'était pas de cet avis, apparemment : Servaz le vit avec effroi défaire la laisse. Donner une tape sur l'arrière-train de son chien. Il serra les dents. Le reste se passa en une fraction de seconde. L'étudiant fit volte-face – soit qu'il sentît le danger, soit qu'il eût deviné au regard du jeune flic par-dessus son épaule ce qui se tramait derrière lui – au moment précis où le monstre s'élançait.

— Il y a un téléphone ici ?

— Dans ma loge, répondit le gardien.

Ils étaient tous deux agenouillés autour de l'étudiant qui geignait, allongé sur le sol. Martin appuyait une compresse improvisée avec son tee-shirt et un paquet de Kleenex encore dans leur emballage plastique sur l'avant-bras du gamin – là où les crocs du doberman l'avaient déchiré – pour stopper l'hémorragie.

— Prenez le bloc-notes et le stylo dans la poche de mon blouson. Et notez le numéro que je vais vous donner. Filez appeler les secours et ensuite appelez ce numéro et racontez ce qui vient de se passer. Vous avez compris ?

Le gardien fit signe que oui, attrapa le blouson par terre et en sortit le bloc-notes et le stylo. Servaz lui dicta le numéro. Le vigile se releva.

— Magnez-vous, merde !

Le vigile décampa. Servaz baissa les yeux vers le gamin. Son teint était gris. Ses prunelles agrandies trahissaient toujours la même peur invincible.

— Vous ne savez pas ce que vous faites, gémit-il. Vous ne savez pas de quoi il est capable… Putain, ça fait mal…

Servaz vit les traits de l'étudiant griffés par la douleur, paupières serrées et bouche tordue.

— Qui ? dit-il doucement. De qui est-ce que tu parles ?

Le rouquin rouvrit les yeux. Il le fixait, de ses iris presque blancs voilés par la souffrance mais vides de toute expression et de tout affect. Un écran éteint. Qui reflétait Martin, le plafond. Un regard qui absorbait tout et se repliait à l'intérieur de lui-même.

— Laissez tomber. Vous n'avez aucune chance de l'attraper.

11

Où on trouve des photos

Kowalski et Servaz regardèrent Mangin monter dans l'ambulance ululante à la suite de la civière et d'un infirmier. La voix de Kowalski était tendue, nerveuse, quand il s'adressa à son adjoint :

— On arrive. Je veux d'abord que Martin voie ça. Tiens le gamin à l'œil, ne le quitte pas d'une semelle.

Mangin acquiesça. Il avait l'air aussi nerveux que son chef de groupe et Servaz se raidit. *Il s'était passé quelque chose à la cité U…*

— On prend la voiture de service, dit Ko, tu récupéreras ta caisse plus tard.

— On va où ?

— Je veux te montrer un truc…

Il n'en dit pas plus. Le vent chaud chassa la pluie tandis qu'ils roulaient vers l'île du Ramier par l'avenue de l'URSS et le boulevard des Récollets. Kowalski ne pipait mot. Il affichait une mine sinistre. Servaz sentit toutefois que le chef de groupe lui jetait des œillades furtives, de loin en loin, et qu'il essayait de deviner ses pensées, comme des doigts tâtonnant dans l'obscurité à la recherche d'une forme.

La voiture garée sur le parking de la cité U, ils pénétrèrent dans le bâtiment, grimpèrent jusqu'au couloir du troisième étage. Servaz tressaillit en découvrant un gardien de la paix qui se tenait devant la porte de la chambre ouverte.

Kowalski lui lança un regard lugubre, mais ne dit rien. Une lueur étrange flambait dans ses iris.

Ils ont trouvé quelque chose…

Il s'avança à hauteur de la porte ouverte, entrevit un bureau, une fenêtre et un lit.

— C'est bon, tu peux y aller, dit Ko au gardien de la paix. Puis il se tourna vers lui : vas-y, jette un œil.

La chair de poule se répandit sur tout son corps. *Ils avaient fouillé la piaule en l'absence du suspect.* N'importe quel avocat ferait tomber la procédure s'il l'apprenait… Il franchit le seuil de la pièce. Malgré les rideaux à demi ouverts, elle était plongée dans une pénombre relative à cause du linceul gris noyant la ville. Une vraie étuve. Ça sentait fort la sueur et le hasch là-dedans. Il les vit aussitôt – les photos étalées par dizaines sur le bureau et sur le lit. Des tirages au format A4…

Combien y en avait-il ? Cinquante ? Cent ? Davantage ?

Il s'approcha. Même de loin il avait deviné de quoi il s'agissait, mais il voulait en avoir la douloureuse confirmation.

En proie à un vertige, il se pencha sur la mosaïque de clichés. Eut aussitôt le cœur dans la gorge. Sentit une épaisse couche de glace étreindre sa poitrine.

Des cadavres…

Des morts par dizaines.

Des gros, des maigres, des jeunes, des vieux, des femmes, des hommes… Tous nus et exposés sur des tables de dissection, aussi inertes que des morceaux de viande à l'étal du boucher.

Des gros plans, des plans plus larges… Des détails perturbants, dégradants, obscènes – regard vide, bas du visage grimaçant, main déformée par l'arthrose et recroquevillée comme une serre, organes génitaux masculins et féminins, seins affaissés, et même des ventres ouverts, tripaille à l'air, et des membres amputés dont la section laissait voir des chairs à vif et des cartilages…

Immédiatement, il lui sembla impossible que Dhombres ait pu prendre toutes ces photos lui-même. Il y en avait trop. Même s'il avait accès au laboratoire d'anatomie et à d'autres parties de la fac de médecine, il aurait fallu un cataclysme pour fournir un tel contingent de macchabées.

Servaz s'empressa de ressortir. En manque d'oxygène. Il avait du mal à respirer. Il regarda Kowalski. Celui-ci attendait sa réaction.

— Putain, fit-il simplement.

Le chef de groupe referma derrière lui.

— On n'est jamais entrés là-dedans, dit-il.

12

Où il est question d'heures

Treize heures trente, le 30 mai 1993.

— Nom et prénom.

— Quoi ?

— Nom et prénom.

— Mais vous me les avez…

— Nom et prénom…

— Dhombres, Cédric.

— Âge.

— Vingt-deux.

— Profession.

— Hein ?

— Profession…

— Euh… étudiant. C'est normal que tous ces bureaux soient vides ?

— Étudiant en quoi ?

— Médecine, troisième année.

— Domicile.

— Cité universitaire Daniel-Faucher.

— Ville.

— Putain !

— Ville…

— Toulouse !

Leurs voix exceptées, il n'y avait d'autre bruit à l'étage que le cliquetis de la machine électrique. Même les déménageurs l'avaient déserté ; ce dimanche, ils devaient être en train de vider les camions boulevard de l'Embouchure. Sur la machine, sur la table et sur la chaise était apposé le même message comminatoire : NE PAS TOUCHER.

— C'est quoi, cet endroit ? Où sont passés les meubles ?

— Cet endroit ? C'est la dernière étape avant la case prison, en ce qui te concerne.

L'étudiant fixa le flic à barbe rousse en plissant ses yeux pâles.

— Vous bluffez, z'avez que dalle. Que dalle…

— T'as pas l'air inquiet.

Les yeux pâles au point d'en paraître presque blancs se plissèrent un peu plus. Dhombres avait l'avant-bras gauche en écharpe et un plâtre. Le doberman ne s'était pas contenté de lui planter les crocs dans le bras : les cent kilos de pression de ses mâchoires lui avaient également brisé le radius.

— Pourquoi je le serais ? Je n'ai rien à me reprocher.

Mais la voix disait le contraire : c'était celle d'un jeune homme terrorisé.

— Hmm. Normalement, les types dans ton genre, les p'tits gars bien propres sur eux, les étudiants qu'ont rien à se reprocher, comme tu dis, sont morts de trouille en venant ici, dit Kowalski d'une voix douce. Pas toi… Tu ne trouves pas ça bizarre ?

— Non. Parce que je me comporte comme un innocent qui a l'esprit tranquille.

Mais, encore une fois, il avait bafouillé et parlé si bas que Ko avait dû tendre l'oreille. Mangin et Servaz revinrent avec deux chaises. Ils s'installèrent de part et d'autre du chef de groupe.

— Alors pourquoi tu as bousculé un officier de police et pris la fuite, dis-moi ?

Dhombres regarda autour de lui, comme s'il y avait quelque chose à voir dans cette pièce vide.

— Vous n'auriez pas un Coca ? Un café ? Un truc à boire ? Putain, qu'est-ce qu'il fait chaud ici ! J'ai soif.

— Pourquoi tu t'es enfui, Cédric ? Et pourquoi tu as menacé de t'ouvrir la gorge ?

Un temps. Dhombres bougea sur sa chaise.

— J'avais peur…, dit l'étudiant en tournant la tête vers la fenêtre – mais, de ce côté-là non plus, il n'y avait rien à voir.

— Peur de quoi ?

Le regard délavé revint vers Kowalski, le scruta, et passa ensuite de Mangin à Servaz.

— De *qui* plutôt… Il y a des types à la fac qui ne me veulent pas que du bien…

— Tu parles des insultes sur ta porte et du sperme dans ta boîte aux lettres ?

Dhombres eut l'air surpris.

— Ah… vous êtes au courant ? Pour le reste aussi, j'imagine…

Ko hocha la tête.

— C'est que des conneries. J'ai rien fait. C'est cette *pute*. Elle m'avait dans le pif pour une remarque que je lui avais faite.

— Quelle remarque ?

— On s'en fout. Ce que je veux dire, c'est que quand votre collègue (il désigna Martin du menton) s'est mis à gueuler dans ce sous-sol en me demandant où j'étais, j'ai cru qu'ils étaient venus me casser la gueule. Et j'ai eu la trouille.

— J'ai crié « Police », fit observer Servaz.

— Et alors ? Ça aurait pu être bidon. Z'aviez pas vraiment la voix d'un flic… euh… d'un policier.

— Quelle remarque ? dit doucement Kowalski.

— Quoi ?

— Quelle remarque tu as faite à Ambre Oesterman ?

L'étudiant le sonda. Il hésita.

— Je lui avais proposé de prendre un café.

— Et… ?

— Elle m'a ri au nez.

Servaz nota que le ton avait changé. Il crut déceler quelque chose de désespéré, de rageur, tout à coup, dans le ton.

— Ça ne t'a pas plu, pas vrai ?

Dhombres haussa les épaules.

— Cette salope, tous les étudiants se la faisaient…

— Tu parles d'une morte, un peu de respect. Et qu'est-ce que tu lui as dit ensuite ?

Il se tortilla sur sa chaise.

— Je lui ai montré un des cadavres sur les tables et je lui ai dit que… si elle me riait au nez encore une fois, elle finirait comme ça…

Kowalski leva les sourcils, il se pencha en avant.

— Tu te rends compte que ça s'appelle une menace de mort, ça ? Et aussi un mobile…

— Putain, c'étaient rien que des mots ! J'ai jamais fait de mal à personne.

— Et ces photos dans ta chambre… qu'est-ce que c'est ?

Servaz se raidit. À la sortie de l'hôpital, ils avaient perquisitionné sa piaule en compagnie de l'étudiant et feint de découvrir les photos. Il se demanda ce qui se passerait si un avocat de la défense interrogeait un jour le gardien.

— Ben, c'est rien que des photos…

— C'est toi qui les as prises ?

Dhombres ricana.

— Et comment j'aurais fait ça ?

— Tu te les es procurées où ?

— Il y a un marché parallèle pour ça. J'en ai aussi pris quelques-unes…

— Dans quel but ?

— Quoi ?

— Pourquoi ces photos ?

— Comment ça, pourquoi ? C'est de l'art, putain. De l'art brut…

— De l'art ? répéta Kowalski comme si le rouquin avait proféré un gros mot.

— Ouais, de l'art.

— En tout cas, c'est illégal de photographier des cadavres sans le consentement des proches, tu le sais, ça ?

Il garda le silence.

— Surtout dans des poses si… dégradantes.

— On est rarement à son avantage quand on est mort.

— Qu'est-ce que tu sais de la mort, toi ? rétorqua Kowalski en surveillant sa réaction.

Une lueur brève dans les yeux pâles. Après quoi, il secoua la tête.

— Rien, bien sûr. Rien… à part des photos.

Il avait prononcé ces paroles d'un ton parfaitement insincère, les mains serrées entre ses genoux, dans une position de défense. Mangin et Servaz échangèrent un regard.

— Où étais-tu dans la nuit du jeudi au vendredi entre 10 heures et minuit ?

— Quand ça ?

— La nuit de jeudi, entre 10 heures et minuit, répéta Kowalski.

L'étudiant réfléchit.

— Dans ma piaule.

— Avec quelqu'un ?

Les épaules de Cédric Dhombres se voûtèrent un peu.

— Euh… non… seul.

— Donc, personne ne peut le confirmer ?

— Non…

Le rouquin avait lâché cette dernière réponse à contre-cœur. Servaz et Mangin se regardèrent de nouveau : le légiste avait situé la mort des deux jeunes femmes entre minuit et 2 heures du matin.

— Écoutez, ce n'est pas parce que j'étais…

— Et entre minuit et 2 heures du matin ?

— Quoi, minuit et 2 heures ?

— Tu étais où à cette heure-là ?

— Hein ? Je comprends pas… Avec ma copine.

Servaz sentit comme un courant électrique passer entre eux.

— Explique.

— Elle était à un concert, elle est rentrée un peu avant minuit.

— Vous avez passé le reste de la nuit ensemble ?

— Oui.

— Elle s'appelle comment, ta copine ?

— Lucie Roussel. Je pige pas. Ça a eu lieu entre 10 heures et minuit ou entre minuit et 2 heures, vot' truc ? Y a pas moyen de le savoir avec précision ?

— Ta copine, où est-ce qu'on peut la joindre ?

— Chez ses parents. Elle sera de retour à la fac demain.

— Tu as leur numéro ?

Cédric Dhombres le leur donna.

— Et cet homme dont tu as parlé ? dit soudain Kowalski.

L'étudiant se figea. Le silence s'éternisa.

— Quel homme ?

Ses traits s'étaient crispés.

— Celui dont tu as peur… celui qui te fera du mal… *celui qui est impitoyable*…

— C'est des conneries, hasarda le jeune homme. J'ai… déliré…

— T'en es sûr ?

Furtive comme une étincelle, une frayeur énorme passa dans les yeux grands ouverts. Il acquiesça.

— Pourtant, tu as…

— Foutez-moi la paix avec ça !

Cédric Dhombres avait presque hurlé. Ils virent que l'étudiant était au bord des larmes. Il leur lança un regard aux abois.

— Je ne veux plus en parler… Je ne veux plus… *Je vous en supplie…*

Ils se réunirent dans une autre pièce.

— Lucie Roussel a confirmé, elle était bien à un concert au centre de Toulouse jeudi soir. Elle a rejoint Dhombres vers minuit et elle est restée avec lui jusqu'à 8 heures du matin, heure à laquelle elle est partie en cours.

Un pli barra le front du chef de groupe.

— Il faut l'entendre, dit Kowalski.

— On est dimanche, fit remarquer Mangin.

— Dis-lui de venir demain à la première heure. Et on garde son chéri au frais en cellule tant qu'on l'a pas entendue. Ils ne doivent pas communiquer.

— Elle avait l'air très étonnée, dit Mangin. Et lui a eu l'air assez paniqué de ne pas avoir d'alibi pour la première tranche horaire que tu lui as balancée.

Kowalski opina.

— Je sais. Ce qui voudrait dire qu'il ne sait pas à quelle heure ça s'est passé.

— Et que son alibi n'est pas bidon, ajouta Mangin.

Servaz s'éclaircit la gorge.

— Je suis pas sûr de comprendre : si c'est lui le coupable, il sait bien qu'il ne les a pas tuées entre 10 heures et minuit, donc que cet horaire n'est pas le bon.

Kowalski sourit et se tourna vers Mangin.

— Le petit m'agace parfois, pas toi ? OK. Mais si c'est lui le coupable, comme tu dis, il aurait sûrement prévu un alibi « plus large » avec sa copine. Elle est rentrée à minuit. C'est un peu chaud comme alibi, non ? Sans compter qu'on pourra facilement vérifier si elle était à ce concert.

— S'il les a tuées à 2 heures du matin, c'était largement suffisant.

Le chef de groupe le dévisagea.

— C'est tout le problème, admit-il. Mais ça supposerait que sa copine a menti. Tu vois, petit : c'est rarement aussi simple que dans les séries télé.

— Et ce type dont il a parlé ? Il semble terrifié chaque fois qu'on l'évoque…

Kowalski hocha brièvement la tête.

— Peut-être qu'il nous joue la comédie. Comme ces gonzes qui prétendent entendre des voix, ou être téléguidés par Dieu. C'est classique de se défausser sur une tierce personne : son complice, une hallucination, Satan ou un complot international… Il nous dit qu'il ne veut plus en causer parce qu'il n'y a personne, en réalité, et qu'il ne sait plus quoi inventer.

— Il était vraiment terrorisé dans ce sous-sol, objecta Servaz. Il ne jouait pas la comédie, j'en mettrais ma main à couper.

Kowalski lui jeta un regard aigu.

— Possible… Mais pas certain… Avec le temps, tu te rendras compte que certains menteurs ont des comportements très convaincants. Bon, est-ce que les cellules de garde à vue sont encore opérationnelles ici ? On va mettre le gamin au frigo. Martin, tu rentres chez toi. J'ai plus besoin de toi pour le moment et tu as une petite fille de deux ans qui t'attend.

Mais Servaz continuait de penser à un gamin terrorisé dans un sous-sol, et à l'homme *impitoyable* qui se tenait dans l'ombre, selon lui : cet homme était-il un écrivain arrogant et rusé ?

Il trouva Alexandra et Margot quand il ouvrit la porte de l'appartement.

— Vous êtes rentrées tôt, fit-il remarquer.

— J'en avais assez, répondit Alexandra.

— Ah bon ?

Il prit Margot dans ses bras.

— Assez de quoi ?

— De ma sœur, de mon connard de beau-frère, de leur foutue baraque où il y a absolument tout et même de leur piscine et de grand-père…

Martin hocha la tête, tandis que Margot lui tirait la joue en riant.

— C'est toi qui t'occupes de ce crime horrible, les deux jeunes filles assassinées ?

L'espace d'une seconde, il ressentit une fierté absurde.

— Oui.

— Ma sœur pense que c'est un étranger ou un vagabond qui a fait le coup.

Il fronça les sourcils.

— Pourquoi un étranger ou un vagabond ? Qu'est-ce qui lui permet de dire ça ?

— J'en sais rien, dit-elle d'un ton las, c'est juste l'avis de ma sœur…

Nom de Dieu, se dit-il. Il fut un temps où Alexandra n'aurait pas laissé passer ça, où ça aurait déclenché une de ces batailles familiales dont les deux sœurs avaient le secret.

— Tu n'as rien dit ? s'étonna-t-il. Qu'est-ce que tu lui as répondu ?

— Que c'était probablement un bon père de famille frustré avec une femme, des enfants et une piscine.

Il ne put s'empêcher de sourire. Elle lui fit un clin d'œil et, pendant un instant, son beau visage s'illumina comme au bon vieux temps.

Pendant cet instant-là, il l'aima.

13

Où on fait la connaissance de Karen

Le nouvel hôtel de police évoquait un château fort contemporain avec ses tours de guet, son donjon et sa façade monumentale – mais un château bâti en brique rose, au cas où quelqu'un se serait mépris sur la ville dans laquelle ils se trouvaient. Tout ça manquait un brin de modestie, se dit Servaz en traversant le grand parvis ensoleillé, ce lundi matin. Et cette fresque prétentieuse autour de l'entrée, qu'est-ce qu'elle signifiait ? Bon sang, ça ressemblait à un musée archéologique, pas à un hôtel de police.

En haut des marches, il prit le temps de se retourner avant d'entrer. Au-delà du parvis, des voitures passaient sur le boulevard, leurs vitres accrochant de petits éclats de lumière durs comme des silex, puis les eaux vertes et languides du canal du Midi étincelaient entre des platanes poussiéreux écrasés par la chaleur.

En émergeant au deuxième étage, Servaz constata que l'effervescence régnait. On s'interpellait, on se prenait à témoin. Une atmosphère de matin de Noël : des gosses ouvrant leurs cadeaux. *Ce couloir était interminable*… Il gagna son bureau. À sa grande surprise, tout était à sa place. Comme si le mobilier avait été téléporté d'un endroit à l'autre.

En revanche, il faisait affreusement chaud et il n'était même pas 9 heures du matin. Pas de clim… Il rangea son arme de service dans un tiroir, le ferma à clef, alluma une cigarette, tira trois bouffées, l'éteignit et se mit en quête de la salle de réunion. Il lui faudrait un certain temps pour prendre ses marques.

Il la trouva près des ascenseurs et des distributeurs de boissons. Le groupe au grand complet était assis autour d'une table qui aurait pu accueillir deux fois plus de monde. Toutes les personnes présentes paraissaient sur le sentier de la guerre – ce qui n'était pas inhabituel un lundi matin – mais Servaz devina une énergie plus grande qu'à l'ordinaire, un zèle supérieur, sans doute dus à l'excitation du changement, comme s'il ne s'agissait pas d'un simple changement de murs mais qu'ils eussent entamé une nouvelle étape dans leur vie professionnelle.

Il entra bon dernier et alla s'asseoir sur une des chaises libres.

En moins de vingt minutes, ils firent le tour de ce qu'ils avaient, c'est-à-dire pas grand-chose. Le club d'aviron avait été perquisitionné et ses membres interrogés : tous possédaient un alibi pour la nuit du meurtre et aucune rame ne manquait. Lucie Roussel, la petite amie de Dhombres, était arrivée et attendait qu'on l'auditionne. À la différence de son petit copain, elle semblait furieusement normale.

— Martin, tu en es où ? voulut savoir Kowalski.

Servaz lui parla de la jeune fille qui apparaissait sur plusieurs photos.

— Très bien, il faut la retrouver et l'interroger. Des questions ?

Comme d'habitude, il n'y en eut pas.

— Karen Vermeer, dit le gardien.

Ses petits yeux noirs en forme de bouton examinaient Servaz. Il avait l'air de se dire que le jeune flic ressemblait beaucoup trop aux étudiants dont il avait la charge.

— Elle dort chambre 17. Mais, à cette heure-ci, elle est en cours.

— Cours de quoi ? Vous le savez ?

L'homme fit non de la tête. Servaz lui demanda de l'accompagner.

— Vous avez un passe ? dit-il devant la porte.

Le gardien fit oui de la tête.

— Vous pouvez me rendre un service ? Entrez là-dedans et voyez s'il y a un agenda quelque part. Moi, je n'ai pas le droit de fouiller cette piaule sans sa locataire. C'est la loi…

Le gardien s'exécuta. Il se fichait pas mal de la loi. Si, un jour, quelqu'un venait à lui reprocher d'être entré dans cette chambre, il dirait qu'il l'avait fait à la demande d'un flic – et il dirait lequel. Servaz jeta un coup d'œil par la porte ouverte mais en restant sur le seuil. La chambre de Karen Vermeer ressemblait à ce qu'on était en droit d'attendre d'une piaule d'étudiante. Il renifla un parfum léger, une odeur de cigarette, de café et de crème pour la peau ou les mains. Des classeurs, des feuilles volantes, des livres, ainsi que des CD et un walkman abandonnés sur le lit. Servaz aperçut un tee-shirt et un jean par terre. Karen avait peut-être hésité sur sa tenue et s'était habillée à la hâte. Le gardien détacha l'emploi du temps punaisé au mur, au-dessus du bureau, et le lui apporta. Il lut :

Lundi 31 mai
10 h-12 h, chimie, amphithéâtre

Servaz détailla de loin les couvertures des livres. Histologie. Chimie organique. Biophysique. PCEM1 : première année du premier cycle d'études médicales. Le passage obligé pour les aspirants médecins, dentistes, sages-femmes.

Karen Vermeer, se dit-il trois quarts d'heure plus tard, était une jeune femme au sourire franc et au rire généreux. C'est ainsi, en tout cas, qu'elle lui apparut quand elle franchit les portes de l'amphithéâtre en compagnie de trois autres étudiants. Ses cheveux châtains souples et soyeux encadraient un visage agréable, mais pas au point de faire se retourner sur elle les garçons quand elle entrait quelque part. Ses yeux vert d'eau le repérèrent tout de suite et, quand leurs regards se connectèrent, il comprit que cette fille était toujours à l'affût de quelque chose – un événement, une occasion, une rencontre…

Elle maintint le contact visuel un peu trop longtemps – le temps de lui faire comprendre qu'elle l'avait repéré – avant de reporter son attention sur ses compagnons de cours.

Il s'avança, dit : « Excusez-moi » et, cette fois, elle feignit d'être étonnée.

— Karen Vermeer ?

Elle prit silencieusement ses voisins à témoin, semblant se dire : *Je vous jure, je ne sais pas qui est ce type*, avant de se tourner vers lui.

— Oui ?

— Je pourrais vous poser quelques questions ? Je suis de la police. C'est au sujet d'Ambre et Alice.

Elle le détailla de la tête aux pieds.

— Vous êtes sûr que vous êtes de la police ?

Il y eut quelques ricanements. Elle devait penser qu'il était peut-être journaliste. Ou bien elle voulait se faire mousser devant ses petits camarades. Il lui servit son plus beau sourire, sortit sa carte, l'invita à s'extraire du groupe et à s'éloigner un peu. Elle vint vers lui.

— Excusez-moi, vous n'avez vraiment pas l'air d'un… flic.

Il sourit à son tour.

— Et de quoi j'ai l'air ?

— Ben… d'un étudiant ?

— Je l'étais il n'y a pas si longtemps, confessa-t-il à sa propre surprise. Ambre et Alice, vous les connaissiez bien ?

Son sourire disparut d'un coup et céda la place à une expression de tristesse sincère. Elle jeta un coup d'œil au petit groupe qui les observait à distance.

— Ça ne vous ennuie pas si on en parle ailleurs qu'ici ? J'ai besoin d'un café. Il y a un bar pas loin et je préfère éviter les oreilles indiscrètes.

Son regard était direct – peut-être un peu trop. Sa voix s'était faite plus rauque. Elle resta à le dévisager et il haussa les épaules.

— Pas de problème, dit-il.

Karen Vermeer avait choisi une table isolée dans le café où elle l'avait conduit – et où elle avait manifestement ses habitudes. La table entre eux était minuscule et elle avait posé ses coudes dessus. Elle plongea ses yeux tristes dans ceux de Martin.

— J'ai failli ne pas aller en cours, ce matin, lui avoua-t-elle. Ça m'a démolie, cette histoire. Mais les exams approchent et je ne pouvais pas me permettre de rater le cours d'aujourd'hui.

Elle hésita.

— Qu'est-ce que vous voulez savoir ?

— Ambre et Alice, j'ai vu pas mal de photos dans leurs chambres où vous apparaissez… Vous les connaissiez bien ?

— Oui. On était tout le temps ensemble. Surtout avec… Alice. (Sa voix dérapa sur le prénom.) C'est horrible ce qu'il leur est arrivé…

Elle baissa la tête, histoire de retrouver une contenance, puis la releva, les yeux embués.

— Pour autant qu'on pouvait connaître Ambre et Alice, ajouta-t-elle.

— Comment ça ?

Karen Vermeer l'observa avec l'air de se demander jusqu'où elle pouvait aller dans la confidence.

— Elles ont toujours été un mystère…

— Qu'est-ce qui vous fait dire ça ?

— Elles ne se confiaient à personne, et elles restaient souvent entre elles. Même si elles avaient des copines, ça n'a jamais atteint le stade de l'amitié véritable. Pour ça, il aurait fallu qu'elles s'ouvrent un peu plus, qu'elles laissent tomber la carapace.

Elle tripotait sa tasse de café, à laquelle elle n'avait pas touché.

— Je suis sûre qu'elles avaient un tas de secrets…

— Quel genre de secrets ?

Elle le dévisagea de nouveau et le sourire revint.

— Si je le savais, ça ne serait plus des secrets… Vous en avez, vous ? Votre prénom, c'est quoi ?

Elle s'était penchée en avant, si bien qu'il put respirer son parfum.

— Martin, répondit-il après une hésitation.

— Tu as des secrets, Martin ?

Elle regarda ostensiblement sa main gauche.

— Oh. Marié…

Il sentit son visage s'empourprer. À cause de la remarque et du tutoiement. Et aussi des yeux vert d'eau rivés aux siens. Elle était beaucoup plus jolie de près, ses joues un peu rondes, comme devait l'être le reste de son corps, sa lèvre inférieure bombée et bien dessinée.

— Qu'est-ce que vous pouvez me dire d'autre à leur sujet ?

Elle se ratatina un peu.

— Je ne sais pas… c'est délicat… je n'aime pas dire du mal des morts…

— On veut tous trouver celui qui a fait ça, Karen. Rien d'autre.

Elle le regarda de nouveau.

— Eh bien… Ambre n'était pas exactement une jeune fille rangée…

— Comment ça ?

— Elle… elle fréquentait des hommes…

— Pas vous ?

Il la vit se raidir devant le sous-entendu.

— Pas comme ça… Je veux dire, elle en rencontrait beaucoup, un vrai défilé… Elle les prenait, puis elle les jetait. Comme des Kleenex…

Il pensa aux paroles du légiste. *Elle était vierge.* Est-ce que Klas avait pu se tromper ? Il avait paru sûr de son fait, pourtant.

— Entendons-nous bien : je sais ce que je veux et je ne suis pas quelqu'un qui a froid aux yeux, mais… je ne collectionne pas les mecs… Ambre, on aurait dit qu'elle cherchait à battre un record.

— Elle les ramenait dans sa chambre ?

Karen Vermeer acquiesça.

— C'est à cause de ça qu'Alice avait pris ses distances. Elle entendait tout et elle désapprouvait le comportement de sa sœur. Elles se sont engueulées plus d'une fois à ce sujet.

— Vous avez dit qu'elles restaient souvent entre elles, non ?

— Souvent ne veut pas dire toujours. Et Alice en avait marre de sa sœur, de ses frasques. Les derniers temps, quand je lui proposais de demander à Ambre de venir avec nous, elle me disait que ce n'était pas la peine, qu'Ambre avait certainement mieux à faire, et je voyais qu'elle était en colère et triste.

— Et Alice, quel genre c'était ?

— Tout le contraire de sa sœur. Alice était une chouette fille, structurée, brillante, mais, comme je vous l'ai dit, elle aussi gardait son mystère malgré tout… même si c'était quand même une super copine.

Il entendit la gorge de Karen se nouer sur ces derniers mots. Elle souffla vers ses cheveux, les yeux soudain pleins de larmes.

— Merde, quelle saloperie ce qu'on leur a fait…

Il la laissa pleurer un bon coup, sortir un mouchoir et essuyer ses paupières.

— Et Ambre, dit-il ensuite, elle n'avait pas de fréquentation plus régulière ?

Karen Vermeer croisa son regard.

— Si… Il y avait Luc.

— Luc ?

— Luc Rollin. Un étudiant. Elle est sortie avec lui pendant quelques semaines. Ça a été sa plus longue relation. (Elle ramena une mèche de cheveux derrière son oreille.) Sincèrement, je n'ai jamais compris ce qu'elle lui trouvait. Timide, effacé, physique quelconque, aucun charisme… Et pas du tout son genre : Ambre aimait les mauvais garçons… Luc, c'est plutôt le genre gentil toutou.

— Ce Luc, où je peux le trouver ?

— Il étudie les arts plastiques et il paie ses études en faisant le projectionniste dans un cinéma d'art et essai, L'Esquirol.

Servaz fit signe qu'il connaissait. Elle regarda sa montre.

— Bon, j'ai raté la première heure, mais je vais devoir filer si je veux pas rater la seconde.

Elle le toisa crânement, un sourire aux lèvres.

— Alors, Martin le policier, comme ça tu es marié ?

Il ne s'attendait pas à ça, il sourit mais garda le silence.

— Des enfants ?

— Une fille. Margot. Deux ans.

— Et tu es heureux en ménage, mignon Martin ?

Il hésita une demi-seconde de trop.

— Ouah, quel enthousiasme ! Tu ne ressembles pas à un flic, tu sais ? déclara-t-elle. Tu as quel âge ?

Il le lui dit.

— Putain, mon copain est plus vieux que toi et il a la maturité de mon petit frère ! Pourquoi tu es entré dans la police ?

— C'est une longue histoire…

— Raconte.

— Je croyais que vous étiez pressée et que vous deviez aller en cours ?

— J'ai changé d'avis.

Il secoua la tête, négativement cette fois.

— C'est vraiment une trop longue histoire, désolé.

Elle le scruta. Hocha la tête.

— OK. Une autre fois peut-être…

— Merci, lui dit-il tandis qu'elle se levait.

Elle se planta debout à côté de la table.

— Ma chambre, c'est la 17. Au cas où tu aurais besoin d'infos, je veux dire…

Elle avait posé une main légère sur son épaule. Il la suivit des yeux tandis qu'elle ondulait jusqu'à la porte – elle et son joli derrière qui remplissait presque idéalement son jean. Juste avant de la franchir, elle se retourna et lui adressa un sourire. Un sourire époustouflant.

— Je suis toujours prête à aider la police ! lui lança-t-elle.

Puis elle disparut.

14

Où on va au cinéma

L'Esquirol, ce temple du septième art à peine plus grand et moins cracra qu'un cinéma porno, coincé entre une librairie et une entrée d'immeuble, offrait une programmation pointue. En ce dernier jour de mai 1993 étaient à l'affiche *Le Silence* de Bergman, *Le Sacrifice* d'Andrei Tarkovski et *La Leçon de piano* de Jane Campion. Du miel pour les abeilles cinéphiles.

Se faufilant parmi les étudiants rassemblés sous le porche, Servaz leva la tête et vit que *Le Silence* commençait dans cinq minutes. Il se souvint du choc esthétique éprouvé la première fois qu'il avait vu ce film. Deux sœurs, Anna et Ester, et Johan, un petit garçon qui est le fils de la première, s'arrêtent dans un grand hôtel lugubre d'une ville inconnue, dans un pays étranger et en guerre. Ester est une intellectuelle frustrée et desséchée, Anna une belle femme sensuelle et provocante. Les deux sœurs font halte dans cet hôtel à cause d'un malaise d'Ester, qui est tombée malade et qui n'en repartira jamais. Johan fait la connaissance du vieux maître d'hôtel et d'une troupe de nains ; il côtoie le monde des adultes sans le comprendre.

Les deux sœurs s'affrontent, se haïssent, se méprisent, incapables de communiquer. Des chars passent dans les rues baignées par une lumière crépusculaire. Le monde décrit dans *Le Silence*, il s'en souvenait, c'était celui de l'incommunicabilité, de la solitude et de la mort. Celui d'un désespoir sans issue.

En dernier ressort, tout est une question de communication, songea-t-il – avec Dieu, avec votre père, avec votre femme, avec votre petit copain, avec votre boss ou avec le type que vous auditionnez et qui a peut-être étranglé sa petite amie mais qui clame son innocence.

Il observa un instant les étudiants autour de lui et se sentit en terrain familier : il avait été l'un d'eux, appartenant à l'une de ces phalanges qui hantaient les salles obscures, avides de connaissance et d'émotions élevées, ne jurant que par Truffaut, Bergman, Pasolini, Antonioni, Woody Allen, Coppola et Cimino, se glissant avec délices dans des sièges étroits recouverts de velours sale et se donnant du coude quand les hélicos de Robert Duvall fondaient sur un village viêt au son de la *Chevauchée des Walkyries* ou quand Robert De Niro apparaissait métamorphosé dans *Taxi Driver*. Il présenta sa carte à l'ouvreuse et demanda si Luc Rollin était là. Elle lui lança un regard méfiant, montra une petite porte.

— Dans la cabine de projection, mais le film va commencer.

Il tira sur le battant et se retrouva devant une volée de marches aussi raide qu'une échelle de coupée. Les grimpa et fit irruption dans un minuscule espace rempli de grandes boîtes cylindriques pour les bobines, d'un tuyau d'aération qui s'échappait par un trou dans le plafond et d'un énorme projecteur. Une odeur d'appareil en surchauffe flottait dans l'air. Dans la pénombre qui baignait la pièce, une silhouette bougea – comme un animal au fond de son terrier – et il vit deux yeux timides et injectés, sans doute à force de se les crever sur des pellicules de 35 mm, des objectifs à régler et des images qui sautent.

— Luc Rollin ? dit-il doucement.

Les deux yeux cillèrent.

— Je suis de la police, je voudrais vous parler d'Ambre…

Dans son terrier, l'animal remua légèrement. Il perçut l'inquiétude dans sa voix quand il répondit.

— Je ne peux pas… ça va commencer…

Servaz posa ses fesses sur une caisse.

— Allez-y, murmura-t-il. J'attends.

Par la petite ouverture donnant sur la salle, il entendit des gorges qui s'éclaircissaient, des toux discrètes, des sièges qui grinçaient, un ou deux rires brefs – puis le silence religieux des cryptes où des jeunes gens en quête d'illumination viennent se prosterner devant les grands prêtres du septième art. Il observa le projectionniste en action et les grains de poussière qui dansaient dans le faisceau de lumière. Là-bas, sur l'écran, Johan, le petit garçon, prononça la première phrase du film : « Qu'est-ce que ça veut dire ? »

Luc Rollin se glissa ensuite jusqu'à lui, courbé comme un spéléologue dans une caverne.

— On a vingt minutes jusqu'à la prochaine bobine.

Il précéda Servaz dans l'escalier très raide.

Luc Rollin s'accrochait à sa cigarette tel un naufragé à sa bouée. À présent, il avait les yeux non seulement injectés, mais humides.

— Ambre…, dit-il, je n'aurais jamais cru qu'un jour une fille comme elle s'intéresserait à moi…

Il tira sur sa cigarette, puis la jeta dans le caniveau. Derrière lui, une affiche clamait : « Bientôt *Orange mécanique*, l'histoire d'un jeune homme qui s'intéresse principalement à l'ultra-violence et à Beethoven. »

— Ça faisait longtemps qu'on était amis et elle savait les sentiments que j'avais pour elle, mais jamais, jamais je n'aurais pensé qu'un jour on serait autre chose que des amis…

Servaz garda le silence.

— Le jour où elle m'a embrassé a été le plus beau de ma vie…

Luc Rollin avait articulé cette phrase avec des trémolos involontaires dans la voix. Pendant une fraction de seconde, Servaz pensa au premier baiser échangé avec Alexandra. Dans un bar. Un goût doux-amer de gin tonic. Un baiser plein de retenue, comme si elle tâtait le terrain… Un échange de fluides minimal mais la conviction immédiate qu'il y en aurait d'autres. Puis sa pensée se déplaça vers Marianne, la femme qui l'avait aimé et trahi. Elle mettait dans ses baisers autant de fougue que dans tout autre moment de l'acte sexuel. Leurs baisers étaient souvent insatiables et gloutons, excessifs, pleins d'avidité.

Il considéra le jeune homme. Il n'était pas encore tout à fait sorti de l'adolescence, avec son expression timorée et ses joues criblées de boutons d'acné qui évoquaient un terrain d'entraînement militaire.

— On est restés ensemble treize semaines. Aujourd'hui, je me demande pourquoi ça a duré si longtemps. On n'était absolument pas faits l'un pour l'autre, Ambre et moi…

— Comment ça ? le questionna Servaz, bien que cela parût évident.

De fait, Luc Rollin n'avait rien du mauvais garçon, ni même du mec simplement beau, ou du pas franchement mignon mais plein de charme qui sait vous faire rire et vous emballe un compliment dans une bonne dose de dérision et d'humour : il était transparent, invisible… Même sa tignasse trop épaisse et ses jeans tirebouchonnés ne ressemblaient à rien de connu. Il était l'incarnation de l'épouvantail à filles, le gars qu'on fuirait « même coincées seules avec lui sur une île déserte »…

— Ambre, dit-il, c'était la fille sur qui tous les mecs se retournaient, celle qu'ils rêvaient d'avoir dans leur pieu, celle qui faisait fantasmer tous mes copains quand elle m'accompagnait. Et je voyais bien dans leurs regards qu'ils se demandaient tous comment j'avais fait – et je voyais aussi les autres types du bar qui la mataient grave en se disant que si un loser comme moi y était arrivé, ils devaient avoir leur chance…

Servaz repensa aux paroles de Karen Vermeer : *Ambre collectionnait les mecs… On aurait dit qu'elle cherchait à battre un record…*

— Il était évident qu'elle pouvait avoir à peu près qui elle voulait, alors pourquoi un type comme moi, hein ? Vous voyez, je suis pas assez con pour me prendre pour un sex-symbol, ni pour un de ces gars dont les blagues sont à mourir de rire. Moi, mes blagues arrachent tout juste un demi-sourire poli, et encore. Et quand j'ai le fou rire, on dirait un âne qui brait. Alors, pourquoi une fille comme Ambre s'est intéressée à un débile dans mon genre, d'après vous ?

Servaz aurait bien aimé trouver quelque chose à dire mais rien ne lui vint.

— Une fois je lui ai posé la question, elle m'a répondu que j'étais cool et gentil. *Cool et gentil*, putain. Qui a envie d'être cool et gentil ? La réponse, c'est : *personne*. Les mecs sont comme les nanas, ils veulent tous être le centre de l'attention. Sauf que, les gars, y a pas de la place pour tout le monde. Alors, les perdants, les ratés, les sans-grade, restez dans l'ombre. Seulement voilà, quand une fille comme Ambre vient tirer un loser comme moi hors de l'obscurité, on se dit que quelque chose ne tourne pas rond, qu'il y a un lézard quelque part, que forcément ça cache un truc…

Il amena une de ses mains devant sa bouche et commença à se ronger les ongles.

— Je suis sûr que certains devaient penser que j'étais gay, et que c'est pour ça qu'elle était avec moi : parce que j'étais le seul mec avec qui elle pouvait dormir sans qu'il essaie de se la faire.

Un Solex surgit en pétaradant dans la ruelle et stoppa d'un coup de freins brutal devant le cinéma. Son pilote fut joyeusement interpellé par la petite bande rassemblée devant la salle et – quand il retira son casque et coiffa ses cheveux noir corbeau avec un sourire étincelant – Servaz se dit que c'est ce type-là qui aurait dû sortir avec Ambre Oesterman, pas Luc Rollin.

— Putain, j'arrive pas à croire qu'elle soit morte…

Le jeune homme contemplait ses pieds, à présent. La bande s'engouffra dans le cinoche en riant.

— Qu'est-ce que vous pouvez me dire d'autre sur elle ?

— Genre ?

— Tout ce qui vous passe par la tête…

Rollin réfléchit.

— Elle pouvait être assez bizarre parfois… ça vous intéresse ça ?

Servaz fit signe que oui.

— Par exemple, elle dormait avec toutes les lumières allumées, elle avait peur du noir. Elle buvait comme un trou mais elle n'était jamais saoule, elle fumait un paquet de joints mais elle se laissait rarement aller. Merde, Ambre, c'était la championne du contrôle, elle était toujours sur le qui-vive, sur ses gardes même… En voiture, s'il y avait des phares derrière nous, elle croyait que quelqu'un nous suivait. Si elle entendait des pas dans le couloir de sa piaule, je la voyais dresser l'oreille. Je l'ai même surprise une nuit collée à la porte. Il n'y avait pas un bruit, et il était 3 heures du matin.

— Trois heures du matin ?

— Trois heures trente exactement. J'ai regardé le réveil.

Servaz se figea.

— Et vous, qu'est-ce qui vous avait réveillé ?

— J'ai le sommeil léger. Dès qu'elle bougeait, qu'elle sortait du lit, j'ouvrais les yeux.

Servaz comprit que Luc Rollin ne s'était pas remis de sa rencontre avec Ambre Oesterman. Il lui faudrait du temps pour oublier et passer à autre chose.

— Très franchement, je crois qu'Ambre était un peu cinglée. Mais je ne sais pas qui pouvait en vouloir aux deux sœurs : Alice était tout le contraire.

— Et les rumeurs ? demanda Servaz.

— Quelles rumeurs ?

— Les rumeurs qui disaient qu'elle collectionnait les hommes.

Luc Rollin blêmit. Son visage se décomposa.

— Vous les aviez entendues, n'est-ce pas ?

— Bien sûr… mais j'avais choisi de les ignorer.

Tu m'étonnes. Une fille pareille dans ses bras, ça aidait à passer outre…

Servaz, une fois encore, revit Klas se redressant et disant « vierge ».

— Je vais vous poser une question délicate. Je veux une réponse aussi honnête que possible.

Luc Rollin opina très sérieusement, les sourcils froncés.

— Quelle sorte de rapports sexuels aviez-vous avec Ambre Oesterman ?

Il vit l'étudiant baisser la tête, contempler une fois de plus ses chaussures.

— Aucun. On ne couchait pas ensemble.

— Mais vous dormiez dans le même lit ?

Rollin fit signe que oui.

— Elle refusait que je la touche. Elle voulait juste quelqu'un près d'elle… On s'embrassait, mais ça n'allait pas plus loin… Elle me disait de patienter, que ça viendrait… Mais bon, de temps en temps, elle me… enfin, vous voyez…

— Non, je ne vois pas.

— Elle me… soulageait… avec sa main…

— Pourquoi acceptiez-vous tout ça ? voulut savoir Martin.

Le regard de chien battu réapparut.

— Ambre n'était pas le genre de personne qu'on a envie de contrarier.

— Qui a rompu ?

La réponse fusa. Ferme.

— C'est moi.

Servaz lorgna l'étudiant, surpris. Il s'était attendu à l'inverse.

— Vraiment ? Pour quelle raison ?

Rollin s'éclaircit la gorge, sortit une deuxième cigarette et l'alluma. Il rejeta la fumée avant de parler :

— Un jour où on se promenait du côté de la rue Gambetta et de la Daurade, un homme a traversé la rue et l'a appelée par son prénom. J'ai vu Ambre pâlir et me jeter un coup d'œil inquiet. Le type nous a rejoints et il m'a toisé de haut en bas comme si j'étais rien qu'une merde, et puis il a dit : « C'est lui ? » Je lui ai demandé qui il était et, de nouveau, il m'a regardé comme si j'étais rien qu'un étron sur le trottoir, et ce salaud m'a demandé si ça me dérangeait pas d'aller faire un tour, qu'il avait à parler à Ambre, putain. Le tout avec un sourire narquois. Un vrai connard…

Luc Rollin porta sa cigarette à ses lèvres, tira une longue taffe. Sa main tremblait.

— Je me suis tourné vers Ambre et, bordel, elle m'a demandé si ça m'ennuyait de la laisser cinq minutes ! Comme ça… Devant cette ordure qui venait de m'humilier ! J'en ai pas cru mes oreilles. J'avais envie de vomir, j'ai cru que j'allais gerber sur les chaussures du type, des chaussures hors de prix, soit dit en passant, comme son costar. Alors, je lui ai dit d'aller se faire foutre et je me suis barré. Ça faisait un moment que ça me trottait dans la tête, pour tout dire, mais c'est ce jour-là que j'ai décidé que c'était fini.

Après le regard de chien battu, le regard de défi. Même les toutous ont leurs limites, pensa Servaz.

— Ce type, il ressemblait à quoi, vous vous en souvenez ?

— Si je m'en souviens… La trentaine, brun, le genre sûr de lui et plein aux as. Il puait le fric, l'arrogance et la malignité.

— La malignité ? répéta Servaz, surpris par la précision du terme.

— Ouais.

Soudain, une idée le traversa. Il se tourna vers l'étroite vitrine de la librairie voisine, consulta sa montre. 19 h 03.

— Venez avec moi.

— J'ai ma bobine qui se termine dans moins de sept minutes, protesta Rollin. Et faut que j'aille voir si y a pas eu d'incident.

— Deux minutes, dit Servaz en le prenant par le bras. Pas une de plus.

Il entra dans le magasin, l'étudiant sur les talons, chercha des yeux le rayon policier, se faufila entre les tables couvertes de livres et laissa son regard errer sur les étagères jusqu'à la lettre « L ». Lieberman, Le Carré, Lang… *La Communiante*. Le roman était là. Il attrapa le livre, le retourna, montra la photo sur la quatrième de couverture.

— Ouais. C'est lui.

Il était 20 heures et des brouettes quand Kowalski les réunit, le grand Mangin et lui, dans son nouveau bureau du 23, boulevard de l'Embouchure, en dessous de l'affiche de *Mélodie pour un meurtre* et d'un poster de Cindy Crawford.

— Tu dis que ce Luc Rollin dormait avec elle mais qu'ils ne couchaient pas ? Il devait être drôlement frustré, le gamin.

— Et jaloux, renchérit Mangin.

— Après la scène dans la rue où ce type les a abordés, il était assez furax pour rompre, abonda Ko. Il devait être fou de jalousie, ouais…

— Il a reconnu Lang, dit Servaz.

— Ce qui veut dire que monsieur l'auteur de romans policiers nous a menti, conclut le chef de groupe. Puisqu'il a vu Ambre cette année et qu'apparemment il la poursuivait de ses assiduités…

— Et il y a aussi cette fille, Karen Vermeer, qui prétend qu'Ambre collectionnait les hommes.

— J'pense pas que Lang devait aimer ça, commenta Ko en caressant sa barbe.

— Elle était restée vierge, ajouta Mangin. Elle les allumait mais, au dernier moment, tintin… De quoi péter les plombs, non ? Qu'est-ce que vous en pensez ?

Mangin avait l'air de considérer qu'elle l'avait bien cherché – c'était le genre d'homme à estimer qu'un viol est presque toujours le résultat d'une provocation.

— Résumons-nous, dit Kowalski. Lang affirme qu'il a coupé les ponts depuis plusieurs années mais, en réalité, il continue de poursuivre Ambre Oesterman jusque dans la rue. Il est au courant pour Rollin, ce qui veut dire qu'ils ont été en contact dans les semaines qui précèdent, pendant le temps qu'a duré la relation entre Ambre et l'étudiant. Il n'a pas d'alibi pour la nuit du double assassinat et il était seul, selon lui, dans sa maison qui se trouve à moins de vingt minutes en voiture de l'île du Ramier. Il échangeait une correspondance avec les filles dans laquelle il leur disait qu'il voulait les épouser toutes les deux, une correspondance truffée d'allusions sexuelles entamée alors qu'elles étaient mineures. Il reconnaît les avoir rencontrées à plusieurs reprises, y compris *dans un bois.* Les parents déclarent que le type qui appelait toutes les nuits pouvait avoir dans les trente ans, la scène de crime est inspirée d'un de ses putains de bouquins…

Il se leva de sa chaise, décrocha son blouson. Par la fenêtre ouverte entrait la rumeur des voitures sur le boulevard ; une sirène à deux tons s'éleva puis s'éloigna ; le soir sentait les gaz d'échappement, le bitume surchauffé : la ville ardente.

— Je ne sais pas ce que vous en pensez, mais moi je crois qu'on en a assez pour mettre ce connard en garde à vue.

Il se dirigea vers la porte.

— Et Dhombres ? s'enquit Servaz.

— Sa copine a confirmé l'alibi.

— Il est libre ? Et les photos ? Les menaces à Ambre ? Le délit de fuite ?

Kowalski se tourna vers lui.

— Oublie Cédric Dhombres. Ce gamin est cinglé, mais ce n'est pas lui qui a tué les filles.

Ils trouvèrent portail clos, cette fois, mais jetèrent un œil entre les mailles du grillage, près du pilier de droite, là où la grande haie ménageait un petit espace. Là-bas, au bout de l'allée, la maison était illuminée comme un bateau de croisière quittant le port. Les lumières ruisselaient sur les pelouses. En revanche, le golf à leur gauche était plongé dans la pénombre.

Servaz regarda sa montre.

— Il est 21 heures passées, dit-il.

Kowalski ne broncha pas. Il pressa le bouton sur le pilier de droite.

— Oui ? fit une voix grésillante dans l'interphone.

— Monsieur Lang ? Inspecteur principal Kowalski. On peut entrer ?

— Pour quoi faire ? demanda la voix.

— On vous le dira une fois à l'intérieur.

Un bourdonnement et le portail s'ouvrit lentement. Ils s'avancèrent sur la piste de gravier et de terre battue, dans la semi-obscurité, et le chant des grillons.

— Il est 21 h 07, fit remarquer Martin. On n'a plus le droit d'entrer dans un domicile privé ni d'interpeller avant demain matin 6 heures.

— Observe et apprends, répondit Kowalski.

Servaz le vit manipuler la couronne de sa montre-bracelet puis marcher à grands pas en direction de la maison. Sous le porche, sa silhouette se découpant dans la lumière, Lang les attendait, un verre de vin à la main, une serviette de table glissée dans son col de chemise. Le chef de groupe se planta devant lui et lui colla sa tocante sous le nez. Lang lorgna le cadran.

— Monsieur Lang, à compter de ce lundi 31 mai, 20 h 56, vous êtes placé en garde à vue.

15

Où on passe une sale nuit

— Est-ce bien nécessaire ? demanda l'écrivain.

Neuf heures et demie du soir : la petite pièce sans fenêtres au sous-sol les cuisait dans leur jus. Ils étaient quatre autour de Lang – Kowalski, Mangin, Saint-Blanquat et lui – et il pensa à une scène de *Midnight Express*.

— Déshabillez-vous, répéta le chef de groupe.

Pendant une seconde, les deux hommes s'affrontèrent du regard, puis Erik Lang se pencha et commença à retirer ses chaussures, avec la lenteur délibérée d'un strip-tease. Il déboutonna ensuite sa chemise, l'ôta, défit sa ceinture, se débarrassa de ses chaussettes, puis du pantalon de lin blanc. À ce moment-là, quelqu'un dit « merde » et le silence se fit. Les quatre hommes fixaient la même chose. Avec la même perplexité. Servaz n'avait jamais rien vu de pareil. Probable que ses voisins non plus.

— J'enlève le slip ?

— Non… non… c'est bon…

Kowalski plissa les yeux.

— Qu'est-ce que c'est ? voulut-il savoir.

Lang montra ses jambes.
— Ça ?
— Oui.
— Ichtyose.
— Quoi ?
— On appelle ça de l'ichtyose. Une maladie de peau congénitale.

Tous fixaient les squames losangées, entre le gris et le brun, qui recouvraient la peau sèche et rugueuse des jambes, des hanches, du ventre et de la poitrine. *Écailles*, pensa Servaz, *de la peau de serpent*. Comme sur les photos… Il frissonna comme s'il faisait froid tout à coup dans la pièce.

— Ça vient du grec *ichtys*, qui signifie poisson. À cause des écailles, bien sûr. Même si je trouve plus… gratifiant de me comparer à un serpent. (Un sourire.) C'est une maladie très ancienne – on la mentionne en Inde et en Chine plusieurs centaines d'années avant Jésus-Christ. La peau est fragile, la desquamation continue, ajouta-t-il. C'est-à-dire que je perds des peaux à peu près partout où je passe – ici, *ou sur une scène de crime*, par exemple…

Il lança à Kowalski un regard éloquent.

— C'est bon, rhabillez-vous, dit celui-ci.

— Vous êtes sûr ? Vous ne voulez pas examiner mon trou de balle ?

— Un conseil, ne jouez pas au plus fin avec moi, Lang, articula le flic d'une voix sinistre.

— Amène-toi, l'homme-serpent, on va prendre tes empreintes, lâcha Mangin d'un ton lourd de sarcasme.

— Je veux voir mon avocat.

— Il est en route.

C'était Saint-Blanquat qui avait parlé. Saint-Blanquat ressemblait à une caricature de gratte-papier avec sa calvitie précoce et ses lunettes de myope. Faussement placide, il avait une force d'inertie qui lui permettait d'amortir n'importe quelle onde de choc, qualité éminemment utile dans une audition. Kowalski et Mangin fixaient Lang en silence. On aurait dit deux vauriens qui préparent un mauvais coup. Une voix de baryton s'éleva dans le couloir, demandant où était le bureau du chef de groupe, puis un homme grand et corpulent avec une barbe de cinq jours, des yeux globuleux et un air sanguin fit son entrée.

— Bonjour, maître Nogalès, dit Kowalski.

Le baveux leur jeta un coup d'œil qui balançait entre le mépris de classe et l'indifférence absolue, puis il regarda son client et fronça les sourcils.

— Ça va ?

— Ça ira mieux quand vous m'aurez sorti d'ici, répondit Lang en levant la tête. Et je compte porter plainte pour humiliation et mauvais traitements.

— Euh…, fit l'avocat après une hésitation, la garde à vue ne fait que commencer, Erik. Je ne peux rien faire avant vingt-quatre heures. Vous avez été informé des charges pesant contre vous ? Vous voulez voir un médecin ? Vous pouvez faire une déclaration, répondre aux questions ou vous taire.

Kowalski se massa la nuque.

— C'est exact, maître, intervint-il. On vous laisse le bureau, ajouta-t-il en verrouillant ses tiroirs et en se levant. Vous avez une demi-heure. Pas une microseconde de plus.

Vingt minutes plus tard, Nogalès ressortait, drapé dans sa dignité et dans les articles du code :

— Mon client clame son innocence, annonça-t-il avec une solennité toute professionnelle. Je suis ici pour vous dire qu'il n'est pour rien dans cette triste affaire et que je serai très vigilant sur la façon dont se passera cette garde à vue. (Il toisa les policiers un par un.) J'espère que vos méthodes ont changé avec ces murs. Vous connaissez ma réputation, messieurs. Je ne vous louperai pas.

— On connaît vos états de service, maître, confirma Ko tranquillement. Et les gens que vous défendez… Comme vous dites : « Tout le monde a le droit d'être défendu. » (Il consulta sa montre.) Votre temps est écoulé. Par ici la sortie, maître.

— OK. Bon, dit Kowalski, l'air aussi détendu que s'il s'apprêtait à profiter d'un barbecue entre amis. Par quoi on commence : par votre emploi du temps la nuit du crime ou par votre mensonge le jour où on est venus vous voir ? À vous de choisir.

Lang était assis face à eux. Aucune expression ne se peignait sur son visage. Kowalski avait les pieds posés sur son bureau, les mains croisées derrière sa nuque, sa chaise en équilibre arrière. La nuit était tombée derrière les vitres.

— Quel mensonge ?

— Luc Rollin, ça te parle ?

Lang tiqua, à cause du tutoiement ou à cause du nom.

— Ça te parle ou pas ?

— Oui…

— Tiens donc. Je croyais que t'avais plus aucun contact avec les sœurs Oesterman depuis un bail, c'est bien ce que tu nous as affirmé dans ton salon, non ?

Lang hésita avant de sourire.

— Zut. On dirait bien que j'ai menti… Mais ça ne fait pas de moi un assassin.

Il avait prononcé ces mots d'un ton goguenard et Servaz entendit Mangin soupirer à côté de lui.

— Tu nous as déjà servi ce couplet, répondit Ko, tranquille. Et je t'ai répondu que ça ne fait pas de toi un innocent non plus.

— On pourrait laisser tomber le tutoiement ? grinça le romancier. On n'est pas encore suffisamment familiers pour ça, inspecteur, j'en ai peur.

— Pourquoi tu as menti ? demanda Kowalski sans tenir compte de la remarque.

Lang leva les yeux au ciel. Il écarta les mains en un geste de feinte contrition.

— Stupide, je sais… Mais je n'avais qu'une envie : c'était de me débarrasser de vous. Si j'avais répondu que j'avais vu Ambre récemment, j'aurais eu droit à une nouvelle salve de questions. J'étais pressé. Comme je n'ai rien à voir avec tout ça, je me suis dit que ça ne portait pas à conséquence de simplifier un peu…

— *Simplifier* ? Tu n'as pas simplifié, Lang, tu as menti. Et mentir à la police, ça s'appelle un délit.

— Un délit, pas un crime, précisa l'écrivain.

À côté de lui, Servaz entendit de nouveau Mangin expirer. Il tourna la tête et vit que le grand flic tordait ses immenses paluches l'une dans l'autre.

— Tu es toujours resté en contact avec les deux sœurs, c'est bien ça ? demanda Ko patiemment.

Lang eut un geste de dénégation.

— Non, non. Pas du tout. L'été dernier, j'ai reçu une lettre d'Ambre, la première depuis des années. Elle m'expliquait qu'elle allait emménager dans la cité du Ramier et que donc on allait être… *voisins*, en quelque sorte.

— Cette lettre, tu l'as toujours ?

— Non, je l'ai jetée.

— Pourquoi ?

— Disons que je ne suis pas collectionneur.

— Et tu as répondu ?

— Oui.

Kowalski haussa un sourcil pour l'inviter à poursuivre.

— Elle voulait qu'on se voie. J'ai accepté… On s'est rencontrés dans un café de la route de Narbonne, *La Chunga*, vous connaissez ?

L'un des repaires des étudiants du secteur, songea Servaz.

— Et… ?

Le débit de Lang se fit plus lent.

— Elle n'avait pas changé… C'était Ambre, toujours la même petite vicieuse, toujours la même sacrée tordue… Ambre, c'était une putain d'allumeuse. Elle adorait jouer avec les hommes, c'était son truc. Et, croyez-moi, elle savait s'y prendre pour faire monter la température. Elle crevait d'envie de baiser, mais elle en était toujours aussi incapable…

Il leur décocha un sourire graveleux.

— Cette fille, ajouta-t-il, c'était une bombe à retardement. Tôt ou tard, il devait lui arriver quelque chose.

— Elle était majeure, dit doucement le chef de groupe en reposant les quatre pieds de sa chaise sur le sol et en se penchant vers Lang, qu'est-ce qui t'empêchait de la niquer ?

Le tutoiement, le ton tout autant que les mots employés avaient clairement pour but de faire sortir l'écrivain de ses gonds. Les paupières de celui-ci s'étrécirent et un regard de serpent fusa par les fentes en direction du flic, puis le sourire revint.

— Vous croyez vraiment que je vais tomber dans un panneau aussi grossier, inspecteur ? Sans déconner ? (Servaz entendit Mangin bouger sur sa chaise.) Ça faisait partie du jeu entre nous : on se chauffait, mais on savait que ça n'irait pas plus loin.

— Ça devait être vachement frustrant, s'immisça Mangin.

Lang lui adressa un sourire mauvais.

— Pour vous peut-être…

L'enquêteur décolla ses fesses de sa chaise mais Kowalski fit pression de la main sur son avant-bras et l'obligea à se rasseoir. Lang se tourna vers le chef de groupe. De mâle dominant à mâle dominant.

— Tu as revu Ambre depuis cette fois-là ?

— Vous le savez bien puisque le copain d'Ambre m'a identifié.

— Vous vous êtes dit quoi ?

— Elle m'avait écrit une lettre où elle m'expliquait qu'elle avait rencontré quelqu'un de gentil qui la respectait. Quelqu'un de *gentil*… Moi, je savais qu'Ambre n'était pas attirée par les gentils garçons, mais par les *bad boys* et les tordus. (Il se passa un bout de langue sur la lèvre supérieure.) Dans sa lettre, elle écrivait aussi que… chaque fois que son copain la baisait par la voie étroite, c'est à moi qu'elle pensait… que quand elle lui demandait de poser les mains sur son cou et de serrer, c'est moi qu'elle imaginait en train de l'étrangler, et qu'il avait peur de la gifler mais qu'elle était sûre que moi je n'aurais pas hésité. Alors, quand je l'ai aperçue dans la rue ce jour-là, je l'ai abordée et je lui ai dit de cesser de m'envoyer ses pitoyables fantasmes par voie postale.

Servaz repensa à ce qu'avait dit Luc Rollin : *qu'il n'avait jamais touché Ambre*.

— Mais en vérité, ça ne te déplaisait pas tant que ça, suggéra Kowalski d'un ton neutre.

Lang eut une moue entendue.

— Ça ne t'a pas énervé de savoir qu'elle avait un copain ?

— Pourquoi ça m'aurait énervé ? Ce type insignifiant ? Vous avez vu sa tronche ?

— Tu ne t'es pas demandé ce qu'elle lui trouvait, justement ? Tu n'as pas jugé ça humiliant que ta plus grande fan s'entiche d'un loser pareil ? Peut-être qu'elle se servait de lui pour te rendre jaloux, qu'est-ce que tu en penses ?

Lang émit un petit rire.

— Dans ce cas, elle a loupé son coup. Combien de fois faudra-t-il que je vous le répète : je ne m'intéressais pas à Ambre de cette façon-là.

— Non ?

— Écoutez… je l'admets : j'ai une imagination et une vie intérieure plus riches que la moyenne. Des fantasmes en pagaille… (À son tour, il se pencha vers eux. Servaz entendit l'excitation dans sa voix, sa peau brillait comme s'il avait passé dessus une mince couche de fond de teint.) Imaginez des pièces obscures où se déroulent à peu près tous les *jeux* possibles, si vous le pouvez : partouzes, sadisme, bondage, sexe brutal, torture, ondinisme, jeux de rôles... un labyrinthe mental rempli de trésors... Dans cet édifice, que de portes, que de recoins, messieurs... Quand on a la chance d'avoir un esprit aussi inventif, aussi créatif que le mien, la vie ordinaire paraît bien pâle en comparaison.

Le petit rictus arrogant était revenu.

— Je ne vais pas vous faire un cours de psychanalyse, mais je ne suis pas sûr que tout le monde ici ait entendu parler du Moi, de l'inconscient personnel et du Sur-Moi, ajouta-t-il en fixant une nouvelle fois Mangin – et Servaz comprit qu'il cherchait un coin à enfoncer, un point faible dans le groupe pour le diviser. Disons que le Moi trône au sommet, lucide, conscient, volontaire. Le Moi est notre personnalité propre, ce qui nous permet de prendre conscience de nous-même. En dessous, il y a l'inconscient, les pulsions. Un Moi fort, un Moi royal les considère sereinement, les accepte ou les rejette délibérément. Un Moi faible a peur de ses pulsions, il cherche à les refouler. C'est là qu'apparaissent les névroses : l'angoisse, l'agressivité, la culpabilité. Et puis, il y a le Sur-Moi, inflexible, sévère, qui joue le rôle de juge, de censeur, qui est la continuation de l'autorité des parents, de la société, de la religion. Des milliards d'êtres humains sur cette planète lui sont soumis, incapables de la moindre liberté intérieure, incapables d'avoir une morale et des jugements personnels.

— Tu te masturbes souvent ? ricana Mangin, et Lang lui lança un regard meurtrier, avant de lui adresser un clin d'œil espiègle.

— C'est un comique, celui-là, commenta-t-il à la cantonade.

Une pensée fugitive effleura Servaz : la tension qui régnait dans cette pièce était proprement insupportable. Elle ne demandait qu'à exploser, la moindre étincelle mettrait le feu aux poudres.

— OK, monsieur l'intello, dit Kowalski. Maintenant que tu nous as mis plus bas que terre, où veux-tu en venir ?

Servaz nota que le tutoiement commençait à éroder les défenses de Lang qui, chaque fois, pinçait les lèvres.

Mais le sourire revenait toujours, inoxydable.

— Je n'ai pas besoin de coucher avec des gamines pour satisfaire je ne sais quelle pulsion… Voilà où je veux en venir.

— Alors, comment tu expliques ces lettres ?

— Je vous l'ai déjà dit, c'étaient des jeunes filles brillantes, intéressantes et amusantes.

Kowalski sortit un paquet de cigarettes, en alluma une, puis baissa les yeux sur une des missives étalées sur le bureau.

— « Je suis sûr que ton corps est doux, chaud et accueillant », lut-il, et la cigarette remua entre ses lèvres, c'est écrit là…

— Oh, mon Dieu ! s'écria Mangin. Oh, bon Dieu, je crois bien que je bande !

Lang s'adressa à Ko.

— Vous pouvez dire à votre néandertalien de la fermer ?

Le silence qui suivit se propagea comme une vibration, une onde sinistre annonciatrice de l'orage à venir. L'espace d'un instant, Kowalski et Mangin s'observèrent, puis le premier fit un signe au second. Servaz vit les yeux de Lang s'agrandir quand Mangin se leva, contourna lentement le bureau et retira sa chevalière.

— Ne faites pas le con, Kowalski. Rappelez votre chien de garde. Pensez à ce que maître Nogalès a…

La gifle fut assenée avec une telle violence que Servaz sursauta. Lang tomba de sa chaise et roula au sol. Il porta une main à sa bouche, sa lèvre inférieure saignait.

— Putain, vous êtes malade !

— Asseyez-vous, dit Kowalski.

— Mon cul ! Vous allez me payer ça !

Mangin s'approcha de Lang. L'écrivain leva les bras.

— C'est bon, c'est bon, je…

Mais le flic avait déjà frappé. Sur le sommet du crâne, poing fermé. Lang grimaça de douleur et porta les deux mains à son cuir chevelu. Le grand flic l'avait saisi par le col, lequel se déchira avec un bruit sec, et, avant de retourner à sa place, il força le romancier à se rasseoir si violemment que la chaise faillit se renverser. Le visage livide, Lang le désigna du menton.

— Votre collègue, là, il va regretter son geste. Je vous jure que vous allez me le…

— Passons à ton emploi du temps la nuit du jeudi au vendredi, dit Kowalski sans s'émouvoir.

— Vous entendez ce que je vous dis ? gueula Lang, furax.

Saint-Blanquat paraissait mal à l'aise. Mangin content de lui. Ko indifférent. Lui-même ne savait quelle contenance adopter. Il venait d'assister au genre de scène qui justifiait la réputation de la police auprès de ses camarades étudiants, au rang desquels il se comptait encore à une date récente, le genre de scène qu'il avait lui-même dénoncé plus d'une fois quand il était dans le camp d'en face. Allait-il abdiquer tous ses principes au prétexte qu'il était entré dans la police ? Fermer les yeux et se dire que Lang l'avait bien cherché. Il était flic devant le crime, il était flic devant les petites gens agressées pour quelques milliers de francs, mais il était encore étudiant devant les abus de pouvoir, la violence institutionnelle et l'arbitraire.

— Je tiens à dire que je désapprouve ce qui vient de se passer, dit-il soudain.

Le silence qui suivit eut la densité du mercure. Mangin, qui avait allumé une cigarette lui aussi, eut un petit sourire à travers la fumée, comme pour signifier : *Je l'avais bien dit.*

— Vraiment ? dit Kowalski, le visage aussi dénué d'expression que celui d'un mort.

La voix était devenue dangereusement suave.

— On ne peut pas…, commença Servaz.

— Ferme-la. Une autre remarque de ce genre et je te vire de mon groupe. Tu pourras toujours demander à ton oncle de te trouver une affectation après ça.

La froideur, la dureté du ton lui firent l'effet d'une gifle. Mangin et Kowalski le considéraient à présent avec le même dégoût. Saint-Blanquat avait le nez plongé dans ses notes. En cet instant, il comprit qu'il venait de rétrograder au dernier rang de la hiérarchie du groupe, voire de s'en exclure et de devenir pour eux l'équivalent d'un intouchable ou d'un lépreux.

— J'aimerais que tu nous dises ce que tu as fait dans la nuit du jeudi au vendredi, reprit le chef de groupe du même ton glacial à l'adresse de Lang. Et je te conseille de faire un effort. Parce qu'on est au moins deux dans cette pièce à avoir envie de te cogner dessus.

Servaz remarqua que Lang transpirait. Deux auréoles sombres étaient apparues sous ses aisselles.

— De quelle heure à quelle heure ? demanda-t-il.

— À partir de 21 heures, répondit Kowalski.

L'écrivain prit le temps de réfléchir.

— De 21 heures à 23 heures environ, j'ai regardé un film en VHS. La cassette doit encore être dans le magnétoscope.

— Quel film ?

— *My Own Private Idaho.*

Kowalski se leva et sortit sans un mot. Servaz comprit qu'il allait compulser le PV de perquise, la cassette devait être mentionnée dedans. Peut-être aussi voulait-il faire sentir au romancier qu'il était le seul rempart entre lui et la violence de Mangin – car celui-ci ne quitta pas l'écrivain des yeux pendant toute l'absence de son chef.

— Ensuite ? fit Kowalski en revenant dans le bureau.

Il alluma une autre cigarette.

— Ensuite, de 23 heures à 2 heures du matin, j'ai travaillé à mon prochain livre. Et j'ai passé un coup de fil à mon éditeur vers minuit. Ça a duré vingt bonnes minutes…

— À minuit ?

— Oui. Vous n'avez qu'à vérifier.

Kowalski et Saint-Blanquat prenaient des notes. Lang grattait ses jambes à travers son pantalon. Il faisait très chaud dans le petit bureau où s'étaient entassées cinq personnes.

— J'ai soif, dit soudain Mangin. Quelqu'un veut boire quelque chose ?

L'un après l'autre, ils répondirent par l'affirmative. Servaz se tut, même s'il avait soif lui aussi.

— Je peux avoir un Coca ou un verre d'eau ? demanda Lang.

Mangin l'ignora. Il revint avec les boissons et ils se désaltérèrent et fumèrent devant le gardé à vue qui suait à grosses gouttes. Un dense nuage de fumée flottait à présent sous le plafond.

— Pas de visite ? s'enquit Kowalski en reposant sa canette perlée de condensation.

— Non, répondit Lang la bouche ouverte, comme s'il avait du mal à respirer, fixant tantôt le verre d'eau auquel personne n'avait encore touché, tantôt le paquet de cigarettes posé à côté.

— La Jaguar Daimler Double Six, c'est la tienne ?

— Oui.

— Quand as-tu fait le plein pour la dernière fois ?

Lang fronça les sourcils, il passa le bout de sa langue sur ses lèvres desséchées.

— Je sais plus. Il y a deux semaines…

— Quel jour ?

— Je vous dis que…

— Essaie de te souvenir.

Il n'y avait plus rien d'accommodant dans le ton du chef de groupe. Lang réfléchit.

— Le mercredi, sur l'autoroute, en rentrant de Paris.

— Quelle aire ?

Lang leur jeta un regard las, se concentra et le leur dit. Kowalski prit note. But une autre gorgée. Reposa la canette. Fit claquer sa langue.

— Combien de fois tu es sorti avec depuis ?

— Vous rigolez ?

— J'en ai l'air ?

Lang s'y prit à deux fois pour les énumérer. Ko notait soigneusement chaque information sur son bloc-notes.

— Tu es sûr de ne rien oublier ?

— Oui.

— Tu es allé sur l'île du Ramier récemment ?

— Non.

— Tu as déjà rendu visite à Ambre ou à Alice là-bas ?

— Non.

Ko consulta sa montre, se tourna vers Mangin.

— C'est tout pour aujourd'hui. Tu le descends au frigo. On reprend demain à la première heure.

— Putain, vous pouvez pas me laisser comme ça, se rebella Lang. Sans manger ni boire. C'est contraire à toutes les règles…

Kowalski prit le verre auquel personne n'avait touché, but une gorgée d'eau minérale. Puis il cracha dans le verre et le tendit à l'écrivain.

Servaz rentra chez lui épuisé ce soir-là. Chaque minute de la garde à vue lui avait mis les nerfs à vif et lui revenait maintenant en mémoire avec une netteté effrayante. La tension et la violence qui avaient régné pendant toute l'audition l'avaient profondément ébranlé.

Ça n'aurait pas dû se passer ainsi.

Alexandra perçut son trouble et lui demanda ce qui n'allait pas, mais il refusa de répondre, invoquant la fatigue. Il alla se coucher tôt mais ne put fermer l'œil

Il se dressa sur un coude pour observer la femme qui dormait à côté de lui – *sa* femme. Dans le sommeil, elle avait l'innocence d'une enfant. Couchée sur le flanc, les bras croisés sous sa joue gauche, ses paupières closes soulignées par les balais bruns de ses longs cils, c'était une autre Alexandra qu'il avait sous les yeux – une Alexandra débarrassée de l'animosité, de la rancœur et de la méfiance qui présidaient à leurs rapports depuis des mois ; c'était l'Alexandra de leurs débuts : celle qu'il avait prise pour la femme de sa vie.

Il se leva et retourna au salon, dont la fenêtre était ouverte. Il était 5 heures du matin et déjà le ciel commençait à s'éclaircir au-dessus de l'immeuble d'en face. La petite rue était absolument silencieuse. Il se prépara un café, revint dans le salon, sa tasse à la main, et la posa sur le rebord de la fenêtre.

Il alluma une cigarette, puis une autre, et resta là à regarder le jour se lever, pensant à l'homme qui dormait – ou pas – dans sa cellule.

À 9 h 30 le mardi, on ramena Erik Lang dans le bureau de Léo Kowalski et l'audition reprit. Environ trois minutes plus tôt, le chef de groupe était entré dans celui de Servaz et lui avait proposé de ne pas se joindre à eux. Bien que son supérieur irradiât de colère, le jeune flic avait insisté pour participer.

— Comme tu voudras, avait dit Kowalski d'une voix glacée avant de ressortir.

Martin avait eu les tripes nouées en quittant son bureau pour rejoindre les autres. Il avait été accueilli par un coup d'œil plein de mépris de la part de Mangin, Ko ne lui avait pas accordé un regard, seul Saint-Blanquat l'avait salué comme si de rien n'était.

Il devina que Lang avait passé une sale nuit. Son teint terreux et les cernes noirs encerclant ses yeux rouges trahissaient le manque de sommeil. L'écrivain avait perdu de sa superbe, l'arrogance de la veille avait totalement disparu. Servaz savait que les nouvelles cellules de garde à vue, au sous-sol, étaient bien moins insalubres que celles du Rempart-Saint-Étienne mais aussi que, certaines nuits, entre les poivrots en dégrisement, les petites frappes dopées à la testostérone et les prostituées énervées de la rue Bayard, l'endroit pouvait se changer en un véritable zoo humain où il était presque impossible de fermer l'œil. Pour un esprit impréparé – en gros, tout citoyen lambda n'ayant jamais eu maille à partir avec la police –, un tel environnement pouvait se révéler sacrément usant à la longue. Une machine à broyer les innocents et à endurcir les coupables, songea-t-il. Une liturgie faite de hurlements, de menaces susurrées, d'injures, de gémissements, de sanglots étouffés, de désespoir, de danger et de peur. Il savait aussi que la dernière heure était interminable et que Lang avait dû être presque reconnaissant à Mangin quand celui-ci était venu le tirer de ces catacombes pour le remonter dans les étages. Est-ce que l'écrivain avait eu droit à une cellule individuelle – ou est-ce que Mangin avait eu l'aplomb de le coller dans une cage collective ?

— Comment s'est passée cette nuit ? (Kowalski).

Cette fois, Lang ne prit même pas la peine de répondre. Il se tenait les épaules voûtées, les mains entre les cuisses, dans une attitude de soumission.

— Il paraît que le room service laisse quelque peu à désirer, ajouta le chef de groupe en allumant une nouvelle cigarette. Tu en veux une ?

Lang tressaillit. Il garda le silence un instant, soupesant le pour et le contre. Se demandant visiblement s'il s'agissait d'un piège. Puis il acquiesça. Kowalski ressortit alors son paquet de Gauloises, alluma une deuxième clope et la lui tendit. Servaz vit l'écrivain fermer voluptueusement les yeux en tirant la première bouffée.

— On a passé en revue tes comptes bancaires. Et on a décelé quelques anomalies.

Il les rouvrit.

— Chaque mois depuis quatre ans, tu tires une grosse somme en liquide. Cette somme n'a cessé d'augmenter au fil des ans. Elle a plus que doublé entre 1989 et aujourd'hui.

— Je dépense mon argent comme ça me chante…

— Intéressant le choix de ces deux mots : *argent* et *chanter*, tu ne trouves pas ? Toi qui es écrivain, tu es certainement très attentif au choix des mots… Pourquoi tu les as tuées ? demanda soudain Kowalski. Parce qu'elles te faisaient chanter justement ?

Lang donna l'impression d'avoir été piqué par un taon.

— Je ne les ai pas tuées, répondit-il faiblement.

— C'était pour elles tout ce fric, pas vrai ? Tu nous as encore baladés cette nuit. Tu n'as jamais coupé le contact. Et c'est au sujet du pognon que tu as abordé Ambre devant Luc Rollin, c'est pour ça que tu voulais qu'il s'éloigne…

La main droite de Ko avait ouvert un des tiroirs de son bureau et plongé dedans. Quand elle réapparut, une croix en bois pendait au bout de ses doigts.

— Tu la reconnais ?

Lang fit signe que non.

— Tu es sûr ? Moi je crois que si. C'est la croix qu'Ambre avait autour de son cou quand on l'a trouvée, celle que tu lui as passée… Les robes, la croix…

Les traits de Ko se radoucirent, il gratifia l'écrivain d'un regard presque compassionnel.

— Tu les as tuées et tu t'es dit qu'en imitant un de tes romans tu serais le dernier soupçonné. Qu'est-ce qui s'est passé pour qu'elles te fassent chanter ? Ambre était vierge : tu as violé sa petite sœur ? C'est ça ? Qu'est-ce qui s'est passé ?

Servaz vit Lang déglutir, sa pomme d'Adam monter et descendre.

— C'est ça, Erik ? Je brûle, pas vrai ?

Kowalski ne lâchait plus le romancier des yeux. Malgré lui, Servaz se pencha en avant. Il ressentait la tension jusque dans son dos.

— Dis-moi si je brûle, Erik…, insista Kowalski. Vas-y, soulage-toi.

Tous avaient leur regard braqué sur Erik Lang à présent. Ce fut comme une série de pétards qui explosent. Comme des détonations. Un rire tonitruant. Éclatant. L'expression d'une arrogance et d'une assurance toutes-puissantes.

La tête renversée en arrière, Lang riait à gorge déployée. Puis il ramena son visage vers eux, se fendit d'un grand sourire et fit mine d'applaudir.

— Jolie démonstration, dit-il d'un ton admiratif. Mes félicitations ! La vache, j'en ai presque des frissons… Vous voir comme ça, dans un tel état… Vous pensiez quoi ? Qu'une nuit dans cette cage avec ces animaux et quelques baffes de cet abruti allaient me faire craquer ? Sérieux ? Messieurs, allons… vous me sous-estimez à ce point ?

Il se balança d'arrière en avant sur sa chaise.

— Je n'ai pas tué ces filles, je vous le répète. Et je vous mets au défi de prouver le contraire.

Ses prunelles brillaient et Servaz songea que cet homme était fou – mais aussi d'une lucidité absolue.

— Laissez-le-moi, dit Mangin.

— Ta gueule, dit Kowalski.

Il considéra Erik Lang sans ciller.

— Tu viens de te faire un ennemi. Un ennemi mortel… Tu en as conscience ?

— Parce que ce n'était pas déjà le cas ?

— Je ne vais pas te lâcher, j'ai les crocs plantés dans ta jambe, tu les sens ? Je n'aurai de cesse de prouver que c'est toi qui les as tuées. Tu es foutu, Lang…

— Ko ! dit une voix depuis la porte.

Ils regardèrent le brigadier qui venait de s'encadrer sur le seuil. À son expression, ils comprirent que quelque chose s'était passé.

— Qu'est-ce qu'il y a ? demanda le chef de groupe.

— On a retrouvé Cédric Dhombres. (Le brigadier marqua une pause inutilement dramatique.) Pendu. Dans sa piaule. Il a laissé un mot où il s'accuse du double meurtre. Et il a aussi laissé un sac avec leurs vêtements… Il est écrit dessus : « Pour les parents. »

16

Où on met un point final

Je n'ai pas peur. C'est le matin. Tout est silencieux, tout est sombre, au-dehors comme au-dedans. Tout le monde dort encore. Tant mieux. Aujourd'hui, ils vont avoir un drôle de réveil...

Gracieuse Ambre, innocente Alice, pauvres âmes déchues : chaque matin votre amour devenait plus tendre. Mais il a fallu que je vous tue. Ne m'en veuillez pas : c'était écrit.

Le jour vient de se lever, un jour clair et propre. Il a enfin cessé de pleuvoir. C'est une belle journée pour s'en aller. Car c'est mon tour, à présent. Tu comprends qu'il ne pouvait y en avoir qu'un, n'est-ce pas, Erik ? Que j'ai fait tout cela pour toi. Uniquement, exclusivement pour toi. L'attention que tu leur accordais était aussi insupportable que ton indifférence à mon égard. Franchement, je méritais mieux. J'ai toujours été ton plus grand fan. Je gage qu'à partir d'aujourd'hui j'aurai dans tes pensées la place que je mérite.

Ton fan numéro 1, à jamais dévoué,

Cédric

— Je veux une expertise graphologique, lança Kowalski avant de tendre le mot à un technicien.

— Selon le gardien, il avait laissé la porte grande ouverte. C'est un étudiant qui l'a vu en passant devant et qui a donné l'alerte.

Ko considéra le brigadier qui venait de parler. Puis il leva les yeux vers le mort. Il s'était pendu à deux tuyaux qui couraient horizontalement sous le plafond, le dos contre le mur jaune, les pieds à quatre centimètres du sol, pas un de plus, au bout de neuf centimètres de corde.

C'est ce qui s'appelle exploiter tout l'espace disponible, songea Servaz.

Pendant un instant, l'éclair d'un flash illumina l'étudiant par en dessous et, durant cette fraction de seconde, il parut léviter, comme David Copperfield, son ombre projetée au plafond. Sans même attendre le légiste, Ko tâta les jambes à travers le pantalon.

— Il n'y a pas longtemps qu'il s'est pendu, dit-il. Pas de rigidité.

— Suicide ou pas, pour celui-là Lang a un putain d'alibi, fit remarquer Mangin.

Servaz ne dit rien. Il savait que ses opinions n'étaient plus les bienvenues au sein du groupe. Il pensa aux photos de cadavres, à la peur bleue de l'étudiant dans le sous-sol de la fac de médecine et à « celui qui se montrerait impitoyable s'il parlait ». Y avait-il une once de vrai dans tout ça ? Il avait vu le regard de Dhombres à ce moment-là : *sa peur était sincère.*

Il sentit au plus profond de lui que quelque chose leur échappait, qu'il leur manquait un élément du puzzle. Pourtant, Dhombres avait également laissé

– comme preuve supplémentaire – les vêtements des filles dans un grand sac en plastique transparent.

Si tu es un si grand fan, où sont tes livres ? se dit-il. Il y avait bien *La Communiante* et deux autres bouquins sur une étagère, mais il ne se souvenait pas de les avoir vus la première fois où il était entré dans cette pièce. Certes, il n'avait pas vraiment fait attention, mais un tel détail aurait-il pu lui échapper ? Ça s'arrêtait donc là ? Un suicide, des aveux : fin de l'histoire ?

— Trouvez-moi le numéro des parents, lança Kowalski. Il faut qu'on les contacte avant la presse…

Il avait désespérément besoin d'une cigarette, mais il n'avait pas envie de se faire rabrouer, aussi il ressortit dans le couloir. Là-bas, deux gardiens de la paix empêchaient l'accès à cette partie du bâtiment. Servaz reconnut parmi les silhouettes massées au-delà la tignasse familière de Peyroles, le journaliste. Les nouvelles allaient vite.

Derrière lui, il entendit Kowalski crier :

— Et allez me chercher sa petite amie ! Ramenez-la-moi immédiatement !

Lucie Roussel avait les paupières gonflées de larmes. Assise dans le bureau de Kowalski au SRPJ, elle sanglotait doucement, mais cela ne semblait pas amadouer le chef de groupe.

— Vous êtes en train de me dire que vous avez menti ?

Elle opina, un mouchoir sur les yeux.

— J'ai pas entendu, insista Kowalski.

— Oui…

— Plus fort ! Et regardez-moi quand je vous parle.

— Oui, j'ai menti !

— Vous n'étiez pas avec Cédric Dhombres cette nuit-là ?

— Non !

— Pourquoi vous avez menti ?

— Parce qu'il me l'a demandé.

— Ça ne vous a pas gênée de couvrir un assassin ?

— Il m'a juré que ce n'était pas lui…

Lucie Roussel avait une grosse tête blonde et des yeux bleus un peu niais. Ses cheveux ternes étaient plaqués sur son crâne. Sa lèvre inférieure tremblotait.

— Et vous l'avez cru ?

Kowalski avait posé la question machinalement, il ne doutait pas de la réponse.

— Je pourrais vous envoyer en prison pour ça, dit-il.

Elle se mit à pleurer de plus belle.

— C'est bon, conclut-il. Virez-moi ça de là.

Un brigadier attrapa la jeune femme par la manche et la souleva littéralement de son siège.

— Qu'est-ce qu'on fait de Lang ? voulut savoir Mangin quand elle eut quitté la pièce.

Ko lui lança un regard absent.

— Comment ça « qu'est-ce qu'on en fait » ? Est-ce qu'on a le choix, putain ? C'est le gamin qui a fait le coup.

— Tu en es sûr ?

— Non. Mais aucun proc ne nous autorisera à garder Lang plus longtemps et tu le sais. Alors, on le lâche dans la nature, en espérant qu'il en reste là…

— Son avocat va me tomber dessus, dit Mangin.

Kowalski le couva des yeux.

— On est tous solidaires, dit-il. Il ne s'est rien passé. Si Lang déclare que tu l'as frappé, on dira qu'il a tout inventé. Ce sera sa parole contre celle de quatre flics. C'est bien clair pour tout le monde ? (Ko se retourna.) Pour toi aussi, Servaz ?

Il opina et quitta le bureau. Il avait besoin de respirer. Il prit l'ascenseur et sortit du bâtiment. Une belle matinée... Le soleil chauffait le parvis du SRPJ, les ombres étaient courtes, sèches et dures et les arbres au bord du canal rigoureusement immobiles. Il fut soudain transpercé par le souvenir de son père assis derrière son bureau, dans le soleil, et cette image se juxtaposa à celle de Cédric Dhombres pendu à un tuyau.

Il pensa qu'il devait passer au cimetière sans tarder.

Il avait vingt-quatre ans, son mariage battait de l'aile et sa carrière dans la police ne s'annonçait pas sous les meilleurs auspices. Il ne se sentait ni un bon père, ni un bon mari, ni un bon flic. Pas même un bon fils. Il avait l'impression que toutes les choses auxquelles il avait cru jusqu'à ce jour avaient choisi de se dérober en même temps et – pareil au Coyote du dessin animé – qu'il n'y avait plus que le vide, tout à coup, sous ses pieds. Il pensa à une chanson qui disait qu'il valait mieux aimer qu'être aimé et se mit en marche dans l'air étouffant et inerte.

Quelle connerie...

2018

1

Mercredi

Serpents

Elle ouvrit les yeux. Il y avait eu un bruit. Ça venait du rez-de-chaussée. Mais en était-elle sûre ? Elle l'avait entendu un dixième de seconde avant d'ouvrir les yeux – ce qui signifiait que soit c'était le bruit qui l'avait réveillée, soit il s'était produit dans son rêve, car elle était presque sûre d'avoir été en train de rêver.

Elle tendit l'oreille dans la pièce sombre. Rien. Hormis la légère vibration de la chaudière que le thermostat relié par ondes radio avait dû déclencher quand la température avait baissé dans la maison.

Soudain, cette maison isolée et cette obscurité l'emplirent d'inquiétude. Une inquiétude sans fondement, car le bruit – si bruit il y avait eu – ne s'était pas reproduit. *Elle avait dû rêver...* Et pourtant, elle n'arrivait pas à se défaire de l'impression de malaise qui s'était emparée d'elle.

Trois heures du matin... C'est ce que lui indiquait le réveil à affichage digital sur la table de nuit – lequel faisait aussi office de station d'accueil pour iPod, iPhone, iPad et de tuner FM. Elle n'avait pas envie de se lever, d'aller voir : au contraire, elle avait envie de rester bien au chaud au fond de son lit et de laisser le sommeil la reprendre. Brusquement, les ténèbres totales qui pesaient sur elle lui parurent hostiles et elle voulut allumer. Mais ça réveillerait sans doute son mari. C'est alors qu'elle comprit que quelque chose clochait.

Sa respiration forte, lente – sans aller jusqu'à un véritable ronflement – aurait dû s'élever à côté d'elle, dans le noir. Or, à sa place, il n'y avait que le silence et l'effluve de savon qui l'accompagnait partout.

— Chéri ? Tu ne dors pas ?

Elle étendit son bras vers la gauche, mais sa main ne rencontra que le drap encore chaud – et froissé, car il remuait beaucoup la nuit. *Où est-il passé ?* se demanda-t-elle. *Quand même pas descendu voir ses satanés serpents à une heure pareille*... Bien sûr. C'était ça le bruit qu'elle avait entendu : c'était *lui*. En bas. La voilà, l'explication. En définitive, elle n'avait pas rêvé. Agacée, elle se tourna sur le côté avec l'intention de se rendormir mais se redressa de nouveau. Cette fois, elle alluma la lumière. Sa curiosité éveillée, elle sut qu'elle ne parviendrait pas à retrouver le sommeil sans savoir ce qu'il fichait debout au beau milieu de la nuit. Bonté divine, elle devait en avoir le cœur net.

Elle repoussa la couette et mit les pieds par terre. L'air était si froid dans la chambre qu'elle s'empressa de récupérer son vieux peignoir jeté sur une méridienne et d'enfiler ses mules en suède bordées de fourrure. Cette manie de baisser le chauffage la nuit ! Elle noua la cordelière et sortit, frissonnante, de la chambre. Le couloir menait à l'escalier. Elle s'arrêta en haut des marches. Elle n'entendait plus rien. Tout à coup, elle se dit qu'il s'était peut-être trouvé mal. Après tout, il aurait bientôt soixante ans.

Il avait beau se rendre deux fois par semaine à la salle de gym – il tirait une stupide vanité de son ventre plat, de ses pectoraux saillants et de ses bras musclés – et courir un matin sur deux sur les sentiers de Pech-David, il n'en était pas moins comme tout le monde : ses artères durcissaient, son cerveau ramollissait et bientôt sa quéquette aurait besoin d'une pilule bleue pour lui procurer d'autres joies que celle de pisser. À cette pensée, elle sentit un frisson de dégoût la parcourir et elle posa un pied chaussé d'une mule sur la marche supérieure..

Au passage, elle regarda l'écran LCD du thermostat. 17°. Elle appuya sur les touches jusqu'à atteindre les 21, éclaira le haut de l'escalier et commença à descendre.

En bas, il faisait sombre. Trop sombre. Si ç'avait été lui, il aurait allumé toutes les lumières. Mais si ce n'était pas lui, *alors qui était-ce* ? *Et où était-il ?* Une autre sorte de froid coula dans ses veines.

Tous ses sens en alerte, elle atteignit le bas de l'escalier. Le seul éclairage dans le living provenait de la vague clarté grise qui traversait les baies vitrées. Il avait récemment fait remplacer les anciennes vitres par un triple vitrage BCE : basse consommation d'énergie, avec une couche de verre autonettoyant à l'extérieur, et la grisaille du dehors découpait les silhouettes du mobilier en masses noires, indistinctes, comme des montagnes dans la nuit. De l'autre côté des vitres, les rafales châtiaient les branches des arbres. Elle se sentit seule, tout à coup – vulnérable, fragile.

— Chéri ?

Qu'est-ce qu'elle n'aurait pas donné pour entendre sa voix, en cet instant. La plupart du temps, il l'agaçait, lui tapait sur les nerfs, voire même l'exaspérait – mais là, tout de suite, elle désirait sa voix, son timbre chaud et arrogant, elle la *voulait*. Où était-il, bon Dieu ? Et si, et si… *quelqu'un d'autre* était là ? Quelqu'un qu'elle n'avait pas prévu… Elle en eut soudain le souffle coupé. Non, pas ça, se dit-elle. *Pas comme ça…* Son pouls battait dans son cou, dans ses oreilles et jusque dans ses seins. Elle chercha l'interrupteur du living. Alluma. La lumière, en jaillissant, la rasséréna quelque peu.

C'est alors qu'elle vit l'autre lumière, sur sa gauche. Provenant de la pièce aux terrariums, elle s'avançait dans l'entrée comme une coulée de magma en cours de refroidissement. Elle respira. *Lui et ses maudits serpents…* Des fois, elle se disait qu'il les aimait plus qu'elle.

— Trésor, tu pourrais répondre, tout de même !

Elle marcha en direction de la pièce. Par la porte ouverte, elle apercevait la lueur ultraviolette des tubes fluorescents installés dans certaines cages vitrées. Sándor lui avait expliqué que les tubes étaient disposés *à l'intérieur* des cages car le verre arrête les rayons UVB, contrairement aux UVA. Or c'était d'eux que les serpents diurnes avaient le plus besoin. Un nouveau frisson courut tout le long de son épine dorsale. Elle ne partageait certes pas la passion de son mari pour ces horribles bestioles qui lui flanquaient la chair de poule. D'autant que ce n'étaient pas d'innocentes couleuvres qu'il gardait ici, mais quelques-uns des serpents les plus venimeux au monde. Elle lui avait déjà dit que c'était une folie d'avoir à la maison des animaux si dangereux. Et elle évitait soigneusement d'entrer dans la pièce.

— Sándor !

Pas de réponse. L'inquiétude revint. Est-ce qu'il lui était arrivé quelque chose ? Est-ce qu'il avait été mordu par un de ces foutus reptiles et qu'il gisait sur le sol après avoir laissé la cage ouverte ? Combien de fois, la nuit, elle avait eu du mal à s'endormir en imaginant une cage mal fermée et un serpent se glissant silencieusement hors de sa prison. Bon, d'accord, la porte entre la pièce aux terrariums et la maison était toujours verrouillée, mais quand même…

La porte… Elle était *ouverte*.

Il était forcément là-dedans. Pourquoi ne répondait-il pas ? Elle allait lui passer un de ces savons… Avant même d'avoir franchi le seuil, elle songea qu'elle n'aurait pas dû marcher jusqu'ici. Que c'était une erreur. Et pourtant, comme mue par la curiosité, elle fit encore un pas à l'intérieur. La dernière chose dont elle eut pleinement conscience, ce fut des cages ouvertes et de tous ces reptiles noirs, bruns et rayés glissant et se tortillant sur le sol. Elle ne comprit pas vraiment ce qui se passa ensuite. Elle ressentit un choc violent à l'arrière de la tête et ferma un instant les yeux, les rouvrit, toujours debout mais chancelante, cligna mécaniquement des paupières, avec la sensation d'une zone de chaleur et de douleur irradiant au niveau de sa nuque. Elle allait porter la main à cet endroit, mais elle constata que son bras ne répondait plus. Comme dans un rêve… En même temps, elle perçut une présence à ses côtés. Sa frayeur explosa. Elle eut une envie folle de remonter dans son lit, mais, prostrée, elle était incapable du moindre geste. De même, ses pensées étrangement confuses, répétitives, évoquaient un ordinateur qui bugge. Elle ouvrit une ou deux fois la bouche, tel un batracien, et articula quelque chose comme :

— Qu'esseee… qui… m'arriveeeee…

Un deuxième choc encore plus violent que le premier au même endroit et l'ordinateur à l'intérieur de son crâne s'éteignit avant même qu'elle se fût effondrée au milieu des serpents.

Il était 4 h 30 quand le téléphone le réveilla. Il l'avait laissé branché au chargeur sur la table de nuit et son bras s'étendit trop vite, sa main tâtonna, heurta l'appareil et le fit tomber par terre. Il roula sur le ventre en grognant, se pencha au bord du lit, les paupières papillotantes, tel un alpiniste au bord d'une falaise, vit les gros chiffres lumineux qui indiquaient l'heure sur l'écran, là en bas, allongea le bras, attrapa le téléphone et répondit, la tête dans le vide, le corps en travers du lit.

— Servaz…

— Martin ? Désolé de te réveiller mais on a une urgence…

La voix d'Espérandieu : son adjoint et sans doute son meilleur ami.

— Une effraction à domicile en pleine nuit… suivie d'un homicide, poursuivait la voix qui avait l'air bien éveillée, elle. La femme de la maison a été trouvée morte par son mari, lui-même a été frappé par-derrière…

Servaz fronça les sourcils. À cette heure, les mots avaient du mal à franchir les couches de fatigue et de sommeil qui emmaillotaient sa conscience, pareilles à des vêtements chauds et douillets. Ils entraient dans son cerveau avec la même lenteur que l'eau filtrant dans la cafetière. Goutte à goutte… « Effraction », « homicide », « morte », « mari », « frappé »… Ça n'avait pas de sens. Du moins pas de sens évident pour un homme à moitié endormi.

— Je passe te prendre dans une demi-heure.

Une pensée fusa. Plus distincte que les autres.

— Je ne peux pas, dit-il. Je dois emmener Gustav à l'école.

— Charlène l'emmènera… Elle vient avec moi… Elle restera avec Gustav et s'occupera de lui aussi longtemps que nécessaire. Et Mégan accompagnera son frère à l'école ce matin. Ça te va ?

Mégan, quinze ans, et Flavien (dont Servaz était le parrain), neuf ans, étaient les enfants de Vincent et Charlène, la trop belle femme de son adjoint. Il prêta l'oreille mais n'entendit aucun bruit du côté de la chambre de Gustav. Son fils avait le sommeil lourd.

— C'est pas une affaire banale, poursuivit Espérandieu. On a retrouvé la femme étendue au milieu de… serpents venimeux. C'est la panique là-bas, apparemment ils se sont échappés de leurs cages et ça grouille de reptiles.

Servaz sentit comme un bref picotement à la base du cou. Un écho. Lointain. Éloigné dans le temps. Un vague souvenir. Une très vieille affaire enfouie dans le passé… *Une simple coïncidence*, se dit-il. Il frémit. Il avait horreur des reptiles.

— OK, dit-il. Je me prépare.

Il marcha jusqu'à la chambre de Gustav, poussa la porte. Son fils dormait paisiblement, son pouce dans la bouche. Ses longs cils blonds frémissaient légèrement dans la lueur bleutée de la veilleuse et, tout à coup, il se revit dans cet hôpital autrichien un an plus tôt, quand il avait poussé la porte d'une autre chambre et vu son fils dormir de la même façon. Quand il s'était demandé s'il rêvait et si c'étaient des rêves agréables. Bad Ischl. Dans le Salzkammergut. À ce moment-là, son fils avait dans son ventre un foie tout neuf. *Le sien*… À ce moment-là, il ne savait pas si la greffe serait acceptée ou rejetée tandis que lui-même se remettait dans une chambre voisine des événements dramatiques qui les avaient conduits tous deux aux portes de la mort[1].

Encore aujourd'hui, il se sentait ému chaque fois qu'il regardait son fils dormir. Ce fils qui avait failli mourir. Ce fils qu'il n'avait connu qu'à cinq ans passés et qui avait eu un premier père avant lui. Un père de substitution – qui l'avait élevé avec le même amour. *un tueur en série du nom de Julian Hirtmann*…

Il revit aussi sa mère, Marianne… La dernière fois qu'il avait eu de ses nouvelles, c'était à l'occasion du Noël 2017. Une carte avec une photo à l'intérieur[2]. On y voyait Marianne lisant un journal daté du 26 septembre de la même année. Elle était donc vivante, quelque part… Il ne l'avait pas revue depuis l'été 2010. L'été où elle était tombée enceinte de Gustav, l'été où Julian Hirtmann l'avait kidnappée et emmenée Dieu sait où. L'été de tous les dangers. Cela faisait presque huit ans[3].

Il contempla son fils. Gustav s'était légèrement découvert dans son sommeil. Aussi Servaz s'approcha-t-il et remit-il la courtepointe en place avant de ressortir. Il fila se doucher.

1. Voir *Nuit*, XO éditions et Pocket.
2. *Ibidem.*
3. Voir *Le Cercle*, XO éditions et Pocket.

2

Mercredi

Réchauffement

Il était 5 heures du matin, et Espérandieu conduisait vite à travers la ville endormie, le long des avenues désertes, des rideaux de fer baissés, des magasins éclairés mais vides. Il avait neigé la veille, juste un peu de blanc saupoudré sur les trottoirs et les toits – rien à voir avec la tempête de neige qui s'était abattue sur le nord de la France depuis mardi, entraînant 700 kilomètres de bouchons record autour de l'agglomération parisienne, des trains en retard dans les gares et des automobilistes pris au piège sur des routes impraticables. De quoi conforter les climato-sceptiques dans leur scepticisme et les complotistes dans leurs théories. Pourtant, les conséquences du dérèglement climatique étaient là. En Angleterre, les falaises de la côte orientale étaient rongées par la mer au rythme de deux mètres par an et les petites maisons alignées à leur sommet ne seraient bientôt plus qu'un souvenir. Dans le sud-est de la France, en Italie, en Europe centrale et dans les Balkans, la canicule avait été telle l'été dernier que les Transalpins l'avaient baptisée « Lucifer ». Treize tempêtes tropicales et huit ouragans – dont quatre événements majeurs de catégorie 4 ou 5 sur l'échelle de Saffir-Simpson – avaient déferlé sur l'Atlantique Nord à l'issue de ce même été. En France, l'oie cendrée avait pris ses quartiers d'hiver, raccourcissant son séjour africain ; le chêne vert colonisait désormais la moyenne montagne et le saint-pierre se pêchait en Bretagne. Selon certains spécialistes, la fin du monde avait bel et bien commencé l'année précédente, à l'insu de tous, le point de non-retour ayant été atteint en 2016 avec une concentration de CO_2 dans l'atmosphère terrestre de 400 parties par million (ppm). À partir de ce seuil, la température ne ferait plus qu'augmenter d'année en année. Mais, apparemment, tout le monde s'en foutait. En particulier le crétin installé à la Maison-Blanche.

En attendant, cela donnait un mois de février neigeux dans les montagnes et beaucoup moins en plaine – c'est-à-dire semblable à tous les mois de février qui l'avaient précédé depuis cinquante ans – tandis qu'ils roulaient vers le sud de la ville au cœur des mille éclairages urbains qui épuisaient généreusement les ressources de la planète au profit de quelques citadins debout. Que l'humanité fût devenue folle, Servaz n'en doutait pas une seconde. La question était de savoir si elle l'avait toujours été : cinglée, suffisante, autodestructrice – et si elle n'avait eu les moyens de son autodestruction qu'à une date récente.

Comme ils s'élançaient dans les collines, il demanda à son adjoint où ils allaient. Espérandieu baissa le volume de son iPhone branché sur l'ordinateur de bord, dans lequel Arcade Fire chantait *Everything Now* :

I need it
(Everything now !) I want it
(Everything now !) I can't live without
(Everything now !)

J'en ai besoin
(Tout maintenant !) Je le veux
(Tout maintenant !) Je ne peux pas vivre sans
(Tout maintenant !)

— Vieille-Toulouse, répondit Vincent en soulevant la mèche qui lui tombait sur le front et qui lui donnait l'air, à bientôt quarante ans, d'un éternel adolescent. La baraque se trouve près du golf-club.

Servaz eut soudain l'impression qu'un petit rongeur lui bouffait le ventre. *Une maison près du golf-club, des serpents*… Pourquoi, tout à coup, toutes les alarmes se mettaient-elles à sonner ? Et après ? Combien de personnes assez friquées pour vivre dans le secteur s'intéressaient aux serpents : la mode n'était-elle pas aux animaux exotiques ? Au lieu de les laisser évoluer peinards dans leur milieu naturel, on les voulait dans son salon, dans sa chambre à coucher, dans son garage, enfermés dans des cages ridicules.

(Tout maintenant !) Je veux
(Tout maintenant !) Je ne peux pas vivre sans

Tout maintenant ! chantait Arcade Fire dans les haut-parleurs. Oh oui : on voulait des serpents comme on voulait tout le reste. À discrétion, à foison. Après moi le déluge. Rien qu'une stupide coïncidence, se répéta-t-il. Une vague ressemblance avec une affaire vieille de vingt-cinq ans…

Tout à coup, il grimaça et porta une main à sa joue droite. Il traînait depuis un petit moment une douleur aux molaires, en haut à droite, une douleur que même le paracétamol avait du mal à chasser.

— Comment s'appelle la victime ? demanda-t-il, plus tellement sûr de vouloir connaître la réponse.

— Amalia Lang. Il paraît que son mari est auteur de romans policiers.

Ils les virent avant d'avoir franchi le portail, au-dessus de la même haie impénétrable et haute de plusieurs mètres que vingt-cinq ans auparavant : les lueurs rouge et bleu des gyrophares qui rebondissaient et tournoyaient contre le ventre bas des nuages, dans la nuit humide. Le portail, lui, avait l'air neuf. Il y avait désormais le gros œil d'une caméra intégré dans l'interphone. Plusieurs voitures de police mais aussi deux camions de pompiers et une ambulance stationnaient devant la maison.

Servaz descendit de voiture avec une lenteur inhabituelle. Il ne l'avait pas revue depuis l'affaire des Communiantes, mais il la reconnaissait comme s'il était venu hier. Il se souvenait avec une netteté qui le surprit lui-même d'Erik Lang poussant sa tondeuse en sweater bleu et pantalon de lin blanc. Un mois de mai chaud et humide… Deux jeunes filles trouvées mortes près d'une cité universitaire. Et un étudiant pendu dans sa piaule. Sa première vraie affaire criminelle : un fiasco.

Il repensa aussi à Kowalski. Il avait été muté peu de temps après. Servaz ne l'avait jamais revu.

— Ça va ? le questionna Espérandieu à côté de lui.

Son adjoint attendait qu'il se décidât à bouger.

— C'est quoi, ces camions de pompiers ? dit-il.

— Ça doit être pour les serpents, répondit Vincent.

Il tressaillit. Revit soudain Erik Lang se déshabillant devant eux. Sa peau pleine de squames. Et Mangin l'appelant « l'homme-serpent »... Mangin avait bouffé le canon de son arme en 1998, après que sa femme l'eut quitté, emmenant ses deux gosses, et que les bœufs-carottes eurent découvert d'étonnantes rentrées d'argent sur ses comptes bancaires. Il l'avait fait dans son bureau et – après le passage de la police scientifique et du légiste – il avait fallu faire venir une équipe de nettoyage. Sur le seuil de la maison, un gardien de la paix les arrêta.

— Je vous déconseille d'entrer, on n'a pas encore récupéré toutes les bestioles.

Servaz tendit le cou et vit les techniciens en combinaisons blanches d'astronautes qui évoluaient dans le living.

— C'est bon, dit-il en contournant le planton.

Le séjour n'avait guère changé. Même la guitare électrique était à sa place. Sauf que la télé de l'époque avait été remplacée par un home cinéma avec lecteur Blu-ray, décodeur, console de jeu Xbox et écran de 250 cm et la chaîne stéréo supplantée par un Sound System Bose. Il s'avança avec la prudence d'un soldat en territoire ennemi, conscient que chacun de ses pas était comme l'écho de ceux qu'il avait faits longtemps auparavant, dans des circonstances identiques. Et soudain, il le vit. Assis par terre, le buste penché en avant. Un infirmier lui appliquait un pansement sur la nuque. Il avait vieilli, incontestablement – ou peut-être était-ce la nuit qu'il venait de passer, la peur, la fatigue…

Servaz se dit que lui-même n'avait plus grand-chose à voir avec le jeune homme chevelu et idéaliste qu'il avait été. Il avait eu quarante-neuf ans le 31 décembre dernier. Il s'était surpris à penser à cette occasion – alors que Margot et son copain étaient là, ainsi que Vincent, Charlène et Gustav – que lui aussi, comme le climat, avait atteint un point de non-retour. Celui où, désormais, plus rien ne changerait. À vingt ans, il s'était rêvé écrivain, mais il serait flic toute sa vie. Même à la retraite, un flic restait un flic. C'est ce qu'il était. Où donc étaient partis ses rêves ? La plupart ne se réaliseraient jamais ; c'était ça, la jeunesse, songea-t-il, des rêves, des illusions, la vie présentée comme un chatoyant mirage… une publicité clinquante vendue par une agence de voyages pour un séjour qui se révélerait très éloigné du prospectus… Et aucun bureau des réclamations en vue.

Pour autant qu'il pût en juger, Lang avait pris un peu de poids mais très raisonnablement, il y avait quelques fils gris dans sa chevelure qui demeurait cependant épaisse et drue, des poches sous ses yeux absentes dans son souvenir et le bas du visage avait l'air un peu plus flasque, à moins que ce ne fût sa position, menton incliné vers la poitrine pour offrir la nuque à l'infirmier. Le romancier n'avait pas remarqué leur présence. L'eût-il fait qu'au milieu de ce tourbillon il n'aurait sans doute pas reconnu en Servaz le jeune flic qui l'avait interrogé avec d'autres si loin dans le passé. L'espace d'une seconde, Servaz se demanda quel souvenir l'écrivain gardait de ces heures. Avait-il réussi à les oublier ou l'avaient-elles hanté ?

— Est-ce qu'un médecin ou la légiste a examiné sa blessure avant qu'on lui mette ce pansement ? lança-t-il à un brigadier de la Sécurité publique qu'il connaissait.

— C'est fait, oui, dit une voix mélodieuse derrière lui.

Il se retourna. Le docteur Fatiha Djellali, qui dirigeait l'Institut médico-légal de Toulouse, était une grande femme au regard brun, fixe et enveloppant qui vous donnait l'agréable sensation d'être le centre de l'attention.

— Bonjour, docteur.

— Bonjour, capitaine.

Servaz sourit. Il appréciait le Dr Djellali. C'était une personne compétente et dévouée à son métier.

— Si j'avais su que c'était vous, je ne me serais pas inquiété, dit-il.

Elle salua ce compliment à peine déguisé par un demi-sourire faussement modeste.

— Et donc ? demanda-t-il en haussant les sourcils.

— Soit il a reçu un coup, soit il se l'est fait contre un meuble en tombant – difficile à dire…

Servaz reconnut la prudence habituelle du Dr Djellali. Il se souvint des paroles d'Espérandieu au téléphone. « Le mari a été frappé par-derrière… »

— Commandant, vous êtes là, dit une autre voix, et une deuxième figure familière s'avança vers eux.

— Capitaine, rectifia-t-il.

Certaines personnes avec qui il bossait depuis longtemps avaient tendance à oublier qu'il était passé en conseil de discipline l'année précédente et qu'à cette occasion on l'avait rétrogradé. Cathy d'Humières était de celles-là. Ou peut-être faisait-elle exprès d'oublier. Sa façon à elle de lui témoigner sa reconnaissance pour le travail accompli au fil des ans, travail auquel elle devait en partie son ascension à la tête du parquet de Toulouse, car les affaires qu'ils avaient résolues ensemble avaient suffisamment défrayé la chronique pour attirer la lumière à la fois sur elle et sur lui.

Cathy d'Humières avait un profil de rapace, un nez si imposant qu'il semblait une pièce rapportée au milieu de son visage sec et anguleux, des yeux aussi étincelants que des éclats de silex et des cheveux teints en blond cendré. Elle ne mâchait pas ses mots et elle rabrouait impitoyablement tous ceux qui ne se montraient pas à la hauteur de ses exigences. Qu'elle se fût déplacée en personne au lieu de laisser son substitut se charger de l'affaire démontrait son importance – ou celle de la victime… À l'inverse du Dr Djellali, qui n'était pas maquillée et dont la chevelure brune n'avait à l'évidence pas connu le moindre peigne ce matin-là, elle avait trouvé le temps de s'appliquer une touche de blush et un trait de crayon noir, de passer sa coiffure au sèche-cheveux et d'épingler une broche en pierres précieuses représentant une orchidée au revers de sa veste de tweed brun. Une écharpe en cachemire rose pâle complétait la panoplie.

— Qu'est-ce qu'on sait ? l'interrogea-t-il.

— Effraction, apparemment, répondit la proc. Il y a une fenêtre cassée. Le mari dit qu'il a entendu un bruit et qu'il est descendu. Ensuite, on l'a frappé à l'arrière du crâne et il a perdu brièvement connaissance. En se réveillant, il est d'abord monté dans sa chambre. Quand il a vu que sa femme n'était pas dans son lit, il a paniqué et il est redescendu. Il l'a trouvée au milieu des serpents. Morte…

— Je ne pense pas que ce soit le coup qu'elle a reçu qui l'ait tuée, intervint Fatiha Djellali. Plutôt le choc anaphylactique dû à la grande quantité de venins différents inoculés – les analyses toxicologiques nous en diront plus mais, apparemment, il s'agit de serpents extrêmement venimeux.

— Pourquoi un cambrioleur aurait-il ouvert les cages ? Dans quel but ? Pourquoi la porte habituellement verrouillée selon le mari était-elle ouverte elle aussi ? demanda Cathy d'Humières, en jetant un coup d'œil prudent à Lang.

Servaz l'imita. L'infirmier avait fait mettre l'écrivain debout et lui faisait subir les habituels tests neurologiques, promenant son index dressé de gauche à droite et de haut en bas en demandant à Erik Lang de le suivre du regard. Puis il l'invita à tendre les bras devant lui et à fermer les yeux. L'infirmier posa ensuite ses mains poilues sur les poignets de Lang et lui enjoignit de pousser vers le haut. Servaz nota que l'écrivain avait l'air véritablement bouleversé – et parfaitement hagard.

— Il était capacitaire pour les serpents ?

Capacitaire… Autrement dit, en possession d'un CDC – un certificat de capacité, obligatoire pour toutes les espèces venimeuses. La proc secoua la tête.

— Non. Élevage illégal… Comme la plupart des élevages de serpents venimeux dans ce pays. Il y a désormais plus de serpents exotiques dangereux chez les particuliers que dans tous les vivariums de France réunis. À partir du moment où on peut acheter un bébé crotale pour une poignée d'euros sur Internet et le recevoir par la poste, il ne faut pas s'en étonner…

— Et il n'y a qu'une seule banque d'antivenins en France, fit remarquer Fatiha Djellali. À Angers… Elle couvre une quarantaine d'espèces – crotales, najas, serpents africains – mais pas les espèces rares comme celles qu'on a là… On a de plus en plus de cas d'envenimations que les hôpitaux ont les plus grandes difficultés à traiter.

Fatiha Djellali lui tendit une paire de chaussons en plastique bleu pour ses chaussures et une paire de gants.

— On y va ? dit-elle.

On y va… Servaz les passa et la suivit. Il faillit faire demi-tour quand il aperçut un serpent aux écailles noires et luisantes se tortillant au bout d'une longue pince métallique brandie par un individu qui ressemblait à Crocodile Dundee. Chapeau de feutre, lacet de cuir autour du cou avec un crochet à venin en sautoir, gilet multipoche sur une chemise kaki et bottes montant jusqu'aux genoux : le type devait s'imaginer dans le bush.

— C'est bon, dit-il d'une voix qui sentait l'abus de cigarettes et d'alcools forts. Vous pouvez y aller. Je crois qu'c'est le dernier.

— Vous croyez ou vous en êtes sûr ? lui rétorqua Djellali.

Selon toute évidence, les pompiers ou la Sécurité publique avaient fait appel au spécialiste local des reptiles.

— Jolie p'tite bestiole, apprécia le spécialiste. Un mamba noir : un des serpents les plus meurtriers au monde. Très rapide et extrêmement agressif. Son venin peut tuer une proie en quinze minutes.

Servaz sentit son corps se couvrir d'une sueur glacée en voyant la tête triangulaire du reptile et les petits yeux noirs et inexpressifs.

— Si elle a été mordue par toutes les p'tites bêtes que j'ai attrapées ce matin, pas étonnant qu'elle se soit pas réveillée, commenta-t-il ensuite en montrant le corps étendu un peu plus loin, qu'un vidéaste de la police était en train de filmer. Sacrée collection qu'vous avez là… Y en a pour une fortune. Pas une seule de ces bestioles qui soit inoffensive, putain. Cela dit, je ne comprends pas toutes ces morsures. Normalement, les serpents ont plutôt tendance à fuir qu'à mordre…

— Merci, dit le Dr Djellali froidement.

Elle n'appréciait visiblement que très moyennement monsieur Serpent. Servaz franchit le seuil de la pièce avec un goût de cendre dans la bouche. Il eut l'impression que sa température corporelle avait chuté. Les cages de verre avec leurs décors de branches tordues, de rochers, de sable et de fougères étaient vides : les bestioles avaient été emportées ailleurs, et il respira un peu mieux. Puis il tourna son regard vers la forme à leurs pieds.

Sous l'effet des œdèmes provoqués par les morsures, le visage d'Amalia Lang avait acquis la taille d'un ballon de football et une couleur de viande avariée. Ses paupières enflées étaient scellées et ses lèvres gonflées comme si elles avaient subi les outrages d'un abus de chirurgie esthétique. Elle avait aussi saigné par la bouche et par le nez. À part ça, l'épouse d'Erik Lang était squelettique, ses bras aussi maigres que ceux d'un mannequin taille 32 défilant sur un podium. Mais ce n'est pas son aspect général qui fit battre violemment le sang de Servaz dans ses carotides, ce n'est pas non plus son visage difforme qui fit que la tête lui tourna : étendue presque en position fœtale sur le carrelage, Amalia Lang portait sous sa robe de chambre ouverte une aube de communiante.

3

Mercredi

Refroidissement

Il ressortit dans la nuit froide de février. Il n'avait pas encore eu le temps d'interroger Erik Lang, ni même d'écouter jusqu'au bout les explications de la légiste, mais il avait fallu qu'il prenne la fuite et quitte précipitamment la scène de crime. Il frissonnait. Qu'est-ce que cela signifiait, bon sang ? Vingt-cinq ans sans rien et tout à coup une nouvelle communiante ! Cette affaire était classée depuis des lustres, le coupable s'était pendu et avait laissé un mot qui avait été authentifié. Alors, pourquoi diable cette robe blanche dans la maison de Lang lui-même ?

Des pensées confuses apparaissaient dans son esprit et disparaissaient presque aussitôt, toutes plus informes les unes que les autres.

S'étaient-ils trompés en 1993 ? Avaient-ils laissé le vrai coupable en liberté ? L'étudiant – comment s'appelait-il déjà ? Dhombres – avait paru terrifié dans ce sous-sol quand Servaz l'avait maîtrisé avec le concours d'un molosse. Il s'en souvenait parfaitement, malgré toutes ces années et tous les événements intercalés entre cette lointaine enquête et aujourd'hui. À l'époque, le jeune homme avait évoqué quelqu'un d'*impitoyable*... D'une voix glaçante et glacée. Puis il avait mis fin à ses jours... Et si cet individu existait vraiment ? Dans ce cas, pourquoi se manifesterait-il si longtemps après ? Ce n'était même pas la date anniversaire. Les faits s'étaient produits en mai, on était en février.

— Ça va ? demanda Espérandieu en le rejoignant. Qu'est-ce qui s'est passé ? Tu es parti comme un voleur.

— Je t'expliquerai, répondit-il en tirant sur sa cigarette.

Quand il aspira, le bout de celle-ci s'éclaira, pareil à un œil rouge et malveillant ; le besoin de nicotine était plus fort que tout en cet instant. Il avait entendu dire que les fabricants de cigarettes avaient trouvé le moyen de duper les machines qui mesuraient la teneur en nicotine et que donc, au lieu d'un paquet par jour, il en fumait sans le savoir l'équivalent de deux à dix, ce qui, évidemment, décuplait le besoin – le sien comme celui des autres... Ces marchands de mort étaient les plus gros narcos de la planète, mais eux avaient pignon sur rue. Il vit que Vincent le scrutait à travers la pénombre.

— Tu es bizarre depuis que je t'ai parlé de serpents et que je t'ai donné cette adresse, dit-il. Ça te dit quelque chose ?

Servaz acquiesça en silence. Il envoya promener le mégot d'une pichenette.

— Une enquête à laquelle tu as participé ?

Sans répondre, il contourna son adjoint et rentra dans la maison. Les techniciens allaient et venaient partout. L'un d'eux filmait tout à l'aide d'une caméra. Il vit Lang toujours entre les mains de l'infirmier et s'approcha d'eux.

— Vous permettez ? dit-il à l'infirmier. J'aurais quelques questions à poser à monsieur.

Le jeune homme barbu – une de ces barbes exagérément longues de hipster – le toisa du haut de son mètre quatre-vingt-dix.

— Je n'ai pas fini. Revenez dans cinq minutes.

Servaz chercha quelque chose à répliquer mais ne trouva rien. Lang lui lança un regard aigu. L'avait-il reconnu ? Cela semblait peu probable… Il s'éloigna. L'escalier montant à l'étage… Pourquoi pas ? Il gravit lentement les marches.

Un couloir au sommet. Il tourna la tête vers la gauche et aperçut de la lumière au-delà d'une porte ouverte. Marcha jusque-là. La chambre conjugale… Un grand lit couleur argent avec des tiroirs en dessous du matelas et des draps noirs, une commode baroque argentée contre le mur opposé, sous un miroir, une méridienne argent recouverte de velours noir et un fauteuil Louis XV dans les mêmes tons, des rideaux noirs aux fenêtres. Les Lang aimaient le clinquant et le kitch. L'éclairage provenait d'une petite lampe de chevet à gauche du lit. Servaz balaya la pièce, s'attarda sur le lit. Les deux côtés étaient défaits mais pas le milieu. Il s'avança vers la commode. Sa main toujours gantée ouvrit les tiroirs un par un. Des vêtements, des dessous. Il ouvrit de la même façon les tiroirs sous le lit : serviettes de toilette, linge de maison… RAS. Sur la table de nuit de madame – couleur argent bien entendu – un roman en anglais de Jonathan Franzen, *Purity*. Un autre livre sur la méridienne. Il en avait assez vu pour l'instant : il ressortit dans le couloir et retourna à l'escalier, renonçant provisoirement à explorer les autres pièces de la maison. Il voulait interroger Lang en priorité – avant qu'il ait eu le temps de reprendre ses esprits.

Il était parvenu à mi-hauteur de l'escalier en béton brut quand il stoppa net. Il y avait quelque chose en bas. Sur les premières marches. Ça ressemblait à un bout de corde sombre, mais ce n'était pas ça : un long serpent brun. Tranquille, immobile. Servaz eut l'impression que le serpent le fixait de ses petits yeux fendus de part et d'autre d'une tête minuscule et il ressentit soudain une peur panique. Instinctive. Irraisonnée.

Sa première pensée fut qu'il y avait de fortes chances pour que le reptile fût foutrement venimeux : s'il avait bien compris, tous les serpents de Lang l'étaient.

La deuxième fut que la bête était peut-être morte, d'où la fixité de son regard ; en tout cas, elle en avait l'air : elle ne bougeait pas du tout.

La troisième, qu'il avait le choix entre continuer à descendre en faisant du bruit pour l'effrayer – il avait lu quelque part que les serpents sont des animaux notoirement craintifs et le spécialiste avait confirmé qu'ils avaient plutôt tendance à fuir – et remonter à reculons (pas question de lui tourner le dos).

— Hé ! Venez voir !

Il avait crié, mais personne ne parut l'entendre. Sauf la bestiole. *Pas morte du tout*… Elle venait de réagir imperceptiblement ou était-ce une illusion d'optique ? Il sentit son cœur gonfler jusqu'à occuper beaucoup trop d'espace dans sa poitrine. Tout l'invitait à la marche arrière. Soit. *Arrière toute, donc.* Sauf que remonter un escalier à reculons n'était pas aussi simple. Son pied, quand il l'appuya derrière lui à l'aveugle, se posa sur le bord de la marche supérieure et il faillit perdre l'équilibre. Il se rétablit, grimpa deux degrés supplémentaires à rebours ; après quoi il trébucha, tomba en arrière et se retrouva assis sur les marches. Le serpent ne remuait toujours pas. Bon, heureusement qu'il n'y avait eu personne pour assister à cette lamentable démonstration. Faisant appel à tout son courage, il était bien décidé à descendre l'escalier, cette fois, quand le serpent bougea. Il observa le reptile, qui avançait brusquement dans sa direction avec cette rapidité qui est celle des rêves, sa petite tête louvoyant d'un côté à l'autre, son corps épousant le relief des marches comme s'il coulait dessus. Servaz avala sa salive et les muscles de son bas-ventre se contractèrent. Le serpent était tout près, à présent. Sa petite tête se rapprochait en zigzaguant de sa chaussure gauche, toujours enveloppée dans son chausson de plastique bleu.

Ainsi que dans un cauchemar, il vit la bestiole glisser sur le plastique du chausson puis sur le béton brut et se couler près de lui, vers sa main gauche posée sur une marche. Sa bouche s'ouvrit, comme s'il cherchait de l'air. Il se figea, résista à la tentation – énorme – de bouger. Son cœur cognait si violemment dans sa poitrine qu'il donnait l'impression de vouloir la perforer.

Il se tordit le cou. Il transpirait. Deux petits yeux horriblement fixes et une tête qui semblait le simple prolongement du corps. Elle passa à quelques centimètres de sa main et poursuivit son ascension comme si de rien n'était. Son regard la suivit. Dès que la créature se fut éloignée d'un bon mètre, il se leva d'un bond et se précipita en bas.

— Il y a un serpent dans l'escalier ! vociféra-t-il en faisant irruption dans le séjour.

Plusieurs visages, dont ceux de Lang, de Cathy d'Humières et d'Espérandieu, se tournèrent vers lui

— Comment était-il ? demanda calmement le romancier.

Servaz le décrivit avec toute la précision dont il était capable.

— Vous dites qu'il est passé sur votre chaussure ? Vous avez eu de la chance : *vous venez d'être frôlé par le serpent le plus venimeux au monde*. Un taïpan du désert, une espèce endémique d'Australie. D'habitude, il est plutôt craintif…

Lang ne paraissait guère impressionné par l'épisode. Servaz en avait encore les jambes qui tremblaient.

— Il y avait un serpent par cage ? demanda-t-il.

Lang opina du chef.

— Personne n'a donc pensé à compter le nombre de cages et à recenser ces foutues bestioles ? cria-t-il beaucoup trop fort, conscient de l'hystérie dans sa voix. Lang, combien de serpents vous aviez là-dedans ?

L'écrivain le scruta.

— Treize, répondit-il. Taïpan, mamba noir, bongare annelé, krait bleu, cobra royal, cobra à lunettes, vipère heurtante, Bothrops asper, serpent brun, crotale du Texas, serpent-tigre, vipère de Russell et crotale cascabelle.

Servaz prit à part un brigadier.

— Vous avez entendu ? Retrouvez-moi Crocodile Dundee, voyez combien de serpents vous avez. Dépêchez-vous !

Le brigadier partit au pas de charge.

— Tous extrêmement venimeux, n'est-ce pas ?

— Oui. Tous… Le venin de ces serpents contient des neurotoxines qui s'attaquent au système nerveux. Nombre d'entre eux sont également hémotoxiques, c'est-à-dire qu'ils provoquent une coagulopathie, un dysfonctionnement dans la coagulation, et par suite des saignements par tous les orifices naturels. Pour vous donner un ordre de grandeur, le venin du mamba noir met entre vingt minutes et une heure à tuer un homme. Le venin du krait, quant à lui, est quinze fois plus puissant que celui du cobra, celui du taïpan du désert – le serpent qui vous a frôlé – est deux cents fois plus toxique que celui du crotale cascabelle et vingt-cinq fois plus que celui du cobra royal. Comme je vous l'ai dit, il s'agit du serpent le plus venimeux au monde. On dit que sa morsure contient assez de venin pour tuer cent hommes adultes et deux cent cinquante mille souris. On le trouve principalement dans les régions arides du centre-est de l'Australie. Bien entendu, son venin tue en quelques minutes.

Servaz devina qu'en d'autres circonstances Lang aurait pris plaisir à cette démonstration glaçante mais, cette nuit-là, il se contentait d'énumérer des faits qui avaient eu des conséquences pour le moins tragiques et son visage n'exprimait rien d'autre qu'un chagrin incommensurable et peut-être aussi une bonne dose de culpabilité.

— Certaines de vos bestioles ne relèvent-elles pas de la convention de Washington ? demanda-t-il.

L'écrivain lui jeta un regard prudent mais s'abstint de répondre. Servaz pivota en direction du coin salon.

— Venez. Allons par là. En espérant qu'on ne va pas faire une mauvaise rencontre.

— Ces bêtes sont craintives, insista Lang. On ne risque pas grand-chose.

— Vous croyez ? De toute évidence, ce n'était sans doute pas…

Il avait failli dire « l'avis de votre femme » mais s'interrompit à temps. Il vit néanmoins le visage du veuf s'affaisser.

— Désolé, ajouta-t-il. Asseyons-nous.

Lang prit place dans le canapé face à lui. Espérandieu les rejoignit et s'assit à côté de Servaz.

— Je ne comprends pas, murmura l'écrivain en secouant la tête. Ces animaux ne mordent que s'ils se sentent menacés…

Il avait l'air bouleversé. Servaz ne reconnaissait en rien l'homme arrogant, sûr de lui et provocateur qu'il avait rencontré par le passé. La douleur et la stupeur du romancier semblaient parfaitement sincères.

— Vous étiez mariés depuis combien de temps ?

— Cinq ans…

— Racontez-moi ce qui s'est passé.

— Je l'ai déjà dit à…

— Je sais, s'excusa Servaz d'un geste. Mais nous avons besoin de l'entendre de votre bouche.

Le regard de Lang passa de l'un à l'autre, puis s'arrêta sur Servaz.

— C'est vous deux qui menez l'enquête, alors ?

— Oui.

Lang hocha la tête, son regard s'attarda un peu trop longtemps sur Servaz, puis il recommença son récit du ton mécanique de celui qui a déjà raconté plusieurs fois. Il avait entendu un bruit – peut-être celui de la vitre cassée –, était descendu et avait été frappé par-derrière. Quand il s'était réveillé, il était d'abord remonté dans sa chambre pour voir si Amalia allait bien, mais elle n'était pas dans son lit. Il l'avait cherchée, jusqu'au moment où il avait vu que la porte des terrariums était ouverte…

— Elle était fermée, ordinairement ?

— Oui. Et verrouillée…

— Vous savez si on vous a volé quelque chose ? demanda Espérandieu.

— Je n'ai pas vérifié.

— Vous avez un système d'alarme ?

— Non. Pour quoi faire ? J'ai une arme.

— Quel genre d'arme ?

— Un vieil Astra à sept coups. J'ai un permis pour ça.

— Un coffre-fort ?

Il fit signe que oui.

— Dans la chambre, au fond d'un placard.

— Il y a quoi dedans ?

— Des bijoux à ma femme, de l'argent liquide, nos passeports, le pistolet…

— D'autres choses qu'on pourrait vous voler ?

— Des montres de luxe…

— Où ça ?

— Dans un tiroir de mon bureau…

— Ça ne vous ennuie pas d'aller vérifier ?

Lang se leva. Il revint au bout de trois minutes.

— Il n'a rien pris, leur dit-il en se rasseyant.

— Il. Qu'est-ce qui vous fait dire qu'il n'y avait qu'une seule personne ? releva Espérandieu.

— Aucune idée. Façon de parler.

— Monsieur Lang, je vais devoir vous poser certaines questions disons… personnelles…, commença Servaz.

Le visage de Lang s'assombrit, mâchoires serrées et sourcils froncés en une expression butée et inflexible, mais il acquiesça.

— Vous aimiez votre femme ?

Un éclair dans les yeux de l'écrivain.

— Comment osez-vous en douter ? asséna-t-il d'une voix sifflante.

— Vous aviez des ennemis ?

Il vit l'écrivain hésiter.

— Le mot est peut-être un peu fort, répondit celui-ci. Mais je reçois régulièrement des messages privés assez étranges sur ma page Facebook. La très grande majorité de mes lecteurs sont des gens normaux, qui savent faire la part des choses entre réalité et fiction, mais, au milieu, il y a toujours quelques individus pour qui cette différence n'existe pas – et, parmi ceux-là, un nombre encore plus restreint de gens qui n'aiment ni ce que je fais ni ce que je représente, et qui ne me veulent pas que du bien…

Servaz et Espérandieu se regardèrent.

— On peut les voir, ces messages ?

— Donnez-moi un quart d'heure, le temps de les retrouver et de les imprimer.

Servaz fit un signe affirmatif. Après une vingtaine de minutes, Lang revint avec une liasse de feuillets. Servaz s'en empara et y jeta un rapide coup d'œil : « *Lang, espèce d'ordure, tu n'es qu'un sale type et tu vas crever* », « *Hé, Lang : toi qui parle tout le temp de cadavre, t'aimeré en devenir un ?* » « *Lang, sale con, c'est toi qui as buté ces filles il y a vingt ans, tu es un homme mort.* » « *Lang, je ne plaisante pas, tu vas mourir.* » « *Lang, tu écris des trucs vraiment dégueulasses, les types comme toi ça devrait crever.* » Servaz les regardait, stupéfait. Il y en avait ainsi plus de deux pages. Il les passa à Vincent. Se tourna vers Erik Lang.

— Pourquoi vous n'avez pas averti la police ?

4

Mercredi

Matin

Lang haussa les épaules.

— Pour quoi faire ? C'est juste quelques timbrés planqués avec leurs fantasmes derrière leur ordinateur ou leur téléphone, et qui font une fixation sur mes livres… Comme l'a dit Freud, les mots faisaient primitivement partie de la magie et c'est pourquoi ils gardent beaucoup de leur puissance de jadis. Avec des mots, on peut rendre quelqu'un heureux ou très malheureux, entraîner et convaincre, les mots provoquent des émotions, tout écrivain le sait, et permettent aux hommes de s'influencer les uns les autres. C'est ce pouvoir des mots que ces individus cherchent à utiliser contre moi – ils n'ont pas l'intention de passer à l'acte…

— Capitaine, dit une voix.

Servaz tourna la tête. Plantée au milieu de la pièce, Fatiha Djellali lui faisait signe d'approcher. Il se leva et marcha jusqu'à la légiste, qui se pencha vers son oreille.

— Amalia Lang était nue sous sa robe de communiante et je crois qu'elle a eu un rapport sexuel peu de temps avant sa mort, déclara-t-elle.

Il revint lentement vers le coin salon, se rassit, contempla Lang.

— Votre femme, dit-il doucement. Elle portait une tenue de communiante sous sa robe de chambre, comme dans votre roman… Et elle est… *nue* en dessous. Vous avez eu un rapport sexuel avec votre épouse cette nuit ?

Lang resta silencieux un moment.

— C'était juste… un petit jeu entre nous. Un fantasme, si vous voulez…

— Après ce qui s'est passé en 93 ? releva Servaz, perplexe. Ça ne vous gênait pas ?

Il vit Lang tressaillir. Ses yeux s'étrécirent soudain tandis qu'il dévisageait le flic, une lueur dans le regard.

— Qu'est-ce que vous savez de 1993 ? demanda-t-il.

— L'affaire des Communiantes : je faisais partie de l'équipe qui vous a interrogé.

— *Vous* ?

Espérandieu et l'écrivain fixaient Servaz avec la même intensité à présent.

— Oui, *moi*…

Lang l'observa un instant avant de parler.

— Oui, je m'en souviens maintenant… Vous aviez les cheveux longs à l'époque, on aurait dit un étudiant… (Il marqua une pause.) Vous êtes le seul à avoir pris ma défense quand ce type m'a frappé…

Il y avait encore de la colère dans sa voix. Ainsi, il n'avait rien oublié… Et sa fureur demeurait intacte.

— Vous ne trouvez pas ça curieux ? dit Servaz. Vingt-cinq ans après, la même mise en scène ?

De nouveau, Lang tressaillit.

— Où voulez-vous en venir ? Je vous l'ai dit : ça n'a rien à voir. C'était un jeu entre nous. Un jeu *sexuel*, ajouta-t-il.

— Et ce… *jeu*… vous le jouiez souvent ?

— Très rarement… Si vous avez lu le roman, vous savez que, dans le livre, l'héroïne aime faire l'amour dans sa tenue de communiante, qu'elle a gardée au fond d'un placard, avec d'autres hommes que son mari, qui finit par la tuer dans cette tenue-là. Eh bien, ce fantasme, c'était le mien, en réalité… Ne me demandez pas pourquoi : ces choses-là ne s'expliquent pas. La sexualité est un continent inconnu, capitaine. Certains hommes aiment se déguiser en femme, certaines femmes aiment faire l'amour dans leur voiture, sur un parking ou sur une plage devant d'autres hommes. Mais quel rapport avec l'effraction et la mort de ma femme ? objecta-t-il. Ce sont… Ce sont mes serpents qui l'ont tuée, capitaine… N'allez pas chercher plus loin : si quelqu'un est responsable, c'est moi.

Tout dans ce visage exprimait une peine inconsolable. Soit Erik Lang méritait un oscar, soit il était sincère. Soudain, Servaz se souvint de la petite leçon de psychologie des profondeurs que l'écrivain leur avait administrée jadis, pendant sa garde à vue. Il baissa à nouveau les yeux sur les menaces de mort.

— Nous allons confisquer votre ordinateur, dit-il. Il nous faut aussi vos codes d'accès à Facebook. Vous êtes sur d'autres réseaux sociaux ? voulut-il savoir.

— Twitter, Instagram.

— Ces individus, ils se sont matérialisés ailleurs que sur Facebook ?
— Non.
— Pas de courrier dans votre boîte aux lettres ?
— Non.
— Jamais eu l'impression d'être suivi ?
— Non.
— Pas de coups de fil sans personne au bout ?
— Si. Évidemment. Comme tout le monde, avec ces foutues plates-formes téléphoniques.
— Pas de coups de fil au milieu de la nuit ? poursuivit Servaz en repensant à la vieille affaire.
— Non.
— Rien à signaler, donc ?
— Comme je l'ai dit, j'ai quelques fans un peu bizarres. Mais ça s'arrête là… La plupart de mes lecteurs sont des gens normaux, équilibrés. Dites, vous allez me mettre en garde à vue, cette fois ? ajouta Lang d'un ton acide. J'aimais ma femme, capitaine. Elle était ce que j'avais de plus cher au monde, de plus important. Je ne sais pas ce que je vais devenir sans elle, mais ce que je sais c'est que ce sont mes serpents qui l'ont tuée. Sans ces maudits reptiles, elle serait encore vivante.

Servaz soutint son regard. Il était noir, et la rage avait remplacé la douleur. Mais c'était une rage tournée contre lui-même.
— Qui vous dit que ce n'est pas le coup qu'elle a reçu ?

Comme en 93…, songea-t-il.
— J'ai entendu la femme brune, répliqua Lang. C'est bien elle, la légiste, n'est-ce pas ? Elle ne croit pas que le coup ait été mortel.

Servaz pensa à ce qu'avait dit le spécialiste.

— Vos serpents sont-ils assez agressifs pour mordre une personne inanimée qui ne représente aucun danger pour eux ? demanda-t-il.

Lang secoua la tête.

— Leur instinct serait plutôt de fuir. Si elle était inanimée, ils auraient dû la laisser tranquille et passer leur chemin. Au moins pour la plupart d'entre eux… Que l'un d'eux l'ait mordue, c'est plausible, si elle est tombée sur lui ou pas loin. Mais tant de morsures, c'est… c'est incompréhensible.

Servaz se remémora les paroles du spécialiste des serpents : *Je ne comprends pas toutes ces morsures.* Quelqu'un les avait-il forcés à mordre Amalia Lang ? Mais comment ? Et pourquoi ?

— Il y avait des serpents partout, poursuivit son mari. J'ai failli l'attraper par les pieds pour la tirer de là, mais elle ne respirait plus. Je lui ai fait… un massage cardiaque… Mais il n'y a rien eu à faire. Alors, j'ai verrouillé la porte de la pièce et j'ai appelé les secours.

Servaz imagina Erik Lang effectuant un massage cardiaque sur le corps de sa femme morte avec tous ces serpents venimeux grouillant autour de lui et il avala sa salive.

Ils ressortirent de la maison d'Erik Lang peu avant 8 heures. Dehors, il faisait grand jour. En émergeant dans la lumière, Servaz fit quelques pas, s'arrêta et inspira plusieurs fois l'air froid du matin puis il alluma une cigarette. La moitié des véhicules de police étaient repartis, l'autre continuait de lancer vers le ciel ses flashs tournoyants.

Son cerveau essayait d'analyser froidement ce à quoi il venait d'assister. Quelque chose était arrivé il y a bien longtemps, par une nuit semblable, et le passé venait de ressurgir sans prévenir – un passé qu'il avait tout fait pour oublier, qui avait même failli le détourner de sa vocation.

L'enquête de l'époque avait été foirée mais, en ce temps-là, il n'était qu'un sous-fifre. Aujourd'hui, en revanche, il était en première ligne : la façon dont cette enquête se déroulerait lui incombait. La pression, il pouvait la gérer. N'est-ce pas ce que nous faisons tous ? Mais ça, le passé et ses résurgences, il ne savait pas s'il en était capable. Il aurait peut-être dû demander à ce que son groupe soit dessaisi.

— C'est quoi cette histoire ? demanda Espérandieu en parvenant à sa hauteur. Tu m'expliques ?

— Devant un café, répondit-il en terminant sa clope.

Il remonta en voiture et ils roulèrent une dizaine de minutes avant de trouver un bar ouvert route de Narbonne. Servaz commanda un petit noir, Espérandieu un crème avec deux croissants. Autour d'eux, des étudiants ensommeillés parlaient à voix basse, comme s'ils avaient envie de retenir encore un peu la nuit passée avant d'attaquer une nouvelle journée d'amphis et de labos. Il résuma comme il put les événements de 1993. Vit les yeux de son adjoint s'agrandir. Servaz ne lui épargna rien, pas même la garde à vue de Lang.

— Bon Dieu ! s'exclama Espérandieu – et Servaz se fit la réflexion que Vincent avait eu quinze ans cette année-là : il ne savait probablement même pas qu'il entrerait un jour dans la police.

Certes, les bavures n'avaient pas disparu depuis – mais les auditions n'avaient plus grand-chose à voir avec les confrontations tendues, convulsives et violentes d'autrefois. Certains anciens le déploraient, qui estimaient qu'au moins les suspects se mettaient à table et que les voyous ne riaient pas au nez des flics en compagnie de leurs avocats. Aujourd'hui, seuls les criminels occasionnels, les amateurs passaient aux aveux… Servaz se souvint qu'en ce temps-là les tauliers attendaient d'eux qu'ils « fassent les beaux mecs » – les membres du grand banditisme – mais cette époque était depuis longtemps révolue : rien n'existait plus désormais que le chiffre, des saisies et encore des saisies… Peu importait qu'il s'agît de menu fretin, que les gros poissons restassent hors d'atteinte. Si demain il arrêtait l'ennemi public n° 1, cela lui vaudrait moins de félicitations que d'appréhender un comptable ayant détourné quelques milliers d'euros.

Son téléphone vibra. Il regarda le SMS qui s'affichait :

Gustav à l'école. A passé une bonne nuit. Il embrasse son papa. Moi aussi

Il ne put s'empêcher d'avoir l'estomac noué en lisant ce message. C'était l'effet que Charlène Espérandieu avait sur lui. Cette emprise purement physique mais impossible à ignorer, pas plus que l'héroïnomane ne peut ignorer le manque. Il fut un temps où ils s'étaient sentis attirés l'un par l'autre de manière presque irrésistible, et il savait que c'était toujours le cas, mais ils avaient choisi de ne pas l'évoquer et de s'éviter. Il sourit néanmoins, en pensant à son fils.

— Tu ne m'as jamais parlé de cette affaire, dit Vincent de l'autre côté de la table.

Il hésita.

— C'était ma première à Toulouse, se justifia-t-il, et je n'en suis pas particulièrement fier.

— Tu n'étais pas chef de groupe à l'époque. Tu ne peux pas t'en vouloir si ça a foiré.

— Non.

— Ce gamin qui s'est pendu, tu crois qu'il n'était pas coupable ?

Il haussa les épaules.

— J'en sais rien… Il y avait beaucoup de zones d'ombre.

Espérandieu afficha une moue dubitative.

— Si le vrai coupable a échappé à la justice, pourquoi recommencerait-il vingt-cinq ans après ? Et pourquoi s'en prendre directement à Erik Lang ?

Servaz tapota du bout du doigt sur la table.

— Je ne sais pas… mais, d'une manière ou d'une autre, tout est lié : le passé, le présent, Erik Lang, son roman, les victimes d'alors et son épouse aujourd'hui, toutes les trois retrouvées en tenue de communiante… Les connexions sont évidentes, mais il nous faut aller au-delà : voir ce que cachent toutes ces coïncidences – ce qui les *engendre*. Ce ou *celui*… N'oublions pas que le gamin a prétendu à l'époque qu'il y avait quelqu'un derrière lui, quelqu'un *d'impitoyable*.

— Tu y crois, toi, à la théorie du marionnettiste ?

— La question n'est pas là. On ne peut rien négliger. Quelque chose nous a échappé dans le passé, il nous a manqué une pièce – et c'est cette pièce qui est la clef de tout…

À 10 heures, ce matin-là, il réunit les membres du groupe d'enquête. Étaient présents Samira Cheung, Espérandieu et Guillard, un type chauve, malin, dans la quarantaine, avec des yeux bleus rieurs, qui venait de la brigade des jeux.

— Il y a des caméras de surveillance devant le golf-club, dit-il sans préambule. C'est la seule route pour accéder à la maison de Lang. Guillard, tu récupères les enregistrements de la nuit et tu les analyses. Tu vois si un véhicule est passé dans les heures ayant précédé l'effraction. Idem pour les nuits et les jours d'avant en remontant sur une semaine. Tu repères toutes les voitures qui ne se sont pas arrêtées au golf-club, tu relèves les immats et tu vois si elles correspondent aux résidents du secteur. Dans le cas contraire, on interrogera leurs propriétaires.

Guillard hocha la tête. Il avait perdu son air de lutin facétieux. Servaz se tourna ensuite vers Espérandieu et Samira.

— Dès que la légiste nous aura rendu la robe de communiante et la robe de chambre, je veux qu'on relève tous les ADN de contact. Des traces d'ADN et des empreintes dactylaires ont déjà été relevées sur les terrariums et dans la maison, on aura les résultats dans quelques jours. Samira, tu t'occupes des réseaux sociaux et des fans de Lang sur Internet, des forums, des blogs… Tout ce qui sort de l'ordinaire… Tout ce qui pourrait démontrer un intérêt dépassant la moyenne pour Erik Lang, sa vie, son œuvre…

La jeune Franco-Sino-Marocaine acquiesça, les pieds appuyés au bord de la table, sa chaise penchée en arrière. Ce jour-là, elle arborait un très long manteau noir avec une double rangée de boutons dorés style officier et une capuche, un pantalon en cuir slim, un tee-shirt égayé de l'Union Jack et des boots à revers de fausse fourrure panthère. Elle avait souligné ses yeux à l'aide d'un eye-liner, de crayon noir et d'un fard à paupières sombre, appliqué un rouge à lèvres pourpre qui faisait ressortir le piercing brillant au centre de sa lèvre inférieure. Elle avait aussi teint ses cheveux en violine. Une version gothique du Petit Chaperon rouge. Samira Cheung fascinait autant qu'elle repoussait. Mais elle ne laissait personne indifférent. En dehors du fait qu'il n'avait jamais vu un visage si laid associé à un corps si parfait, ce qui avait tout de suite attiré l'attention de Servaz, c'étaient ses qualités de flic, lesquelles n'avaient rien à envier à celles d'Espérandieu – les deux meilleurs éléments de la brigade.

— Chouette, commenta Samira, moi qui espérais respirer un peu l'air du dehors…

— Je n'ai pas fini, l'interrompit-il. Il se peut que cette affaire soit liée à une autre…

Cinq minutes plus tard, quand il eut terminé de résumer l'affaire des Communiantes, il avait obtenu une curiosité mêlée de stupeur et de perplexité. Tout le monde autour de la table était conscient que quelqu'un avait ouvert la boîte de Pandore. Le passé qui ressurgit et qui vient se mêler à l'enquête en cours, c'est le cauchemar de tout flic.

5

Mercredi. Jeudi

Paternité

À 14 h 30, ce même jour, Servaz fit son entrée dans la salle de l'Institut médico-légal où l'attendait le docteur Fatiha Djellali. Elle avait ramené sa sombre chevelure en un chignon serré et passait le tablier et la blouse de travail. Elle avait aussi pris le temps de se maquiller et d'appliquer un discret rouge à lèvres.

Elle le regarda approcher avec la même attention amicale qu'elle accordait toujours à chacun de ses interlocuteurs et lui serra la main avec chaleur. Puis elle alla décrocher une housse transparente suspendue à une patère dans un coin et dûment étiquetée.

— La robe de communiante et la robe de chambre, lui dit-elle. Je suppose que vous allez vouloir les analyser…

— Merci, dit-il en les déposant sur une table métallique inoccupée.

Il aperçut un gros livre consacré aux serpents venimeux sur la paillasse.

Ils s'avancèrent vers la table où attendait le corps et Fatiha Djellali retira le drap blanc. De nouveau, l'extrême maigreur d'Amalia Lang le frappa. Les os du bassin, les clavicules et les rotules semblaient vouloir percer la peau fine et pâle. Son visage avait désenflé et ses pommettes étaient aussi saillantes que tout le reste de son squelette. Servaz remarqua les nombreuses marques de morsure au visage, sur le cou et les jambes de la victime. Toutes avaient un dessin différent mais, en sus du double arc dessiné par la dentition du reptile, étaient présents les deux trous bien distincts des crochets à venin. Il n'était pas un spécialiste mais, encore une fois, il se demanda comment une proportion aussi importante des serpents avait pu mordre en même temps Amalia Lang. Il dénombra sept morsures. Sept sur treize… Pour des animaux prétendument craintifs, cela démontrait un bel acharnement…

— Amalia Lang, quarante-huit ans, épouse d'Erik Lang, commença la légiste.

Cette fois-ci, contrairement à celle de 1993, Servaz assista à l'autopsie jusqu'au bout. Il en avait collectionné un certain nombre depuis. La conclusion de Fatiha Djellali fut la même que sur la scène de crime : Amalia Lang était très vraisemblablement morte d'un choc anaphylactique dû à la grande quantité de venins inoculés – et à leur extrême toxicité. Insuffisance respiratoire et arrêt cardiaque. Il était peu probable que quelqu'un eût expérimenté auparavant ce que cela faisait d'être mordu à la fois par, entre autres, une vipère heurtante, un mamba noir, un cobra, un taïpan et un krait, et la légiste estimait que le décès de la victime n'avait pas dû prendre plus de quelques minutes. Le Dr Djellali avait réalisé des clichés de chaque morsure et elle allait les envoyer à quelques-uns des herpétologues les plus réputés de la planète. Elle ne doutait pas que le sujet les intéresserait.

À part ça, Amalia Lang avait bien eu un rapport sexuel peu de temps avant sa mort (ce qui confirmait les propos de son mari) et son extrême maigreur pouvait être due soit à une diète sévère soit à une maladie (ils devaient à tout prix rencontrer son médecin traitant et interroger Lang à ce sujet), car son estomac était d'une taille anormalement réduite.

— Bien entendu, les analyses en cours confirmeront ou infirmeront ces différentes hypothèses, conclut le Dr Djellali avec un sourire prudent.

En sortant de l'Institut médico-légal, Servaz fila récupérer son fils à la sortie de l'école. Mal à l'aise au milieu des mères et des pères de famille venus accueillir leur progéniture dans la lumière déclinante, il attendit Gustav, puis le garçon jaillit du bâtiment comme une tornade, freina des quatre fers, le chercha des yeux et lui fonça dessus tel un missile à guidage laser. Servaz eut un petit rire nerveux.

— Ojourduijéaprilémocomanssanparca ! lui lança Gustav.

— Hein ? Quoi ? s'exclama-t-il en ébouriffant les cheveux blonds de son fils.

— Les mots commençant par CA, répéta patiemment celui-ci comme s'il avait affaire à un demeuré. Cactus, cadeau, café, camion, canard, caravane, énuméra le garçon avec fierté.

— Cabinet, caca, ajouta son père faussement sérieux.

— Oh ! s'insurgea Gustav en riant.

Cadavre, captive, calculateur, pensa-t-il. *Calvaire, cancer, cage, casier, carboniser, cave, cavale, cauchemar…* Il serra son fils contre lui et emplit ses poumons de l'odeur de ses cheveux. À quarante-neuf ans, il se retrouvait père pour la deuxième fois, mais, cette fois-ci, il n'y avait personne à côté de lui pour l'aider à assumer cette paternité. *Tu ne peux plus faire comme avant. Tu n'es plus tout seul à présent. Quelqu'un dépend de toi, quelqu'un de fragile, de vulnérable… Ce petit homme a autant besoin de toi que tu as besoin de lui. Alors, pas de risque inutile, mon vieux, tu m'entends ?*

Il entraîna son enfant vers la voiture, referma la portière sur lui après avoir bouclé sa ceinture. En faisant le tour du véhicule, il se demanda quand est-ce que son fils se déciderait à l'appeler « papa ».

Il contacta Margot sur Skype ce soir-là. Sa fille apparut sur l'écran, son bébé dans les bras. Servaz ne s'était toujours pas habitué à ces technologies qui permettaient de relier Toulouse à Montréal et d'entrer dans l'intimité de chaque foyer, qui rapetissaient le monde au point de lui ôter une bonne partie de sa magie. Il y voyait un progrès mais aussi un terrible danger – celui d'un monde sans murs, sans portes, sans recoins où se cacher, sans possibilités de penser à l'abri du bruit et des injonctions. Un monde livré à l'instantanéité, au jugement des autres, à la pensée unique et à la délation, où le moindre geste s'écartant de la norme vous vaudrait d'être suspect et par suite accusé, où la rumeur et les préjugés remplaceraient la justice et la preuve, un monde sans liberté, sans compassion, sans compréhension.

Il bavarda un moment avec Margot, qui avait l'air en pleine forme, les cheveux teints en roux, les pommettes rougies comme si elle rentrait du dehors, ce qui était peut-être le cas : il apercevait de la neige par la fenêtre derrière elle et les joues de son petit-fils, Martin-Elias, qui babillait dans ses bras et qui portait encore son bonnet de laine, ressemblaient à deux pommes red delicious.

— Tu vas bien, papa ? lui dit-elle.

À vingt-sept ans, Margot avait pris un long congé pour élever son fils et cela semblait lui réussir. Il y avait une lumière dans son regard et ses anciens démons paraissaient loin.

— Tu veux parler à Gustav ? dit-il.

Il les laissa entre eux – *demi-frère, demi-sœur*, songea-t-il ; il ne parvenait pas à s'y habituer – puis revint en ligne. Il avait entendu Gustav rire à plusieurs reprises.

— Il a l'air bien, lui dit-elle quand Gustav se fut éloigné.

— Il fait encore des cauchemars, répondit-il en essayant de maîtriser l'angoisse dans sa voix.

— C'est normal, papa. Mais moins qu'avant, n'est-ce pas ?

— Oui, beaucoup moins.

— Il… Il réclame son… *père* ?

— Ce n'est pas son père.

— Tu sais bien ce que je veux dire.

— De moins en moins. Ça fait un mois maintenant qu'il ne l'a pas fait.

— Et il rit beaucoup plus…

C'était vrai. Au début, Gustav ne riait pas. Il était presque muet, apathique, indifférent quand il ne piquait pas des crises en réclamant son « autre » père. Plus aujourd'hui… En quelques mois, il avait fait d'énormes progrès. Gustav voyait également une psychiatre. Petit à petit, avec l'accord de la praticienne, ils étaient passés de deux consultations par semaine à une seule, puis tous les quinze jours.

— Laisse-lui le temps, conclut sa fille.

Il était près de 1 heure du matin quand le bruit le tira de son sommeil. Un seul cri. Étouffé. À la fois lointain et proche. Puis plus rien. Ses sens furent tout de suite en alerte : il avait reconnu la voix de Gustav… Il repoussa la couette, le cœur battant. Écouta. Mais l'appartement comme le reste de l'immeuble étaient parfaitement silencieux.

Pourtant, il était sûr d'avoir entendu quelque chose. Il alluma la lampe de chevet, s'assit puis se leva. Sa chambre de neuf mètres carrés ne comportait qu'un lit, un placard, une chaise et une commode. Des meubles Ikea pour une pièce où il ne faisait que dormir. Il s'avança vers la porte, il la laissait ouverte en permanence. La grisaille brumeuse provenant du salon baignait le couloir, la porte de Gustav était la première sur la droite. Dans la semi-obscurité, elle ne se distinguait pas du mur noir, mais il en connaissait l'emplacement exact. Il prêta l'oreille. Rien… Alors pourquoi un étau enserrait-il sa poitrine ?

Il fit un pas de plus. Referma sa main sur la poignée. Tourna et poussa le battant. Aussitôt, il éprouva une sensation de froid. Dans la clarté de la veilleuse, Gustav était assis à la tête du lit, les yeux grands ouverts. C'était ça qu'il avait entendu : son fils avait encore fait un cauchemar.

Le garçon n'avait même pas remarqué que la porte s'était ouverte, il fixait l'autre côté de la chambre, droit devant lui. Servaz voulut s'avancer, mais, instinctivement, quelque chose le retint. L'impression soudaine d'une autre présence dans la pièce – une présence malveillante, sournoise –, et le froid qu'il avait ressenti le pénétra jusqu'à la moelle. Il tourna la tête vers la gauche. Lentement. *Très* lentement… Comme s'il répugnait à le faire, comme s'il appréhendait ce qu'il allait découvrir.

— Tu as l'air d'avoir froid, Martin. Tu trembles, dit Julian Hirtmann[1] posément.

Incapable de détacher son regard de la haute silhouette debout au pied du lit, il retint sa respiration. La silhouette se découpait sur la clarté grise de la fenêtre. Servaz ne distinguait pas nettement les traits du visage plongé dans l'ombre, mais il devinait les yeux brillants comme des gemmes et le sourire aussi mince qu'une blessure. Figé, irréel. Sinistre. Il n'aima pas la façon dont Hirtmann regardait son fils. Non plus que celle dont son propre cœur, recouvert d'une pellicule de glace, pompait son sang et l'envoyait dans toutes les parties de son corps. Il eut envie de parler mais en fut incapable, les sons bloqués dans sa gorge. Il sentit monter en lui un haut-le-cœur.

Et puis, tout à coup, il perçut autre chose : une seconde présence, sur sa droite… Tout son esprit accaparé par celle d'Hirtmann, il ne l'avait pas remarquée jusqu'à présent – mais il y avait eu comme un infime déplacement d'air.

Sans dire un mot, rigoureusement immobile en dehors de son cou, il pivota lentement dans cette

1. Voir *Glacé*, *Le Cercle* et *Nuit*, XO éditions et Pocket.

direction. Vers l'espace compris entre la table de chevet où brillait la veilleuse, le mur et la porte. Elle était là : *Marianne*… Prostrée dans une attitude aussi étrange qu'incompréhensible. Au lieu de regarder son fils – *leur* fils – elle lui tournait le dos et fixait le mur à quelques centimètres seulement de son visage, son front incliné touchant presque la cloison. Dans la pénombre, il ne voyait que son profil. Rigide, fermé, hostile. Pourquoi faisait-elle ça ? Pourquoi tournait-elle le dos à Gustav et refusait-elle de le regarder ?

Regarde-le ! C'est ton fils !

Il reporta son attention sur celui-ci et son malaise s'accrut. Ce qu'il lisait dans les yeux écarquillés de l'enfant, c'était de la terreur. Gustav avait peur… *Peur de ces deux-là.* Aussitôt, il sentit la révolte en lui, la colère ; son instinct paternel reprit le dessus et il bougea. Il se rua vers le lit. Gustav avait ses jambes repliées, ses genoux collés à sa poitrine, et Servaz devina que ce n'étaient pas ces deux-là qui le terrifiaient – *mais ce qu'il y avait dans le lit.*

Le cœur cognant, il arracha la couette et se figea. Des dizaines de serpents – noirs, gris, rayés –, tous longs et luisants comme des cordages sur le pont d'un navire, se tortillaient entre le drap et la couette. À quelques centimètres des pieds de Gustav. Il hurla.

Et se réveilla.

Il était en nage. Son cœur continuait de battre comme il l'avait fait dans son rêve et il s'assit dans le lit en s'efforçant de respirer plus calmement. Comme souvent, ce rêve avait eu l'air suffisamment réel pour que le malaise qu'il avait instillé tardât à se dissiper.

Il se leva et marcha jusqu'à la chambre du gosse, poussa la porte. Gustav dormait, pouce dans la bouche, ses cils blonds frémissant. Servaz alla ensuite jusqu'à la salle de bains et fouilla dans l'armoire à pharmacie : la douleur dans ses molaires était revenue. Il se rendit ensuite dans son bureau, alluma l'ordinateur portable, fila dans la cuisine plonger un sachet de thé dans de l'eau chaude, avala l'antidouleur avec le thé et revint à sa table de travail.

Il ne retrouverait pas le sommeil cette nuit.

Il était 1 h 13 du matin et la petite route de campagne défilait dans la lueur des phares. Le clair de lune baignait le paysage et des écharpes de brume traînaient dans les combes, aussi immatérielles que des songes. Le ciel gris foncé découpait les bosquets et les bois comme si des géants s'étaient tenus en rangs serrés au sommet des collines. Des barrières indiquaient la présence de fermes ou de centres équestres. De temps à autre, une chapelle glissait au bord de la route et retournait à l'obscurité.

Il conduisait tranquillement mais vite. Anticipant chaque virage, chaque carrefour. À cette heure, il marquait à peine les stops. Il avait baissé la vitre et la fraîcheur tonique de la nuit caressait sa joue. Il avait allumé la radio ; en sourdine, les animateurs d'un programme nocturne lui tenaient compagnie. Il adorait ces trajets dans les ténèbres bercés par des voix inconnues parlant plus doucement qu'elles ne l'auraient fait en plein jour. Il avait remarqué qu'elles disaient un peu moins d'inepties que celles de leurs collègues diurnes. Peut-être parce que la nuit appelait davantage à la réflexion, mais aussi à la dissimulation et au secret…

Il n'avait pas franchi le péage de Toulouse-Est sur l'A68 et quitté l'autoroute depuis plus de vingt minutes, et pourtant la région qu'il traversait lui semblait surgir d'une époque aussi lointaine que le dernier âge glaciaire – une époque où il n'y avait ni antennes relais pour téléphones portables, ni zones industrielles, ni lotissements poussant comme des champignons, ni galaxies lumineuses d'éclairages urbains. La nuit encore plus que le jour, deux mondes se côtoyaient – qui n'avaient en commun que les routes qui les reliaient.

Il fumait dans la voiture et il jeta sa cigarette par la vitre ouverte en approchant de son but : une aire de stationnement en terre battue dans la forêt, après une courbe. Au bord d'une rivière dont le méandre épousait la forme du virage. La DS4 rouge à toit blanc était déjà là. *Pas vraiment discret comme véhicule quand on cherche la clandestinité*, se dit-il en se garant à côté.

Il coupa le moteur.

Entendit le chant de la rivière dans l'obscurité. Sentit l'excitation monter. L'excitation de la voir, d'être près d'elle, de la toucher… Elle avait un corps affolant et des appétits qui ne l'étaient pas moins. Elle était plus grande que lui et ça aussi ça l'excitait. Tout comme ses cuisses fuselées et un peu trop musclées, qu'elle aimait offrir au regard en toutes circonstances. Ce tatouage près de son pubis. Ce piercing à son nombril. Et cet autre beaucoup plus confidentiel. Et son sexe aux lèvres minuscules.

Il sentit qu'il était sur le point de bander et respira un bon coup. C'était l'effet de la nuit, des bois, de la conduite en voiture et de la présence de Zoé dans cet endroit désert. Mais il n'avait pas le droit. Pas cette nuit. Ni les suivantes. *Ni jamais*… C'était fini pour lui. Il ouvrit la portière et descendit, écrasé de tristesse.

Marcha jusqu'à la DS4 en broyant les petits cailloux sous ses semelles. Tira à lui la portière passager et s'assit. Elle le regarda et l'embrassa. Un baiser rapide, sans enthousiasme, qu'il écourta. D'ordinaire, il aurait glissé une main entre ses cuisses, mais il n'avait pas le cœur à ça. Ni elle.

— C'est affreux ce qui s'est passé, dit-elle. Je suis désolée, Erik. Vraiment désolée. Je ne sais pas quoi dire…

Il hocha la tête, resta silencieux un moment.

— C'est à cause de ça que je suis ici, articula-t-il. On doit cesser de se voir, Zoé… pendant quelque temps…

À 8 h 45, le lendemain, Servaz jaillit de l'ascenseur et gagna son bureau. Il n'avait quasiment pas fermé l'œil et, comme souvent en pareil cas, il se sentait étonnamment en forme, l'esprit affûté et le corps léger, l'adrénaline courant joyeusement dans ses veines d'insomniaque. Le contrecoup de la fatigue viendrait plus tard.

Il remplit d'eau et de café moulu la cafetière au sommet du classeur métallique, mit en route l'ordinateur et s'apprêtait à entrer dans le LRPPN – le logiciel de rédaction des procédures de la police nationale : l'ennemi absolu des policiers de terrain, aussi pratique qu'un bazooka dans les mains d'un sniper – quand son téléphone fixe sonna sur le bureau.

— Servaz, dit-il.

— J'ai un maître Olivier, notaire, qui demande à vous parler, dit le type au standard.

Servaz fouilla dans sa mémoire mais sans parvenir à en extraire le moindre Olivier.

— Passez-le-moi.

— Bonjour, monsieur Servaz, dit une voix aussi cérémonieuse que celle d'un maître d'hôtel après deux sonneries. Désolé de vous déranger. Ici maître Olivier, notaire à Auch. Vous avez cinq minutes à me consacrer ?

— C'est à quel sujet ? voulut-il savoir.

Il n'avait jamais entendu parler de cette étude.

— Au sujet de l'héritage de votre père, répondit le notaire d'un ton égal.

Il sursauta. Son père ? Il y avait bien longtemps que l'héritage de son père était derrière lui… Près de trente ans, en réalité.

— J'ai pris la succession de maître Saulnier, qui profite d'une retraite bien méritée après quarante ans de bons et loyaux services, expliqua son interlocuteur. Un saint homme, maître Saulnier, un notaire à l'ancienne, quelle perte…, ajouta-t-il, comme si le bonhomme était cané. Mais, enfin, quel désordre aussi dans ses affaires… Bref, on a trouvé des cartons, si vous voyez ce que je veux dire.

Servaz ne voyait pas.

— Il semble que maître Saulnier ait été quelque peu négligent quant à sa façon de gérer les dossiers dont il avait la charge. Parmi les documents que nous avons exhumés, il y a une enveloppe à votre nom, scellée. Où est-ce qu'on peut vous l'envoyer ?

Son front se plissa.

— Une enveloppe à mon nom ?

— Votre prénom plutôt. Dessus, il est écrit « Martin ». L'encre en est un peu effacée mais enfin c'est assez net. Sur le carton dans lequel on l'a trouvée, il était écrit « Servaz ». Rien d'autre à l'intérieur que cette enveloppe oubliée tout au fond. Très romanesque, n'est-ce pas, le coup de la lettre oubliée ? Il n'a pas fallu longtemps pour retrouver votre nom dans nos fichiers : *Martin Servaz*. C'est bien vous ?

— Oui… Mais ça fait presque trente ans… Comment vous avez réussi à me localiser ?

— Grand Dieu, ce n'est pas un nom très courant dans la région, si vous me permettez. Alors, je me suis dit que ce Martin Servaz-là était sans doute le même que le policier dont ont tant parlé les journaux. Et, ni une ni deux, j'ai tenté ma chance en joignant le SRPJ. Bingo. Vous voyez : on ne fait pas les choses à moitié dans notre étude. Bon, il nous faudrait une adresse…

L'espace d'un instant, il se demanda s'il n'avait pas affaire à un usurpateur ou à un fou.

— Je vais vous rappeler, dit-il. Ensuite, je vous la donnerai.

Un soupir à l'autre bout.

— Très bien. Comme vous voudrez.

Il tapa « maître Olivier Auch » dans Google, composa le numéro.

— Office notarial Asselin et Olivier.

— Maître Olivier, s'il vous plaît. De la part de Martin Servaz.

— Alors, cette adresse ? dit la même voix amusée et cérémonieuse trois secondes plus tard.

Il la lui donna, remercia et raccrocha. Leva la tête. Samira Cheung se tenait sur le seuil. Elle tripotait nerveusement le piercing à sa lèvre inférieure, l'épaule gauche appuyée contre le chambranle.

— Venez voir, patron, déclara-t-elle.

Son ton lui mit la puce à l'oreille. Il la dévisagea. Il connaissait ce regard.

— Le mieux, c'est que je vous montre, ajouta-t-elle.

Il oublia aussitôt maître Olivier, notaire, et l'enveloppe à son nom. Se leva. Samira fit volte-face et il la suivit. Sous le calme apparent, il avait perçu la tension qui l'habitait. Et cette tension était contagieuse. Il le sentit venir : l'irrésistible coup de fouet. L'excitation et la curiosité mêlées. La soif de connaître.

De la dope à poulets…

6

Jeudi

Jardin

Ils entrèrent dans la pièce qu'elle partageait avec Espérandieu. Le siège de Vincent était vide. Ils contournèrent le bureau de Samira qui s'assit devant son ordinateur, Servaz se pencha par-dessus son épaule et fixa l'écran.

Une page Facebook.

Il reconnut tout de suite le bandeau en haut de la page : une partie de la photo de couverture de *La Communiante*. Il y avait aussi le portrait d'un homme dans le coin à gauche. Des cheveux blancs ébouriffés, comme un nuage de barbe à papa autour d'un front large et haut, des yeux bleu pâle un brin saillants, un sourire timide. Le type devait avoir dans les cinquante ans et pourtant il gardait une apparence juvénile, presque adolescente dans ses traits.

Le nom était écrit à côté : Rémy Mandel.

Il lut un ou deux posts. Des commentaires de lectures dont Servaz n'aurait su dire s'il s'agissait de romans d'Erik Lang.

— OK. On a affaire à un fan. Quoi d'autre ?

— Ça, dit Samira en cliquant sur la galerie de photos.

Elle les fit défiler. Les premières montraient ce que Rémy Mandel avait mangé au restaurant, ce qu'il avait bu dans un bar et aussi un chat tellement laid que la photo semblait truquée. Apparurent ensuite des couvertures de livres. Toutes appartenaient à des romans d'Erik Lang. Puis, Lang lui-même, en veste de velours tabac, chemise blanche et pochette, une paire de lunettes sur le nez, signant des livres en souriant devant une file de lecteurs. Ils passèrent aux photos suivantes. Lang serrant des paluches, recevant des récompenses, parlant dans des micros, posant au milieu d'autres lecteurs tout sourire. L'attention de Servaz s'accrut. M. Lang en compagnie de M. Barbe à papa cette fois. Rémy Mandel était grand. Très grand. Il dépassait l'écrivain d'une bonne tête. Il avait posé sa main sur l'épaule opposée de Lang et son pouce dressé frôlait négligemment le cou de celui-ci, juste en dessous de l'oreille, comme s'il avait envie de le caresser. Un geste amoureux, sans l'ombre d'un doute. Tous deux souriaient à l'objectif – Lang professionnel, Mandel quasi extatique.

Servaz attendit la suite. Le cliché d'après montrait la maison de Lang. Il avait été pris entre les mailles du grillage, exactement à l'endroit – entre le pilier droit et la haie – où il s'était lui-même penché. Cela démontrait à tout le moins un intérêt flirtant avec l'immixtion dans la vie privée et il sentit une démangeaison dans sa nuque. Samira avança. Cette fois, il sursauta. La maison de Lang de nouveau… *de nuit*… Mais, surtout, cette photo avait été prise *de beaucoup plus près*.

Bon Dieu ! Il était entré !

Le dernier cliché de la série représentait la bâtisse éteinte et sombre projetant son ombre inquiétante sur le jardin, dans le clair de lune. Servaz se remémora la disposition des lieux et acquit la certitude que Rémy Mandel n'avait pas pu la prendre en zoomant à travers le grillage. *Il s'était trouvé à quelques mètres de la maison – pendant que ses occupants dormaient…*

— Elles datent d'environ cinq mois, dit Samira, rompant le silence qui s'était installé. Toute cette série a été prise en même temps.

— La nuit où il est entré par effraction dans le jardin donc, commenta Servaz.

— Reste à savoir s'il est revenu depuis.

Il y a deux nuits, voulait-elle dire, mais elle ne le formula pas si ouvertement, peut-être par une sorte de superstition, de prudence élémentaire. Un flic expérimenté connaissait la différence entre les fausses évidences, son envie de sauter aux conclusions et la réalité des faits. Cependant, cette prudence disait aussi autre chose : *et si… ?* Ils échangèrent un regard qui exprimait cette même incertitude mêlée d'espoir.

— Il faut se renseigner…, commença-t-il, quand il entendit le téléphone sonner dans son bureau. Montre ça à Vincent, dit-il en sortant. Je reviens !

Il passa dans la pièce voisine et décrocha.

— Servaz…

— Commandant, j'ai découvert quelque chose, dit la voix de Lang au bout du fil.

— Comment avez-vous eu ma ligne directe ?

Un silence.

— J'ai quelques relations dans cette ville, vous savez.

Il se laissa tomber dans son fauteuil.

— Je vous écoute.

— On m'a bien volé un objet…

Servaz se redressa sur son siège.

— Le manuscrit de mon dernier roman.

— Expliquez-vous…

— Il se trouvait sur ma table de travail dans mon bureau, près de mon ordinateur. Environ deux cents pages sur les quatre cents prévues. Imprimées. Bien sûr, j'ai plusieurs sauvegardes, mais la version papier a disparu.

— Vous en êtes sûr ?

— Absolument. J'imprime les dernières pages chaque soir et je les pose au même endroit pour les relire le lendemain matin. C'est le premier truc que je fais en prenant mon café. Un échauffement en somme, comme un athlète…

Servaz réfléchit. Son cerveau additionnait deux et deux pour en faire quatre : impossible de ne pas établir de lien entre ce vol et la présence de Mandel – fan intrusif – dans le jardin des Lang quelques mois plus tôt… Se pouvait-il qu'elle fût là, l'explication ? Un vol – mais dû à une tout autre forme d'avidité ? Un vol qui avait mal tourné.

— Vous vous en êtes aperçu quand ? demanda-t-il.

— Ce matin, en m'asseyant à ma table de travail.

— Pourquoi pas hier ?

— Vous êtes sérieux ? Vous pensez vraiment que j'avais l'esprit à écrire hier ?

— Désolé, il fallait que je pose la question, dit-il, confus.

Il remercia et raccrocha. Chercha le numéro du parquet. Il songea à deux fans assassinées il y a vingt-cinq ans et voilà qu'un autre fan surgissait et croisait la route d'Erik Lang. D'après les photos, il avait dans les cinquante ans. Par conséquent, à peu près le même âge que lui et quelques années de plus qu'Ambre et Alice… Que faisait Rémy Mandel il y a vingt-cinq ans ?

7

Jeudi

Fan

— T'es sûr que c'est ici ?

— C'est l'adresse que nous ont refilée les impôts, répondit Vincent.

Servaz leva la tête et considéra les fenêtres condamnées par des planches, la façade en encorbellement, couverte de tags et de graffitis, et les grandes traces de rouille et d'humidité qui faisaient penser à du rimmel ayant coulé sur un visage.

— Personne ne vit ici, dit-il en attrapant la vieille porte en bois vermoulu qui donnait sur la très étroite rue des Gestes, un boyau en plein cœur du vieux Toulouse, à un jet de pierre de la place du Capitole et de la rue de Rome.

À sa grande surprise, le battant s'ouvrit avec un gémissement plaintif. Il recula d'un pas – il y avait à peine la place pour le passage de deux hommes de front dans cette partie de la ruelle : eût-il fait deux pas en arrière au lieu d'un qu'il se serait cogné à la façade derrière lui – et ils se tordirent le cou pour apercevoir les dernières fenêtres tout là-haut.

— On dirait que c'est encore habité sous les toits, fit remarquer Espérandieu, la nuque cassée. Les volets sont ouverts.

Ils entrèrent dans un couloir vétuste et sombre qui empestait le moisi.

— Cette serrure est neuve, dit Servaz en montrant la porte qu'ils venaient de franchir. Il y a des merdes de souris dans les coins mais pas de gobelets ni de canettes : quelqu'un doit la fermer la nuit.

— Et il y a un nom sur une des boîtes aux lettres, commenta Espérandieu.

Servaz inspecta la rangée de boîtes peintes en vert. Toutes les étiquettes avaient été arrachées sauf une : MANDEL. Écrit à l'encre bleue. Il souleva le rabat : des prospectus à l'intérieur. Ils se regardèrent. Observèrent l'escalier en bois, tout aussi branlant que le reste de la bâtisse.

— M'étonnerait qu'on trouve un ascenseur, dit son adjoint.

Chaque marche gémissait et la rampe de fer remuait tellement qu'ils prirent grand soin de ne pas s'appuyer dessus. Parvenu au dernier palier sous les toits, Servaz examina l'unique porte. Une serrure et un verrou. Pas d'œilleton ni de sonnette. Il colla son oreille au battant. Entendit le bourdonnement d'une télé en sourdine. Consulta sa montre. 10 h 43. Il cogna.

Des pas de l'autre côté. On baissa le volume de la télé puis on tira le verrou hors de sa gâche, le battant s'entrouvrit. Deux grands yeux étonnés et mobiles.

— Oui ?

— Rémy Mandel ?

— Euh…

— On peut entrer ? dit Servaz en élevant sa carte devant l'ouverture.

Mandel cherchait visiblement une réponse qui lui aurait permis de les laisser sur le palier, n'en trouva pas et s'écarta à contrecœur. Servaz franchit le seuil et il pinça aussitôt les narines quand des relents d'urine de matou, de moisissure, de sueur vinaigrée et une demi-douzaine d'autres effluves, dont certains difficiles à identifier, les chatouillèrent. Le résultat n'était pas si éloigné de la puanteur d'une poubelle qu'on ouvre après y avoir laissé macérer pendant quelques jours fruits, légumes, restes de nourriture, viande et poisson. Servaz vit les rideaux verts tirés sur les fenêtres, la pénombre verte, le désordre. Le fan d'Erik Lang était grand – pas loin de deux mètres – et Servaz leva son regard vers le géant.

— Vous savez pourquoi on est là ?

Les épaules voûtées, Mandel fit non de la tête. Il émanait de lui une très curieuse impression : l'homme qu'ils avaient devant eux évoquait un enfant grandi trop vite et prématurément vieilli. Comme sur la photo aperçue sur Facebook, sa chevelure blanche et laineuse ressemblait à un nuage de barbe à papa autour de son haut front bombé, la peau de ses joues était laiteuse, piquée de courts poils blancs semblables à des piquants ou à des cure-dents plantés dans de la pâte à modeler, sa petite bouche rouge comme un fruit.

— Un fan comme vous est au courant, j'imagine, de ce qui est arrivé à Erik Lang ?

Mandel passa un bout de langue rose sur ses lèvres gercées. Ses yeux profondément enfoncés dans leurs orbites roulant nerveusement entre des paupières bistre, il hocha la tête. Il n'avait toujours pas prononcé un mot.

— Vous êtes muet, monsieur Mandel ?

Le grand fan s'éclaircit la gorge.

— Hmm… Non…

— Non, vous n'êtes pas au courant ?

— Hmmm… si, je suis au courant et… hmm… non, je ne suis pas… muet.

Un futon occupait une partie de la pièce, une kitchenette l'autre. Sous le plafond en pente qui s'écaillait, Servaz avisa des bouteilles de bière Hoegaarden vides et des piles d'assiettes sales sur le comptoir de la cuisine, des tapis dépareillés qui se chevauchaient au sol et des tas de vêtements chiffonnés et de magazines sur le futon. Mandel semblait dormir sans même débarrasser sa couche du bazar qui l'ensevelissait. La lueur d'une télé branchée sur une chaîne d'information faisait vibrer la pénombre, les échanges entre les journalistes formant un bourdonnement quasi infrasonore. Le policier sentit quelque chose se frotter contre ses jambes et il baissa les yeux. Le chat laid aperçu sur Facebook. Tigré de roux, de blanc et de noir, mais doté d'un pelage plein de trous pareil à une moquette défraîchie, le museau aplati comme celui d'un boxeur, un œil fermé, l'autre recouvert d'un voile translucide, l'animal se mit à ronronner contre lui tel un moteur deux temps, et Servaz ne put s'empêcher de trouver sa laideur singulièrement attachante.

Quand il releva la tête, le chat toujours dans ses jambes, il surprit le regard de Mandel posé sur lui.

— Mais… hmm… comment vous savez que je suis fan d'Erik Lang ?

Servaz le fixa.

— Pourquoi ? Vous ne l'êtes pas ?

— Si, mais…

— C'est pour ça que nous sommes ici, Rémy, répondit-il, et il vit Rémy Mandel blêmir.

On eût dit que le même voile qui recouvrait l'unique œil de son chat était passé sur son regard.

— *Martin*, dit Vincent, qui s'était avancé jusqu'à un placard encastré dans le mur, entre la kitchenette et le futon, et l'avait ouvert pendant qu'ils parlaient.

— Ne touchez pas à ça ! cria Mandel.

— Du calme, Rémy, articula Servaz en fixant la robe de communiante punaisée au fond du placard, au-dessus de ce qui évoquait fortement un autel constitué d'une bibliothèque basse surmontée de deux grandes chandelles fichées dans des porte-bougies et de photos dans des cadres.

Il s'avança à son tour vers le placard-autel, Mandel sur ses talons. Les photos encadrées le représentaient en compagnie de Lang, les deux hommes se serrant la main dans des salons du livre, des festivals et des librairies. Au fil des ans, ils vieillissaient ensemble mais, alors que c'était l'écrivain le plus ancien, c'était le fan qui semblait vieillir le plus vite. On devinait une certaine familiarité entre eux – celle d'un auteur habitué à retrouver chaque année son plus vieux fan et lui étant reconnaissant de cette fidélité. Servaz se fit la réflexion qu'avec leurs livres les écrivains entraient dans l'intimité de chaque foyer. Pour certains lecteurs, ils tenaient même lieu, à leur insu, de membre supplétif de la famille, d'oncle d'Amérique, d'ami de longue date qui, si la carrière de l'écrivain se prolongeait sur plusieurs décennies, finissait par faire partie intégrante de leur vie. Il y avait aussi plusieurs coupures de presse punaisées au mur, autour de la robe. Toutes jaunies et craquelées. L'une d'entre elles en particulier attira son attention, car, à l'époque, il l'avait lue et relue : « AFFAIRE DES COMMUNIANTES : ERIK LANG LAVÉ DE TOUT SOUPÇON ». Un article paru en 1993 dans *La Dépêche*.

Servaz contempla la robe blanche. Une croix de bois pendait par-dessus, son cordon de cuir passé sur un gros clou. Depuis combien de temps Mandel avait-il ce reliquaire dans sa turne ?

— Vous vivez ici depuis longtemps ?

Mandel lui lança un coup d'œil méfiant.

— Depuis tout petit. Mes parents ont vécu là, puis ma mère quand mon père est mort, et aujourd'hui c'est mon tour…

— On dirait bien que vous êtes le dernier occupant de cet immeuble.

Les yeux du fan cillèrent.

— Le propriétaire l'a vendu à des investisseurs qui veulent en faire un hôtel de luxe – à cause de la situation – il y a deux ans. On a tous reçu notre congé et tout le monde est parti. Tout le monde sauf moi. J'ai toujours vécu ici, j'ai toujours payé mon loyer, comme mes parents avant moi. Mais l'affaire est passée au tribunal et j'ai reçu un commandement d'expulsion. La trêve hivernale se termine et ils me mettront bientôt dehors.

Espérandieu était penché sur la bibliothèque. Il manipulait les livres et Servaz remarqua que cela rendait Mandel nerveux. Ses yeux clignotaient et allaient de Servaz à son adjoint.

— Vous êtes fan depuis longtemps ?

— Depuis son premier roman…

— *La Communiante* ?

Mandel surveillait Espérandieu du coin de l'œil. Il secoua la tête.

— Non, non, ça, c'est le troisième. *Le Cheval sans tête* est le premier. Ensuite, il y a eu *Triangle*, et puis *La Communiante*.

Ces bouquins avaient plus de trente ans et Mandel en parlait encore avec une émotion à fleur de peau.

— Combien de romans en tout ?

— Vingt-sept sous le pseudonyme d'Erik Lang et quatre – des romans de terreur – sous son vrai nom : Sándor Lang.

— Vos préférés ? demanda Servaz qui avait senti que le sujet le détendait un peu.

— Difficile à dire. Je les aime tous. *La Communiante*, bien sûr. Peut-être *Deuils de cire* et *Nénuphars noirs*…

Servaz capta un mouvement à la limite de son champ de vision. Espérandieu s'était redressé.

— Martin, viens voir.

Il s'approcha. Vincent tenait une grosse chemise cartonnée entre ses mains. Son adjoint souleva la couverture. Il s'inclina et écarquilla les yeux : dans l'ombre et à cause de sa presbytie, les caractères imprimés étaient flous. Il sortit ses lunettes et lut « Chapitre 1 » en haut de la première page. Vit le volumineux paquet de feuillets en dessous : *ils avaient trouvé le manuscrit d'Erik Lang*.

Assise devant son écran, Samira Cheung tripotait le piercing à sa lèvre inférieure en inspectant la page Facebook de Rémy Mandel. Elle avait recensé les groupes auxquels il appartenait, pour la plupart des groupes ouverts de lecteurs – et exclusivement des lecteurs de romans policiers, à l'exception d'une phalange de mordus de S-F. Elle avait passé en revue les publications déjà existantes sans rien noter d'intéressant, activé les notifications pour être informée des prochaines et gardé le seul groupe fermé, *Le Cœur révélateur*, pour la fin.

Elle cliqua sur *rejoindre ce groupe* pour envoyer une demande d'inscription aux administrateurs mais – puisqu'il s'agissait d'un groupe privé – elle devrait attendre qu'ils l'acceptent avant de pouvoir interagir avec les autres membres.

Elle en profita pour aller se chercher un café. Quand elle revint, Samira vit qu'elle avait un nouveau message dans Facebook Messenger. Elle se laissa tomber sur sa chaise et fit tourner son piercing autour de sa lèvre inférieure avec sa langue avant de l'ouvrir.

Chère Samira,

Nous sommes heureux de t'accueillir au sein de notre communauté des membres du Cœur révélateur. Ici, il n'est question que de thrillers, de romans noirs et de romans policiers. Si tu préfères les feel good books et le porno soft, passe ton chemin.

Cependant, ne devient pas membre du Cœur révélateur qui veut. Ici, nous n'acceptons que de vrais connaisseurs. Il va donc te falloir démontrer tes aptitudes. Es-tu prête ?

Père Brown, administrateur

Elle mata l'écran, incrédule. C'était quoi, ça ? Samira s'envoyait des romans policiers depuis l'âge de douze ans, à raison d'une quarantaine de titres par an. *Père Brown* était une référence évidente à l'œuvre de G.K. Chesterton. Elle hésita pendant trois secondes, puis sourit largement. *Très bien, allons-y, Père Brown.* Elle balança une réponse aussi laconique que possible :

[Oui]

La première question ne tarda guère :

[Q. Qu'est-ce que Le Cœur révélateur ?]

— Hé hé ! s'exclama-t-elle avant de répondre sans hésiter :

[R. Une nouvelle d'Edgar Allan Poe]

Père Brown ne roupillait pas car la deuxième question arriva aussitôt :

[Q. Qui fut appelé l'Ogre de Milwaukee ?]

[R. Jeffrey Dahmer]

[Q. C'était facile. Un peu plus difficile à présent.

Quel nom de personnage signifie « refaire une lecture » en anglais ?]

Elle commençait à trouver ce petit jeu marrant. Surtout avec Google pour l'aider. Mais elle se doutait bien que viendrait un moment où les réponses ne seraient pas aussi fastoches :

[R. Ripley, de Patricia Highsmith]

[Q. Excellent. Qui est l'auteur de ce cryptogramme ?]

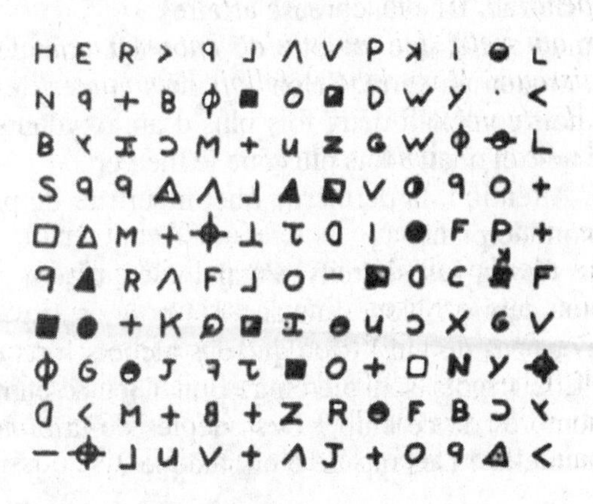

Elle sourit derechef. *Merde, Père Brown, t'es un sacré rigolo.*

[R. Le Tueur du Zodiaque]

Le message suivant n'était pas une question :

[Tu t'en sors très bien. Bravo. Voyons la suite.]

Fuck you, pensa-t-elle. *Envoie la sauce, gros malin.*

[Q. Quel nom en quatre lettres désigne à la fois un musicien de rock et un personnage de polar ?]

Ah, ah, pensa-t-elle. *Ce Père Brown doit être un masturbateur compulsif.*

Il lui fallut cependant réfléchir une dizaine de secondes avant de trouver la réponse, et la réaction fut immédiate :

[T'es rapide, dis donc. Encore deux questions et tu seras admise au Walhalla. Accroche-toi.]

[Suis prête. Feu à volonté.]

[Q. Quel roman a une première partie intitulée « Les chagrins de la police » ?]

Zut. Un petit détour par Google et elle revint avec la réponse.

[R. Balzac, Une ténébreuse affaire]

Samira sortit une tablette de chocolat noir de son tiroir, croqua un carré. Selon certaines études, le chocolat noir contenait deux fois plus d'antioxydants que le thé noir et quatre fois plus que le thé vert.

[Q. Attention, la dernière : quel meurtrier de papier a un nom de pinard ?]

Elle fronça les sourcils. Putain, c'était quoi, cette question débile ? Non, sans déc. Un nom de vin ? Elle ne buvait pas de vin ! Rien que des alcools forts et du café. Elle tripota son piercing. Bon Dieu, c'était qui les membres de ce club ? Des adeptes de la branlette intellectuelle ? Des rats de bibliothèque ?

Elle croqua un nouveau carré. Elle avait aussi envie de s'en griller une.

Quel meurtrier de papier a un nom de pinard ?

Et merde.

— Rémy, vous avez une explication ? dit Servaz.

Mandel se mordait la lèvre comme un gamin pris en faute. Servaz croisa son regard. Des yeux de cerf aux abois cerné par la meute, roulant follement au fond des orbites grises, tandis que son cerveau cherchait une issue.

— Selon Erik Lang, on lui a volé son manuscrit… Vous avez volé le manuscrit de Lang, Rémy ?

Le géant secoua vigoureusement la tête, mais sans ouvrir la bouche.

— Alors, comment se fait-il qu'il ait atterri ici ?

— … *cadeau*…

Il avait parlé si bas que Servaz avait d'abord compris « radeau ».

— Hein ?

— M'en a… hmm… fait cadeau…

— Qui ça ?

— Erik… *monsieur*… Lang…

Servaz laissa passer un long silence avant de demander :

— Vraiment ? Dans ce cas, pourquoi nous a-t-il dit qu'on le lui avait volé ?

Rémy Mandel haussa les épaules avec une mimique presque comique.

— Sais pas…

— Pourquoi Erik Lang vous aurait-il fait cadeau d'un manuscrit même pas terminé, Rémy ?

— … *fidélité*…

Encore un mot marmonné, incompréhensible.
— Quoi ?
— Hmm… pour me remercier de ma fidélité, articula le géant en déglutissant. Suis son… hmm… plus vieux fan.
— Mais il travaillait sur ce texte.
— Il avait… Il avait des sauvegardes… C'est rien qu'une impression…
— À quelle occasion vous en a-t-il fait cadeau, Rémy ?
Le géant resta muet. Manifestement, il n'avait pas de réponse à cette question. Servaz examina la première page, celle qui s'intitulait « Chapitre 1 ».
— Il n'est même pas dédicacé, fit-il remarquer.
Nouveau haussement d'épaules.
— Vous savez ce que je crois ? Je crois que vous l'avez volé, Rémy. La nuit où vous êtes entré chez les Lang. La nuit où vous avez frappé Erik Lang, puis sa femme dans le vivarium. Pourquoi vous avez libéré les serpents, Rémy ?
Mandel lui jeta un regard horrifié.
— Cadeau ! Cadeau !
Le géant était de plus en plus agité.
— Du calme, Rémy. Du calme, dit Servaz qui commençait à se demander s'ils n'auraient pas dû venir en nombre pour l'appréhender.
Il jeta un coup d'œil à Espérandieu, qui paraissait penser la même chose que lui. Dans cet espace réduit, si Mandel se jetait sur eux, il allait faire du grabuge avant qu'ils parviennent à le maîtriser. Servaz fit pourtant un pas pour se placer entre le fan et la porte et lui interdire toute fuite de ce côté. Un tressaillement

parcourut le grand corps de ce dernier tandis que son expression se faisait de plus en plus inquiète.

— Du calme, Rémy, répéta Servaz doucement. Vous allez nous accompagner à l'hôtel de police, d'accord ? On a quelques questions à vous poser.

Il fut frappé par le changement soudain de physionomie du géant. Comme si toute angoisse l'avait quitté d'un seul coup, il sembla brutalement résigné, sans force, éteint. On eût dit un sportif qui se relâche après un effort violent. Mandel ferma les yeux, respira, hocha la tête.

Servaz sortit lentement les menottes.

— Rémy Mandel, à compter de ce jeudi 8 février, 11 h 03, vous êtes placé en garde à vue.

— Rémy Mandel, vous êtes placé en garde à vue pour une durée de vingt-quatre heures renouvelable à compter de ce jour 8 février, répéta Servaz dans les bureaux du SRPJ. Vous avez le droit de voir un médecin, le droit de faire prévenir un membre de votre famille. Vous avez aussi le droit de ne rien dire, et le droit de demander l'assistance d'un avocat, ajouta-t-il en glissant très rapidement sur cette dernière partie. Cette audition est filmée par la petite caméra que vous voyez là. Il va vous être fourni un repas et une boisson. Est-ce que vous vous sentez bien ? Est-ce que vous avez besoin d'un médecin ? Est-ce que vous avez soif ? Est-ce que vous avez des allergies alimentaires ?

Quelques minutes plus tôt, il avait informé le parquet par téléphone. Il avait délibérément noyé la seule question importante – voulait-il oui ou non la présence d'un avocat ? – sous un flot de questions annexes. Mais Rémy Mandel semblait plutôt à l'ouest.

— Vous avez compris ? insista-t-il.

Le géant opina.

— Vous avez besoin de quelque chose ?

Il fit non de la tête. Servaz respira. Samira fit irruption dans son bureau.

— Vous avez deux minutes, patron ?

Il regarda sa montre.

— Deux minutes, pas plus, la GAV a commencé.

Il appela Espérandieu et lui demanda de tenir le fan à l'œil : on avait déjà vu des gardés à vue sauter par une fenêtre, même d'un deuxième étage.

— J'ai une question à laquelle je ne sais pas répondre, dit-elle en lui montrant l'écran de son ordinateur.

— Laquelle ?

— *Quel meurtrier de papier a un nom de pinard ?*

— Hein ?

Elle la répéta. Il la fixa, incrédule.

— Tu as interrompu la GAV pour me demander de t'aider à répondre à un quizz ?

Samira Cheung soupira.

— Il ne s'agit pas d'un quizz mais d'un test pour accéder à un groupe fermé sur Facebook auquel Mandel appartient. J'essaie de déterminer s'il a interagi la nuit où Amalia Lang est morte. Mais pour ça, il faut d'abord que je réussisse à entrer.

Servaz réexamina la question. Puis il s'assit à la place de Samira et pianota la réponse. Un message leur parvint dix secondes plus tard.

Félicitations ! Te voilà membre du Cœur révélateur !

Il allait franchir le seuil du bureau en sens inverse quand elle l'interpella.

— Attendez, patron…

Il se retourna. Samira était penchée sur son écran. Il revint vers elle.

— Rémy Mandel a publié deux posts dans le groupe *Le Cœur révélateur* la nuit et à l'heure approximative où a été tuée Amalia Lang… Et il a échangé à plusieurs reprises au cours des heures suivantes…

— Et depuis ?

— Rien, on dirait.

— Belle coïncidence… Ça ressemble fort à une façon de se fabriquer un alibi, ça, non ? Est-ce qu'il aurait pu le faire depuis son portable ?

— Bien sûr.

— Il faut voir si son appareil a borné le relais qui dessert Vieille-Toulouse.

Samira marmonna un juron. Elle pianota sur son clavier et, la seconde suivante, elle était connectée à la PNIJ, la plate-forme nationale des interceptions judiciaires, l'interface pour les écoutes et les réquisitions aux opérateurs. Développée pour un coût total de cent cinquante millions d'euros par un géant de l'électronique spécialisé dans l'aéronautique, la défense et le transport terrestre, la plate-forme – dont l'usage au sein des services de police était devenu obligatoire depuis le 12 septembre dernier – ne cessait de faire tourner ses utilisateurs en bourrique par ses dysfonctionnements. Le plus bel exemple à ce jour étant ce suspect placé sur écoute par les Stups qui avait été tout étonné d'entendre sur son propre téléphone la conversation qu'il venait d'avoir. Le seul point positif était les réquisitions aux opérateurs pour obtenir une facture détaillée ou une géolocalisation, lesquelles s'opéraient en trois clics avec réponse dans la demi-heure qui suit.

— Il aurait aussi pu les programmer, dit-elle sans cesser de pianoter. Je vois ici qu'il est dans la liste des modérateurs.

— Quoi ?

— Les posts : il aurait pu les programmer.

— Tu peux vérifier ?

— Je ne sais pas... Il me faudrait ses codes mais, même comme ça, s'il a désactivé les notifications concernant le groupe et la publication programmée, on ne verra rien. Je peux toujours demander à la direction technique de regarder. On a son ordinateur et son portable. Mais je ne suis pas sûre qu'ils puissent avoir l'info si facilement – Facebook, c'est opaque, ils répondent quand ça leur chante – ni que cela impacte le disque dur. À mon avis, non...

Elle décrocha son téléphone. Servaz sortit dans le couloir et attrapa le sien pour appeler Erik Lang.

— On a retrouvé votre manuscrit...

— Quoi ? Où ça ?

L'écrivain paraissait stupéfait.

— Chez un fan. Rémy Mandel, ça vous dit quelque chose ?

— Oui. Bien sûr.

— Il prétend que vous lui en avez fait cadeau.

Un silence à l'autre bout.

— Il ment. (Une pause.) Si c'est lui qui était chez moi l'autre nuit, c'est donc lui qui a frappé ma femme. Vous allez l'arrêter ?

— Il est en garde à vue. On vous tiendra au courant...

— Vous allez le déférer devant un juge ?

— Il est en garde à vue, répéta Servaz qui se souvint qu'on n'avait volé ni les bijoux ni les montres de luxe. Monsieur Lang, à combien vous estimeriez vos bijoux et vos montres ?

— Aucune idée…

— J'ai juste besoin d'un ordre de grandeur.

— Disons, dans les cent mille euros au bas mot. Peut-être plus… Pourquoi ? Ils n'ont pas été volés…

— Merci, dit-il et il mit fin à la communication.

Il revint dans son bureau. Mandel mangeait un sandwich. Il dévorait avec une concentration étonnante compte tenu des circonstances. Servaz s'assit derrière son ordinateur et mit en route la caméra.

— Rémy, M. Lang affirme que vous mentez, qu'il ne vous a pas fait cadeau du manuscrit.

Le grand fan lui jeta un regard chafouin.

— C'est lui qui ment…

Ceci d'une voix si ténue qu'il n'avait pas l'air d'y croire lui-même.

— Où étiez-vous dans la nuit de mardi à mercredi vers 3 heures du matin ?

— Chez moi…

— Vous dormiez ?

— J'étais sur mon… hmm… ordinateur… je m'endors tard…

— À quelle heure ?

— 3 heures… 4 heures… 5… ça dépend…

— De quoi ?

— De rien… des gens avec qui je discute.

Samira entra et s'approcha de Servaz. Elle lui murmura quelque chose à l'oreille. Il regarda le fan. Elle venait de lui confirmer qu'il leur était impossible de déterminer si Mandel avait programmé ou non les posts cette nuit-là. Il décida d'y aller au flan.

— Rémy…

— Oui ?

— Pourquoi avez-vous programmé ces posts sur Facebook dans le groupe du *Cœur révélateur* ?

— Quels posts ?

— Ceux qui ont été publiés hier à 3 h 15 du matin mais que vous avez programmés en réalité bien plus tôt… Si vous étiez chez vous à cette heure-là, vous n'aviez nul besoin de le faire.

Le géant hésita.

— J'avais peur de m'endormir, lâcha-t-il finalement.

— Quel intérêt de publier un post à 3 heures du matin ? (Servaz lut le bout de papier.) *The Dark Knight est sans conteste le meilleur de tous les Batman. Quiconque prétend le contraire s'y connaît autant en cinéma que ma grand-mère en voitures de sport.* Pourquoi pas avant ? Pourquoi l'avoir programmé, Rémy ? Pourquoi ne pas l'avoir publié directement ?

Mandel resta muet.

— À moins que vous n'ayez voulu faire croire que vous étiez chez vous à 3 heures du matin alors que vous n'y étiez pas…

Pas de réaction.

— Vous avez volé ce manuscrit, Rémy. Vous êtes entré chez Erik Lang et vous l'avez volé…

— Non !

— Vous n'étiez pas chez vous à 3 heures du matin. Vous n'avez pas d'alibi et vous avez le manuscrit. Quelle autre conclusion en tirer ?

— Je ne l'ai pas volé !

— Ah non ?

— *Je l'ai acheté…*

Servaz haussa un sourcil.

— À qui ? À Erik Lang ?

— *À celui qui l'a volé.*

8

Jeudi

Vidéosurveillance

Servaz fixait Mandel.

— Comment ça ?

— J'ai reçu un… hmm… message sur un forum, où on me proposait un manuscrit original et encore inédit d'Erik Lang.

— Quand ça ?

— La nuit d'avant-hier.

La nuit du meurtre…

— Quelle heure ?

— 1 h 30.

— Et ?

— Je me suis dit que c'était une… hmm… arnaque – tout le monde sait que je suis un fan absolu – et je n'ai pas donné suite. Mais des photos sont arrivées aussitôt après. Euh… trois photos, pour être exact.

— Que montraient-elles ?

— La première montrait le… hmm… texte dactylographié… avec des annotations de la main d'Erik Lang : j'ai reconnu son écriture tout de suite… Je…

enfin, vous savez… je suis un spécialiste… Sur la deuxième, on voyait… euh… le manuscrit sur un bureau avec une… hm-hm… bibliothèque en arrière-plan.

— Et la troisième ?

— Elle provenait d'un magazine : Erik Lang assis derrière le même bureau… *Chez lui*… C'était écrit en dessous.

— Et là, vous y avez cru ?

— Oui.

— Ce forum, on peut le voir ?

Mandel hocha la tête.

— Vous ne vous êtes pas demandé dans quelles circonstances ces photos avaient été prises ?

Il n'obtint pas de réponse, cette fois.

— Combien il en voulait, Rémy ?

— Cher… surtout pour quelqu'un comme moi.

— Combien ?

— Vingt mille…

— C'est une belle somme. Vous les aviez ?

— En bitcoins, oui.

Servaz ne connaissait pas grand-chose à Internet mais il savait tout de même que le bitcoin était une monnaie virtuelle désormais utilisée dans de nombreux échanges sur la Toile. Le dernier ministre des Comptes publics n'avait-il pas rappelé à chaque contribuable de ce pays qu'il fallait inclure dans sa déclaration de revenus toute plus-value réalisée grâce à des opérations en bitcoins ?

— Je… hmm… rends des services sur Internet à des gens moins… doués que moi, ajouta le géant.

Servaz eut envie de demander quel genre de services mais il ne voulait pas perdre le fil.

— Comment avez-vous pris livraison du manuscrit ?

— J'avais rendez-vous sur le parking d'une galerie commerciale, répondit Mandel.

— Où ça ?

Mandel le lui dit.

— La même nuit ?

— Oui.

— Quelle heure ?

— 3 heures…

Servaz se raidit dans son fauteuil.

— Vous avez vu le vendeur ?

— Non.

— Expliquez-moi, Rémy…

— Il n'est pas sorti de sa voiture.

— Quelle voiture ?

— Une DS4. Rouge avec un toit blanc.

— Vous avez noté l'immatriculation ?

— Ben, non. Pourquoi je l'aurais fait ?

— Mais vous l'avez aperçu, n'est-ce pas ?

— La voiture ?

— Le conducteur…

— Oui.

Servaz braqua son regard sur le fan.

— Assez mince, je dirais… et… hmm… vêtu de noir… Il portait des lunettes de soleil et une casquette. C'est tout ce que j'ai vu. Il faisait sombre.

Servaz réfléchit à la question suivante.

— Et comment il vous a remis le manuscrit ?

— D'une voiture à l'autre. Il m'a fait signe de baisser la vitre passager, il a abaissé la sienne et il l'a lancé par la portière.

— Ensuite ?

— J'ai allumé le plafonnier, j'ai jeté un coup d'œil au manuscrit. C'était bien le même que sur la photo, et j'ai reconnu l'écriture d'Erik Lang dans les marges. Pas de doute.

— Et après ?

— J'ai fait signe que c'était bon. Il a fait marche arrière et il est parti.

— C'est tout ?

— Oui.

— Et vous êtes rentré directement chez vous avec le manuscrit ? C'est ça ?

— Oui.

— Quelle voiture vous avez, Rémy ?

— Une Seat Ibiza.

— Vous étiez garé où exactement sur ce parking ? (Servaz se souvenait qu'il y avait plusieurs entrées et plusieurs parcs de stationnement dans ce centre commercial.)

Mandel cita une enseigne bien connue de la grande distribution.

— Vous aviez votre portable avec vous ?

Le fan fit signe que oui. Servaz regarda Espérandieu et se leva. Son adjoint l'imita.

— Dans deux minutes, on file au centre commercial visionner les enregistrements des caméras de surveillance, dit le chef de groupe dans le couloir. Dis à Samira de vérifier si le portable de Mandel a borné dans le secteur entre 2 h 30 et 3 h 30 du matin.

Espérandieu acquiesça et disparut dans son bureau. Servaz reprit sa place.

— Rémy, vous vous souvenez de l'affaire de 1993 ?

— Quoi ?

— 1993. L'affaire des Communiantes. J'ai vu une coupure de presse sur votre mur. Et cette… robe…

Le fan leva les yeux, leurs regards se croisèrent.

— Oui ?

— Vous vous en souvenez ?

— Oui…

— Vous aviez quel âge en 1993, Rémy ?

— Je sais pas…

— Si j'en crois votre carte d'identité, vingt-six ans.

— Possible…

Servaz sentit la tension revenir. Mandel avait de nouveau quelques difficultés à s'exprimer.

— Vous faisiez quoi ? Vous étiez étudiant ?

— Non, non… Je travaillais.

— Dans quoi ?

— Euh… J'aidais mon père.

Servaz attendit la suite.

— Il s'occupait de… hmm… l'entretien du Stadium. Il m'a fait entrer dans l'équipe d'entretien…

Servaz tressaillit. Le Stadium. *Sur l'île du Ramier*. En 1993, Rémy Mandel travaillait à quelques centaines de mètres à peine de l'endroit où on avait trouvé les corps d'Ambre et Alice Oesterman.

— Vous étiez déjà fan d'Erik Lang à cette époque ?

— Oui, bien sûr.

Tandis qu'ils roulaient vers le centre commercial, cent questions se levaient dans son esprit. Était-il possible que la présence du fan sur l'île du Ramier vingt-cinq ans plus tôt fût une coïncidence ? Et qu'aujourd'hui, on retrouvât le manuscrit volé à l'auteur la nuit du meurtre de sa femme dans la mansarde de ce même fan ? Mais si Mandel disait la vérité ? Il devait bien savoir qu'ils allaient vérifier… S'il s'avérait que quelqu'un d'autre était entré chez les Lang ? Pourquoi courir un tel risque pour vingt mille euros alors qu'il y avait pour plus de cent mille euros de bijoux et de montres dans la maison ? Un vol de manuscrit dans un but crapuleux n'avait pas de sens. Il y avait quelque chose dans tout ça qui leur échappait.

Et pourquoi la femme de Lang était-elle si maigre et son estomac si petit ? Pourquoi avait-on ouvert les cages des serpents et laissé la porte ouverte ? Il se rendit compte que, depuis qu'il avait découvert la tenue de communiante, la veille, l'inquiétude ne le lâchait plus.

Ils se garèrent sur le parking du centre commercial, qui affichait fièrement ses cent boutiques et ses six restaurants, à l'est de l'agglomération toulousaine.

Servaz eut un petit sourire en coin en descendant de voiture : il avait déjà repéré plusieurs caméras. Ils pénétrèrent dans la galerie et demandèrent à voir le chef de la sécurité au vigile près de l'entrée. L'homme engoncé dans un costume trop petit les conduisit dans un bureau sans fenêtres où une autre armoire à glace au costume tout aussi étriqué considéra leurs cartes avec dédain.

— On a besoin de voir les enregistrements des caméras du parking, dit Servaz d'emblée.

Le chef de la sécurité fronça les sourcils.

— Pourquoi vous voulez les voir ?

— On n'a pas à vous le dire, rétorqua Espérandieu.

— On enquête sur une affaire de meurtre, lâcha Servaz. On pense que le meurtrier s'est peut-être trouvé sur *votre* parking.

Il savait d'expérience que, quand on voulait obtenir la collaboration d'un témoin, mieux valait lui donner l'impression qu'il était important pour l'enquête. Le visage du chef de la sécurité s'illumina.

— Ah, ça, alors, c'est quelque chose ! Une affaire de meurtre…, répéta-t-il comme s'il savourait les mots.

Il décrocha son téléphone.

— Nicolas, tu peux venir ?

Deux minutes plus tard, un jeune homme aux allures de geek qui paraissait le frère jumeau d'Espérandieu avec sa mèche rebelle balayant son front entra dans la pièce et adressa un laconique « salut » à la cantonade avant de s'avancer vers le chef de la sécurité.

— Ces messieurs sont de la police, annonça celui-ci. Ils enquêtent sur une affaire de meurtre, insista-t-il gravement. L'assassin s'est peut-être trouvé sur le parking. Ils ont besoin de voir les enregistrements des caméras de surveillance.

Le jeune geek pivota vers Servaz et Espérandieu, écarta la mèche devant ses yeux, les dévisagea.

— Suivez-moi, dit-il.

Ils ressortirent à la queue leu leu, franchirent les portillons, se faufilèrent entre des caddies pleins et des rayons de surgelés, franchirent une porte entre le rayon viandes et le rayon produits laitiers, longèrent un couloir puis une salle de repos vitrée avec des chaises et des distributeurs de boissons et pénétrèrent finalement dans une autre pièce sans fenêtre.

Deux bureaux, des écrans d'ordinateurs, une affiche de *Star Wars*, une autre de *Big Bang Theory*, de toute évidence épinglées par leur guide, qui se tourna vers Vincent – sans doute reconnaissait-il en lui un congénère –, ses yeux noisette et vifs pétillant de curiosité.

— Voilà. C'est ici que toutes les images arrivent, déclara-t-il.

— Combien de caméras sur le parking devant l'entrée ? demanda Espérandieu.

— Huit. Trois dômes et cinq tubes. Caméras de surveillance IP…

— Infrarouge ?

— Non. Pas la peine. Toutes nos caméras sont équipées de leds. On peut voir jusqu'à zéro lux. La seule différence, c'est que les enregistrements de jour sont en couleur, ceux de nuit en noir et blanc…

— L'enregistreur est un NVR ?

Servaz était largué.

— Bien sûr. Relié par câble Ethernet à une box, pour qu'on puisse visionner les vidéos de n'importe où à partir de son téléphone… Vous cherchez quoi ?

— Les images de la nuit du 6 au 7 février, dit Vincent, vers 3 heures du matin.

Servaz vit la lueur dans le regard du gamin – et son sourire : participer à une enquête de police, c'était autrement excitant que la routine de la vidéosurveillance.

— Hmm. Il s'est passé quoi ? Quelqu'un a été tué sur le parking ?

— C'est secret, dit Espérandieu, et les paupières du geek se plissèrent de frustration.

— OK… Les images sont sur ce disque dur. Mille Go. Trente jours d'enregistrement. Je vais vous mettre les huit caméras en parallèle en mosaïque, dit-il. Si l'une d'elles vous intéresse plus particulièrement, on la passera en plein écran, d'accord ?

— Merci.

Le jeune homme effectua la manipulation. Les images étaient assez nettes malgré la faiblesse de l'éclairage, mais on ne voyait guère que des emplacements vides et des marquages au sol avec, sur certaines, le grand bâtiment plat de la galerie commerciale et de l'hypermarché en arrière-plan, sa robuste grille losangée baissée sur les portes vitrées de l'entrée. Tout était rigoureusement immobile.

Servaz regarda l'heure défiler dans le coin. 3:05, 3:06, 3:07…

Rien ne bougeait. Pas même un matou à l'horizon. Puis, à 3:08, une paire de phares apparut au bout d'une allée. Elle se rapprocha et une DS4 au toit blanc se gara sous l'une des caméras. Servaz sentit son pouls accélérer. *Merde, Mandel avait dit vrai*. Le conducteur éteignit ses phares.

3:09.

3:10.

Rien ne se passait. Ils distinguaient le toit et le pare-brise de la voiture sur un plan. Une vague silhouette au volant sur un autre.

— On peut mettre cette séquence-ci plein écran et la repasser au ralenti ? demanda-t-il.

— Depuis l'apparition des phares ?

Il entendit l'excitation dans la voix du jeune geek.

— Oui, s'il vous plaît.

Les phares repartirent en marche arrière, disparurent, puis refirent le même trajet à vitesse réduite, occupant tout l'écran, cette fois.

— Arrêt sur image, dit soudain Servaz.

L'image se figea, comme gelée, au moment où la DS4 virait pour se garer. Ils distinguaient nettement une casquette, des lunettes noires derrière le volant.

— On peut avoir une impression ?

— Une copie numérique plutôt, rectifia Espérandieu. Sur clef USB. C'est possible ?

— Bien sûr.

— La direction technique pourra peut-être obtenir une meilleure résolution, expliqua son adjoint.

Servaz sourit et hocha la tête en signe de compréhension.

— Revenez à la mosaïque et continuez, dit-il.

À 3:11, une deuxième paire de phares fit son apparition sur plusieurs plans, se rapprocha d'une des caméras, glissa sous une autre et s'en éloigna, imitant le trajet de la DS4 à côté de laquelle elle vint se garer. Une Seat Ibiza.

Mandel…

— Ce plan-ci, dit Servaz. Plein écran.

Le jeune homme obtempéra.

— Plan fixe, dit le flic.

On ne discernait pas les traits du géant mais on voyait bien que son crâne touchait le toit de la voiture trop petite pour lui. Servaz fixait l'écran à s'en crever les yeux.

— Continuez.

Le fan coupa à son tour ses phares. Les deux hommes abaissèrent leurs vitres – Mandel la vitre passager, l'autre la vitre conducteur. Ils durent se parler car les lèvres de Mandel bougeaient dans la pénombre, puis l'autre homme passa le bras par sa portière. Ils ne virent pas ce qu'il avait jeté mais, l'instant d'après, une source lumineuse éclaira l'habitacle de la Seat Ibiza et le profil de Mandel apparut nettement.

— Arrêt sur image… Copie… Continuez…

Tout se passa comme Mandel l'avait décrit. Il examina ce qui se trouvait sur le siège passager, fit un signe à son voisin, éteignit la lumière intérieure ; la DS4 ralluma ses phares, qui illuminèrent un grand panneau publicitaire devant elle, amorça une marche arrière, vira et repartit.

— Maintenant ! s'exclama Servaz. Arrêt sur image !

La voiture s'immobilisa brusquement, comme stoppée en plein élan. Filmée par l'arrière et légèrement de haut.

— Zoom, ordonna-t-il. Descendez… Grossissez…

Ils avaient compris où il voulait en venir : la plaque d'immatriculation envahit l'écran.

9

Jeudi

La forêt

Le soir commençait à descendre tandis qu'ils roulaient vers l'ouest puis le sud, le long de l'A64 – la « Pyrénéenne » –, et Servaz ne put s'empêcher de se tendre, comme chaque fois qu'il empruntait cette autoroute en direction des montagnes.

Des images naissaient et disparaissaient dans son esprit : un institut psychiatrique au fond d'une vallée, une colonie de vacances au milieu des bois et de la neige, un sinistre club de violeurs d'enfants, une avalanche, un château blanc, un cheval décapité… Il n'oublierait jamais cet hiver 2008-2009. Il avait parfois l'impression qu'il était vraiment né en tant que flic cet hiver-là. Et son estomac ne cesserait jamais de se nouer à l'approche de ces sommets, de ces confins.

Ils quittèrent l'autoroute à la hauteur de Saint-Gaudens et poursuivirent cap au sud, droit sur les cimes, s'enfonçant dans une campagne sans neige, mais quadrillée de champs, de bois, de routes, de villages réduits à deux ou trois maisons, avec parfois une église depuis longtemps désertée jouxtant un cimetière tout aussi délaissé et une rivière qu'ils franchissaient rapidement et qui murmurait dans le soir. Mais toujours, fermant l'horizon au-delà de la houle des collines, dressée dans le ciel s'assombrissant, l'impressionnante barrière : primitive, sauvage, convulsive, la masse pierreuse semblait les défier – et Servaz la regardait approcher en même temps que la nuit avec une appréhension qui grandissait.

Les villages défilèrent. Rieucazé. Lespiteau. Soueich. Aspet. Puis la route se mit à grimper et s'étrécit, bordée de parapets de pierre et surplombée par de grandes pentes obscurcies de hautes sapinières qui cachèrent le ciel et firent tomber sur eux une pénombre précoce, tandis qu'ils s'enfonçaient toujours plus avant dans le mystère.

— On est encore loin ? demanda-t-il, la boule au ventre.

L'immat avait parlé : le propriétaire de la DS4 s'appelait Gaspard Fromenger. Selon le service des cartes grises et les impôts, il dirigeait une entreprise forestière basée à Salies-du-Salat. Ils avaient joint le siège social et on leur avait expliqué que M. Fromenger était dans la montagne avec ses équipes, en train d'exploiter une coupe au fond d'une vallée à la frontière de la Haute-Garonne et de l'Ariège. En gros : le bout du monde…

— Une dizaine de kilomètres, répondit Espérandieu tandis qu'ils longeaient un torrent aux eaux turbulentes et rapides.

L'estomac de Servaz appréciait de moins en moins les virages. Ici tout n'était que cols – qu'on appelait des ports –, ponts, passages, franchissements, gaves, nestes, lacets. On ne circulait pas : on louvoyait, on serpentait, on s'élevait et on descendait – à la manière des navigateurs et des explorateurs du XIXe siècle.

Une ultime et rude montée parmi les conifères et les fougères, et Espé coupa le moteur. Servaz entendit les eaux du gave en contrebas lorsqu'il descendit, et un air froid et humide se plaqua sur sa figure. De chaque côté se levaient les flancs abrupts de la montagne, couverts de troncs immenses qui s'élançaient vers le ciel de plus en plus sombre et que les phares illuminaient à leur base. Levant les yeux vers la cime des arbres, il vit une lune irréelle briller entre les sapins, bien que, plus bas, il distinguât les derniers feux du crépuscule.

Il faisait froid. Il referma la fermeture éclair de son anorak, aperçut des plaques de neige, pareilles à des mycoses blanches, sur la pente. La forêt n'était pas silencieuse. Elle résonnait du bruit des machines, de cris et de sifflets. Le vacarme provenait de plus haut. Un sentier partait juste devant eux, creusant une large trouée qui grimpait droit parmi les sapins, labourée d'énormes traces de pneus. Un écriteau interdisait d'aller plus loin, mais ils le dépassèrent et commencèrent à escalader la pente très raide au milieu des ornières.

Ils avaient allumé leurs torches et le faisceau de leurs lampes se mit à danser en pleine forêt. Ils n'avaient pas fait cent mètres qu'une silhouette surgit d'entre les arbres en agitant les bras et descendit vers eux à grandes enjambées, bondissant par-dessus les fondrières.

— Vous n'avez pas vu le panneau ? C'est interdit de passer par ici ! Vous devez rebrousser chemin !

L'homme portait un casque de protection orange fluo et une combinaison de même couleur. Ils sortirent leurs cartes.

— Écoutez…, dit-il, c'est dangereux ici. On ne peut pas assurer votre sécurité.

— C'est vous, Gaspard Fromenger ?

L'homme fronça les sourcils sous son casque.

— Non. Pourquoi vous le… ?

— Conduisez-nous à Gaspard Fromenger.

Le forestier hésita tout en lissant sa barbe, regarda autour de lui comme si la réponse pouvait venir de la forêt, haussa les épaules et fit demi-tour.

— Suivez-moi.

Ils le suivirent. D'abord sur le sentier, ensuite à travers bois. C'était facile de progresser dans cette haute futaie régulière où les branches basses avaient été élaguées afin d'obtenir des troncs lisses et où l'essentiel des autres végétaux était constitué de fougères et de ronces. L'air sentait le bois coupé, la résine, les aiguilles de sapin, la terre et la neige fraîche. Et aussi l'âcre odeur des gaz d'échappement crachés par les machines, dont les grondements emplissaient la forêt, en même temps que les appels et les contre-appels des bûcherons.

Tout à coup, elle frémit, un craquement sinistre se fit entendre, suivi d'un grand froissement de feuillages, et un tronc s'abattit quelque part.

Ils parvinrent à l'endroit où se tenaient la plupart des hommes. Servaz entrevit des tracteurs perchés sur d'énormes roues crénelées, des remorques et des grues, tels des animaux de métal rassemblés dans l'incendie des phares. Une meute mécanique au cœur de la forêt. Tous les bûcherons portaient le même casque et la même combinaison.

— Lequel d'entre vous est Gaspard Fromenger ? lança Servaz.

Un des hommes montra un point plus haut.

— Gaspard est avec l'abatteuse. Je vous déconseille de vous approcher.

— Il ne peut pas s'arrêter ? gueula-t-il pour couvrir le vacarme.

— Avec ce boucan, il ne vous entendra pas ! Il va falloir attendre qu'il ait fini !

— Il en a pour longtemps ?

— Une heure…

— Pas le temps d'attendre, on y va ! décréta Servaz après une seconde de réflexion. C'est par où ?

— C'est dangereux !

— C'est par où ?

— Par là… Mettez au moins un casque !

Le bûcheron leur en avait tendu un à chacun. Servaz posa le sien sur son crâne sans même l'attacher et se mit en marche vers les lueurs dansantes qu'il apercevait dans le sous-bois.

Plus il approchait, plus le bruit était assourdissant. Il n'avait jamais rien entendu de semblable. Puis il la vit, la machine. Une cabine en plexiglas perchée sur six grandes roues, dont les deux à l'arrière avaient la taille d'un homme, et un bras articulé terminé par une pince équipée de rouleaux et de lames de tronçonneuse.

La grosse pince se balança et tourna autour du tronc d'un sapin avant de l'embrasser dans une étreinte mortelle et de le trancher comme une vulgaire allumette. Après quoi, elle le mit à l'horizontale, puis entama avec un hurlement métallique qui ressemblait au bourdonnement d'un millier de frelons un va-et-vient le long du tronc pour l'ébrancher en un rien de temps, le laissant aussi lisse et nu qu'un tuyau, avant de le tronçonner en sections prêtes à être chargées dans l'une des remorques. L'opération n'avait pas pris plus d'une minute. À ce rythme, la forêt pouvait disparaître en quelques jours – et Servaz pensa à ce prédateur unique qu'est l'homme, seule espèce à détruire son habitat naturel.

Il profita d'un moment d'accalmie pour s'avancer et agiter les mains, mais le bras articulé ondula de nouveau comme un serpent et la créature de métal s'attaqua à un autre tronc.

Là-bas, dans la bulle de plexiglas, le type manipulait son joystick, indifférent à sa présence. Il s'approcha encore. Très près, cette fois. Fromenger stoppa enfin sa machine et ouvrit sa portière.

— Hé ! Vous êtes malade ! Qu'est-ce que vous foutez là ? tonna-t-il. Vous voulez recevoir un tronc sur la tête ?

— Ça fait un moment que je vous fais des signes ! Pourquoi vous les avez ignorés ?

— Cet engin vaut deux cent mille euros ! lui cria Gaspard Fromenger. Faut le rentabiliser ! Qu'est-ce que vous croyez ? Foutez le camp ! Je sais pas qui vous êtes mais vous n'avez rien à faire ici ! Dégagez ou je descends vous botter le cul moi-même !

Servaz songea à un autre mâle alpha semblable à celui-ci, pareillement barbu, un autre Loup Larsen sorti d'un roman de Jack London. Fromenger lui faisait penser à Léo Kowalski. Il sortit sa brème et la brandit dans le halo aveuglant des projecteurs.

— Police !

Fromenger se figea. Il fixait la carte bleu-blanc-rouge sans rien dire. Soudain, il sauta à bas de la machine et déguerpit dans les bois.

— Hé ! s'écria Servaz. Hé !

Sans réfléchir, Martin s'élança à sa poursuite, au milieu des fougères, par-dessus les grosses branches disséminées par la machine. Son casque glissa et tomba quelque part. Une branche dépassant d'un tronc l'égratigna au front et l'étourdit un instant, mais il continua de courir en s'efforçant de ne pas perdre Fromenger de vue.

— Fromenger ! Revenez !

Très vite, le terrain s'inclina, la pente s'accentua et ils se mirent à descendre. Servaz prit conscience qu'il s'était lancé dans une expédition passablement hasardeuse. Alors qu'il dévalait le talus de plus en plus raide, il entrevit la silhouette de Fromenger beaucoup plus bas, bondissant entre les arbres.

Bon Dieu ! Où allait-il comme ça ?

À présent, il devait freiner plutôt qu'accélérer pour ne pas tomber en avant tant la déclivité était importante. Les bois s'épaissirent, de même que l'obscurité. En dégringolant le ravin dans le noir, il s'empêtrait dans une brousse de plus en plus dense de ronces, de taillis, de feuillages et de jeunes arbustes, en priant pour que le sol ne se dérobe pas sous ses pieds. Des toiles d'araignées gluantes frôlaient son visage et, à plusieurs reprises, les petites branches coupantes et pointues des conifères griffèrent ses mains et déchirèrent son blouson avec un bruit sec, mais il n'y prêta pas attention.

— Fromenger ! Revenez !

Les derniers feux du crépuscule s'étaient éteints. Il ne régnait plus au-dessus des arbres qu'un clair de lune bleuté cisaillé par la masse inquiétante des sapins. Face à lui se dressait l'autre versant de la montagne, de plus en plus proche, sombre et froid. Ils étaient en train de s'enfoncer dans un canyon très profond, étroit et en forme de V, et il entendait le bruit d'un cours d'eau en bas, un chant triste et lugubre comme la voix d'une sirène dans le noir.

— Fromenger !

Son esprit désormais réduit aux pensées les plus élémentaires, tandis qu'il s'écorchait aux halliers, il entendit le vent siffler dans les sapins, sentit les ramures pleines d'aiguilles mouillées fouetter ses joues, la boue et la neige entrer dans ses chaussures, le goût du sang sur ses lèvres et son cœur qui pompait avec désespoir. Il était devenu un animal luttant pour sa survie. Pris au piège et se débattant. Il envisagea un instant la possibilité de tomber dans un gouffre invisible, car la lune qui clignotait entre les cimes des arbres disparaissait et réapparaissait comme un faon craintif, n'éclairant plus qu'un bout de ciel, là-haut. Il n'était même pas sûr d'avoir la force de remonter, le plus simple était de continuer à descendre. Encore et encore…

Une brusque inclinaison du terrain le fit trébucher, chuter en avant et se tordre la cheville, il se cogna la tête contre un tronc et jura. Toucha son visage et comprit qu'il saignait, un genou en terre, la cheville douloureuse. Mais il se releva et repartit de plus belle, malgré la douleur. Soudain, les buissons s'écartèrent et il émergea sur un espace dégagé, dut freiner des quatre fers. Il avait débouché sur un éperon rocheux au-delà duquel il n'y avait que le vide.

Noir et terrifiant.

Il eut un haut-le-cœur en pensant qu'il avait bien failli foncer dedans.

Légèrement sur sa gauche, une étroite passerelle enjambait le ravin et il aperçut la silhouette de Fromenger qui atteignait l'autre côté, ses pas résonnant sur la structure d'acier. Fromenger n'avait pas atterri ici par hasard : il avait ses repères dans cette forêt, même de nuit, contrairement à lui.

Plié en deux, il mit ses mains sur ses genoux et respira à grandes goulées l'air nocturne. Un point de côté lui transperçait le flanc. Il risqua un coup d'œil au-delà des rochers qui encerclaient l'éperon. Tout en bas, le lit du torrent se devinait à quelques reflets argentés dans les ténèbres épaisses qui noyaient le fond du gouffre. Reflets qui lui permirent d'estimer le vide vertigineux qui s'ouvrait en dessous de lui, et ses jambes mollirent. Sur sa droite, il distinguait, dans le clair de lune, le toit couvert de mousse d'une cabane en amont du cours d'eau. La construction était collée à la paroi et presque avalée par la forêt.

Il avala encore un peu d'air froid, toussa, cracha. Il essaya de penser, mais sans y parvenir vraiment. La fatigue, la peur l'aveuglaient. Gravir cette pente interminable et presque verticale à travers les bois lui semblait décidément au-dessus de ses forces, continuer à traquer le bûcheron dans ces ténèbres une folie. Que faire ? Sa poitrine le brûlait, ses genoux tremblaient, sa cheville le lançait. Attendre les autres ? Installer des barrages et battre ensuite la montagne ? Fromenger ne pouvait aller bien loin… Il cracha de nouveau, se racla la gorge et se remit en marche en boitant. Les jambes flageolantes, il posa un pied sur la passerelle, puis un autre. Ça va : ça ne vibrait pas trop. Il se demanda depuis combien de temps elle était là et si elle n'allait pas céder sous son poids. Il faisait trop sombre pour s'assurer de son état. Mais, après tout, Fromenger l'avait déjà franchie et il était plus lourd, à l'évidence. Il s'avança et le bruit du cours d'eau monta jusqu'à lui, ainsi qu'un brouillard d'humidité et de gouttelettes. Soit de fatigue soit de peur, ses jambes tremblaient de plus en plus violemment. Il allait atteindre le milieu de la passerelle quand quelque chose se passa. Quelque chose à quoi il ne s'attendait pas du tout.

Une silhouette jaillit de l'ombre qui régnait de l'autre côté du ravin et, avec stupeur, Servaz vit Fromenger s'engager sur la passerelle et marcher sur lui à grands pas.

— Qu'est-ce que vous… ?

Servaz se contracta et se prépara au choc. Il n'avait pas le moindre doute sur les intentions belliqueuses du bûcheron et, dans une tentative infructueuse pour prendre les devants, quand celui-ci fut à moins d'un mètre, il lui décocha un coup de poing, mais le forestier l'esquiva et le saisit par le col, le poussant vers la rambarde. La panique s'empara de Servaz quand ses reins heurtèrent le garde-fou. Il agrippa le chandail de son agresseur.

— Qu'est-ce que vous me voulez ? hurla le forestier. Foutez-moi la paix !

Fromenger le secouait à présent comme un prunier alors qu'il avait la moitié du corps au-dessus du vide, les reins littéralement cassés par la rambarde.

— Fromenger, arrêtez ! Arrêtez, putain, je vais tomber !

— J'en ai assez, vous entendez ?

Il déglutit, sa pomme d'Adam aussi douloureuse qu'un petit os coincé dans sa gorge, avec la sensation que sa colonne vertébrale allait se casser comme une branche sous la pression du garde-fou. La douleur était insupportable et il essaya de frapper le forestier au visage. Mauvaise idée... Ce dernier le repoussa, et Servaz partit d'un coup en arrière, sentit ses pieds décoller du sol, tout son corps faire la culbute. Brusquement, le monde bascula cul par-dessus tête, les montagnes en bas, le vide noir en haut, la forêt au milieu, il s'entendit crier plus qu'il ne cria consciemment – son cri capturé et répercuté par l'écho –, ferma les yeux, s'attendant à tomber dans le vide, à se briser les os sur les rochers du torrent, quand deux mains se refermèrent en même temps sur ses jambes.

Il les rouvrit, se tordit le cou et regarda en direction de ses pieds, vit Gaspard Fromenger arc-bouté contre la rambarde, qui avait passé les bras autour de ses genoux.

— Arrêtez de gigoter ou je vais vous lâcher ! lança le bûcheron en tirant de toutes ses forces.

Centimètre par centimètre, en grimaçant et en ahanant, il le hissa, les mains refermées sur ses cuisses, dans lesquelles la douleur explosait, car les mains puissantes de Fromenger les broyaient, mais, en cet instant, Servaz s'en foutait.

Fromenger continua de tirer, jusqu'au moment où il put basculer le corps de Servaz par-dessus le garde-fou et, sans trop savoir comment, celui-ci se retrouva à quatre pattes sur le sol de la passerelle, le dos et les membres inférieurs meurtris mais vivant. La seconde d'après, ils étaient assis l'un à côté de l'autre, reprenant leur souffle et leurs esprits.

— Putain, dit simplement le bûcheron. Vous m'avez flanqué une de ces frousses.

Ils respiraient aussi fort l'un que l'autre. Servaz frottait l'un de ses coudes, qui le lançait.

— Vous allez me mettre en taule ? voulut savoir son sauveur entre deux respirations.

Servaz en fut sidéré.

— Quoi ?

— C'est bien pour ça que vous êtes là…

Un grand souffle passa à travers la forêt, courant le long du ravin, agitant les frondaisons.

— C'était vous, alors ?

Fromenger le regarda.

— Vous le savez déjà, non ? Puisque vous êtes venus…

Le forestier prit plusieurs inspirations.

— Détournement de fonds, faillite frauduleuse et fraude fiscale, ça va chercher dans les combien d'après vous ?

— Hein ? fit Servaz.

— Deux ans ferme ? Trois ? Enfin, merde, c'est pas comme si j'avais tué quelqu'un !

Il se tourna vers le bûcheron. Les yeux de celui-ci brillaient dans sa face sombre. Posés sur lui. Il avait peur. *Peur de la prison…*

— De quoi est-ce que vous parlez ? dit Servaz en sentant le feu dans sa poitrine chaque fois qu'il ouvrait la bouche.

Fromenger s'éclaircit la gorge et ses poumons firent un bruit de forge. Il cracha.

— Putain ! De quoi est-ce que je parle, à votre avis ? De la raison pour laquelle vous êtes ici, pardi !

Des cris descendaient vers eux à présent, au cœur de la forêt, portés par l'écho. On les cherchait, on les appelait. Servaz aperçut des lueurs.

— Vous avez une DS4, Fromenger ?

— Hein ?

L'humidité de la passerelle pénétrait à travers son jean, elle lui mouillait les fesses.

— Je vous demande si vous avez une DS4…

— Ben oui, pourquoi ? Quel rapport ? Je l'ai achetée légalement…

— Quelqu'un d'autre se sert de cette voiture ?

Le bûcheron lui jeta un regard sincèrement surpris.

— Ma femme… depuis que la sienne est en panne… Je comprends pas… Quel est le problème avec la caisse ?

Soudain, les faisceaux de plusieurs lampes jaillirent et les aveuglèrent. « Ils sont là ! » cria quelqu'un. Des silhouettes émergèrent de la forêt. Servaz se releva.

— Je ne comprends rien, dit le bûcheron, un gobelet de café brûlant à la main.

Il était adossé à l'une des machines, au centre de la clairière, au milieu des troncs couchés et des branchages.

— Votre voiture a été filmée sur le parking d'un centre commercial à 3 heures du matin, la nuit de mardi à mercredi, répéta Servaz en soufflant sur son café.

La chaleur émanant du gobelet montait jusqu'à son visage dans le sous-bois glacial.

— Impossible.

La réponse avait fusé, catégorique. De la poche intérieure de son blouson, Servaz sortit un cliché format A4 extrait d'une des vidéos. Il le déplia et le tendit à Fromenger. Grimaça. Il avait terriblement mal aux côtes. Il avait également mal aux genoux et à une cheville. Bref, à peu près partout. De vilaines éraflures entaillaient aussi la paume d'une de ses mains. Un ouvrier avait apporté une trousse de secours et les avait désinfectées, de même que l'égratignure à son front. Son blouson, quant à lui, était déchiré en plusieurs endroits, maculé de terre et taché de vert.

— C'est votre voiture, c'est votre immatriculation.

— Impossible, s'obstina le forestier en lui rendant le cliché.

Servaz avait demandé aux autres de s'éloigner. Seul Espérandieu était présent. Une chouette ulula au-dessus d'eux, dans les frondaisons. Elle avait dû s'enfuir quand les machines avaient mis la forêt sens dessus dessous et elle était revenue. Elle avait ses habitudes dans le secteur, et elle était bien décidée à le revendiquer comme sien.

— Où étiez-vous à cette heure-là ?

— Je dormais.

— Chez vous ?

— Oui.

— Quelqu'un peut en témoigner ?

— Ma femme.

— Elle ne dormait pas ?

— Elle est insomniaque.

Servaz but une gorgée de café chaud. Le breuvage soulagea sa gorge irritée.

— Votre femme, elle la conduit souvent, la DS4 ?

Les lèvres plongées dans son café, Fromenger lui lança un regard par en dessous.

— En ce moment, oui. La sienne est tombée en panne. Elle est au garage. En quoi cette histoire de voiture est si importante ?

Servaz ne répondit pas.

— Et on peut la trouver où ?

— Ma voiture ?

— Votre femme…

— Dans la journée, Zoé est à son cabinet dentaire…

— Elle pèse et elle mesure combien ?

Fromenger parut totalement déconcerté.

— 1,69 mètre et dans les 56 kilos… (Il fixa Servaz.) Pourquoi cette question ? Ce n'est pas seulement une histoire de fraude fiscale et de détournement, je me trompe ?

Il prit le Thermos et se resservit. Servaz contempla les profondeurs obscures de la forêt, dont seule une toute petite partie était visible au-delà de l'incendie des projecteurs, et où tout – presque tout – se déroulait dans l'ombre.

Il secoua la tête. Il était épuisé, il avait besoin d'une pause, de quelques heures de répit, de se tirer loin de ce gouffre de nuit et de peur.

— Pas seulement, confirma-t-il. Dites à votre femme que nous passerons la voir demain, et de ne pas s'éloigner.

Rentré à Toulouse, il remercia Charlène qui s'était occupée de Gustav, contempla son fils endormi et découvrit, sous le jet brûlant de la douche, le nombre faramineux d'estafilades et de stigmates que la course-poursuite dans la forêt avait semés sur son corps. Comme s'il s'était roulé nu dans du fil de fer barbelé. À chaque geste qu'il accomplissait, il ressentait une vive douleur sur le côté gauche. Puis il s'effondra, épuisé, dans son lit. Une heure après, il n'avait toujours pas réussi à fermer l'œil. L'adrénaline continuait de courir dans ses veines et le sommeil le fuyait malgré la fatigue. Il se releva et passa dans le salon, alluma une seule lampe, mit Mahler en sourdine.

Il repensa à cette vision de la forêt qu'il avait eue dans la clairière. La forêt comme métaphore de l'inconscient, du caché, la forêt initiatique mais aussi maléfique – comme dans les contes et les légendes où elle était le repaire de créatures mystérieuses : fées, elfes, farfadets, faunes, satyres et dryades. Il sentit qu'il tenait là quelque chose. L'idée de forêt renvoyait à une autre, mais cette seconde idée était si éthérée, si confuse, qu'il avait du mal à la tirer hors des limbes de son esprit pour l'amener en pleine lumière.

À quoi lui faisait songer la forêt ? *Réfléchis !* Il revit son père lui disant, alors qu'il n'avait que dix ans : « Il est dangereux d'agir sans réfléchir, Martin. Mais il ne sert à rien de réfléchir sans agir. »

Pourquoi pensait-il à son père tout à coup ? Il se rendit compte que, plusieurs fois au cours de la journée, la pensée de son père l'avait effleuré comme l'aile d'un oiseau. Sans doute à cause de ce coup de fil… Maître comment, déjà ? Il avait vérifié sa boîte aux lettres, mais le pli du notaire n'était pas encore arrivé.

Il sentit la boule à l'estomac revenir. Qu'allait-il découvrir dans cette enveloppe ? Il n'avait pas encore décidé s'il la jetterait purement et simplement sans l'ouvrir ou s'il allait regarder ce qu'il y avait à l'intérieur. Cette enveloppe avait voyagé à travers les années, à travers le temps autant qu'à travers l'espace. Que renfermait-elle ? Il se surprit à souhaiter qu'elle fût vide.

Concentre-toi…

Dans cette forêt, les choses étaient cachées mais elles étaient bien là – il suffisait de savoir où chercher –, mais de quelle forêt parlait-on ? Et soudain, il comprit. Oui ! Il se leva d'un bond et se précipita dans la pièce à peine plus grande qu'un placard qui lui servait de débarras. Il y avait là toutes sortes de trucs : des cintres, des vieux vêtements qu'il ne mettrait plus mais qu'il avait la flemme de trier et de jeter, des stocks de piles AA et AAA, des ampoules à vis et à baïonnette, une imprimante Epson obsolète et des cartons. Il s'approcha de ceux-ci, en écarta plusieurs et en tira un qui se trouvait vers le fond. Il porta le carton dans le salon, le déposa à côté de lui sur le canapé, dans la lumière de la lampe, et l'ouvrit, soulevant un nuage de poussière qui le fit éternuer.

Des romans d'Erik Lang. Une forêt de livres, une forêt de mots, une forêt de sens…

Le sommeil l'avait surpris en pleine lecture – et il se souvint vaguement, à son réveil, que, dans le chapitre qu'il lisait quand ses paupières s'étaient fermées, un homme cardiaque mourait de peur attaché au fond d'une cave, à cause des douzaines de rats qui lui grimpaient dessus. Il avait lu les romans en diagonale et il était passé sur les deux premiers rapidement. L'écriture en était, lui avait-il semblé, à des années-lumière de celle des romans-feuilletons du XIXe siècle et des débuts du XXe que son père lui donnait à lire, les Ponson du Terrail, les Eugène Sue, les Zévaco, et on trouvait dans les deux livres les mêmes ingrédients : des scènes répugnantes pour appâter le lecteur en mal de sensations fortes, des tueurs en série caricaturaux et des flics qui ne l'étaient pas moins. À la troisième lecture, cependant, quelque chose se passa. Tout à coup, le choix d'un style heureux s'unissait à une intrigue si ingénieusement agencée que Servaz ne devina la fin que dans les toutes dernières pages. Les protagonistes eux-mêmes étaient enfin des êtres de chair et de sang, car la vie faisait irruption entre les pages dans ce qu'elle a de plus ordinaire et de plus familier, provoquant chez le lecteur le délicieux frisson de la reconnaissance. Quoique légèrement inférieur à *La Communiante* (du moins dans le souvenir qu'il en gardait), c'était le meilleur des trois. Mais c'est surtout la conclusion, parfaitement amorale, comme toujours chez Lang, qui laissa Servaz sans voix. Car, à la fin, le personnage principal, un très jeune homme, bien qu'innocent, *était trouvé pendu et laissait une lettre où il s'accusait du crime* ! Le roman s'intitulait *Le Dieu écarlate*. Il était signé Erik Lang et datait de 1989 – quatre ans avant le suicide de Cédric Dhombres.

Servaz l'avait refermé en proie à des sentiments violents et contradictoires. Il se demanda pourquoi il n'avait pas lu plus tôt les livres présents dans ce carton mais, au fond, il connaissait la réponse : il les avait achetés quand ils enquêtaient sur les meurtres d'Ambre et d'Alice et, après la mort de Cédric Dhombres, il avait mis le couvercle sur cette enquête et s'était employé à l'oublier. Cette histoire de pendu et de lettre venait renforcer les soupçons qu'ils avaient eus depuis le début que les crimes étaient liés aux romans… Si un fan avait frappé il y a vingt-cinq ans, qui frappait aujourd'hui ? Y avait-il vraiment là-dedans matière à les mettre sur la voie – à la fois de ce qui s'était passé il y a vingt-cinq ans et de ce qui se passait maintenant ? Ou, au contraire, risquait-il de s'éloigner de la réalité en se laissant distraire par la fiction ? Il avait senti au plus profond de lui qu'il tenait quelque chose. Mais quoi ? Il s'était donc attaqué fiévreusement au roman suivant. Il était 2 heures du matin mais il n'éprouvait plus la moindre fatigue. Au bout d'une centaine de pages toutefois, il n'avait rien trouvé d'intéressant et ses yeux avaient commencé à se fermer.

Puis il s'était réveillé…

Pendant une seconde, il se demanda ce qui l'avait réveillé : l'appartement était silencieux, tout comme l'immeuble et la rue. Il remit ses pensées en ordre et s'apprêtait à reprendre sa lecture quand un cri s'éleva. Gustav ! Il fit tomber sur le sol le roman qu'il était en train de lire avant de s'endormir et qu'il avait encore sur les genoux, et bondit vers la porte de Gustav. Son fils était assis à la tête du lit, les yeux ouverts, dans la lueur de la veilleuse. Instinctivement, Servaz tourna son regard vers la gauche, là où, dans son rêve, se tenait une silhouette familière mais, bien entendu, il n'y avait personne.

— Gustav, dit-il doucement en s'avançant. C'est moi.

La tête du garçon pivota. Il le fixa, mais Servaz comprit immédiatement que le gamin ne le voyait pas, que son regard passait à travers lui comme s'il était invisible.

— Gustav…

Il avait légèrement élevé la voix. Il fit un pas, puis deux. Tendit une main. Effleura la manche du pyjama et attrapa doucement le bras de son fils. Il tressaillit quand le hurlement jaillit de la bouche ouverte. Si béante qu'il aperçut la langue rose et les petites dents blanches. Un hurlement strident, qui déchira le silence nocturne comme un coup de canif dans un rideau.

Il attira son enfant contre lui, mais Gustav se débattit et le repoussa avec une vigueur surprenante.

— Laisse-moi ! Va-t'en ! Va-t'en !

Servaz le serra avec plus de force contre son torse, posant une main sur ses cheveux.

— Laisse-moi ! Va-t'en !

— Gustav, murmura-t-il. Chhhhhh… Calme-toi…

Son fils se débattait toujours, mais avec de moins en moins d'énergie. Puis il cessa de se démener, des sanglots soulevèrent sa poitrine et il se mit à pleurer tout contre lui, convulsivement, sans pouvoir s'arrêter.

10

Vendredi

Le fourmilion

À 9 h 30 le lendemain, dans la salle du deuxième étage, le groupe d'investigation se réunit pour faire le point. Servaz avait dormi moins de quatre heures. Cette fois, le manque de sommeil ne le rendait pas léger et affûté mais au contraire vaseux et lent. Peut-être était-ce dû aux douleurs qui le torturaient. Ce jour-là, comme tous les autres jours, il accorda à son groupe quelques minutes de détente puis il entra dans le vif du sujet. Avec un soupçon d'impatience, une aspirine effervescente fondant dans un verre devant lui, il récapitula : les résultats des analyses ADN effectuées à partir des prélèvements sur la scène de crime n'allaient pas tarder, de même que les analyses toxicologiques de la victime ; Rémy Mandel était toujours au frigo, mais sa garde à vue expirait dans moins de deux heures et, puisqu'il avait dit la vérité concernant le manuscrit, il ne leur restait pas beaucoup d'arguments pour motiver son renouvellement.

Il condensa aussi ce qui s'était passé la veille dans la forêt. Puis il déclara :

— Je ne pense pas qu'une femme qui pèse 56 kilos soit capable d'avoir assommé Erik Lang et son épouse… Selon la légiste, il a fallu pour cela une grande force. Je veux cependant que vous vous renseigniez : est-ce que Zoé Fromenger fréquente les salles de gym ? Est-ce qu'elle pratique un sport de combat ? Est-ce que, par hasard, elle ferait de la musculation ?

— Pourquoi pas son mari ? demanda quelqu'un.

Servaz eut un geste de dénégation.

— Non. C'est pas lui.

— Comment vous pouvez en être aussi sûr, patron ? protesta Samira Cheung. Il a quand même pris la poudre d'escampette…

Il allait répondre mais se retint. Il n'avait aucune explication valable à leur fournir sinon son intime conviction – une conviction acquise dans des circonstances exceptionnelles, qu'il était difficile de leur faire partager.

— OK, Samira, tu creuses un peu de ce côté, dit-il pour leur donner un os à ronger. Les caméras de surveillance du golf-club, ça a donné quoi ?

— Rien, répondit Guillard. Elles ne fonctionnent pas, elles sont là pour la galerie…

La lassitude de Guillard était perceptible. Il avait l'air soucieux. C'était peut-être ses trois pensions alimentaires qui le préoccupaient.

Tout à coup, Servaz se sentit terriblement fatigué lui aussi, si fatigué que même les douleurs dans son corps lui en paraissaient amorties. Sauf celle qui lui griffait le sternum et les côtes – une douleur aussi intense que des coups de poignard à répétition. Il l'avait déjà éprouvée quand il s'était habillé, ce matin, et il se demanda s'il ne s'était pas cassé quelque chose dans la montagne.

— Revenons à Mandel. Il faut passer son ordinateur au crible, dit-il. Où en est la police scientifique ? Il nous reste deux heures avant la fin de la garde à vue ! Voir les messages qu'il a reçus et envoyés les heures précédant l'effraction et surtout remonter à l'adresse IP de celui qui lui a mis le marché en main.

— On peut faire une copie de sécurité de son disque dur, suggéra Samira. D'accord, Mandel a dit la vérité, mais qui dit qu'il n'est pas complice de recel ? relança-t-elle comme s'il s'agissait d'une partie de poker. Il savait forcément ce que le vendeur allait faire. Il bluffe peut-être avec cette histoire de messages…

Servaz hocha la tête.

— Deux heures, répéta-t-il. Le juge Mesplède ne renouvellera certainement pas sa garde à vue. Magnez-vous.

Il passa sous silence ses lectures nocturnes et acheva de distribuer les tâches. Annonça qu'il se rendrait seul au cabinet dentaire : un débarquement en force risquait d'effaroucher le gibier et il préférait y aller en douceur, même si – songea-t-il sans le dire – Zoé Fromenger avait de toute façon été avertie par son mari.

Sis 3, rue du Faubourg-Bonnefoy, au-delà du tunnel sous les voies ferrées, le cabinet dentaire Tran et Fromenger avait ses locaux dans un immeuble étonnamment élégant et neuf pour le quartier. Volumes géométriques, formes rectilignes, parements et fenêtres entrecoupés de lignes horizontales – son architecture très graphique contrastait avec les édifices décrépits, les tags, les commerces discount, les épiceries de nuit et les restaurants asiatiques qui le cernaient.

En franchissant la lourde porte au troisième étage, Servaz fit irruption dans un espace où tout était conçu pour vous faire oublier que vous n'étiez pas là pour passer un bon moment. Musique d'ambiance, tons sable et pastel, parquet ciré, lumières indirectes. Une secrétaire médicale à la voix aussi suave que la musique l'accueillit et lui demanda s'il avait rendez-vous en jetant un regard circonspect aux nombreuses coupures qui enluminaient son visage.

— Oui. Avec Zoé Fromenger, répondit-il du même ton doucereux.

Le sirop continua de couler :

— Votre nom, s'il vous plaît.

Il me plaît, pensa-t-il. Il le donna et fut conduit dans une salle d'attente où la gamme des magazines allait des *Cahiers du cinéma* à *Sciences humaines* en passant par *Art et Décoration*. Un lampadaire design en forme d'arc brillait dans un coin de la pièce. Des photos d'insectes et de papillons aux murs. Des pas retentirent derrière la porte qui s'ouvrit sur une femme brune portant une blouse blanche qu'elle n'avait pas boutonnée sur un tailleur et des collants. Dans les trente-cinq, trente-huit ans. Il se leva. Avec ses talons, elle était presque aussi grande que lui.

Zoé Fromenger avait un visage ovale, des cheveux brun foncé mi-longs savamment dégradés avec un décoiffé du plus bel effet (et qui ne devait certainement rien au hasard) et des iris d'un marron chaud. Ses yeux étaient toutefois cernés, son inquiétude manifeste. Elle avait dû parler longuement avec son mari de la conversation qu'ils avaient eue dans la montagne, et elle avait passé une mauvaise nuit.

— Vous voulez me voir à quel sujet, inspecteur ?

Sa voix aussi était chaleureuse, même si elle était présentement voilée par la même angoisse que son regard.

— Capitaine, rectifia-t-il. Votre mari ne vous a rien dit ?

— Apparemment, il n'a pas très bien compris ce que vous lui vouliez hier soir. *Ni à moi*… En quoi mon poids et ma taille vous intéressent-ils ?

Il hocha la tête. Si elle jouait la comédie, elle était assez douée.

— Est-ce qu'on pourrait en parler ailleurs qu'ici ? Une salle d'attente n'est pas… l'endroit idéal.

Tout à coup, il grimaça et porta une main à sa joue droite.

— Qu'est-ce que vous avez ? demanda-t-elle aussitôt.

On était dans un cabinet dentaire après tout, et ce genre de mimique n'avait rien d'inhabituel ici.

— J'ai une douleur à une molaire depuis un petit moment. Ça doit être le fait d'être chez le dentiste qui la réveille. Une forme de somatisation…, ajouta-t-il en esquissant un sourire. Laissez tomber, je ne suis pas là pour ça.

Elle haussa les épaules.

— Venez dans mon cabinet. Puisque vous êtes là, autant en profiter pour examiner cette molaire.

Elle fit demi-tour et le précéda dans le couloir, ses talons attaquant gaillardement le parquet ciré, transperçant l'atmosphère feutrée. Il observa ses mollets musclés, ses épaules larges et ses hanches qui remplissaient bien la blouse et estima que cette femme-là était sans doute plus forte qu'il n'y paraissait.

Quand il prit place dans le fauteuil inclinable, il commença à se dire que ce n'était peut-être pas une si bonne idée de se livrer à un interrogatoire lorsque l'objet de celui-ci avait en main seringues et fraises et qu'on avait soi-même des zones aussi sensibles que gencives et émail à leur portée. Chaque fois qu'il entrait chez un dentiste, il ne pouvait s'empêcher de penser au film *Marathon Man*.

— Vous ne vous êtes pas raté cette nuit…, remarqua Zoé Fromenger en lorgnant les estafilades sur ses joues, son nez et son front, comme des coups de crayon rageurs déchirant du papier.

— Comme vous le savez, on a fait un petit tour en forêt, votre mari et moi.

— Ouvrez la bouche, dit-elle.

— J'ai des questions à vous poser.

— Après.

Il se le tint pour dit. On ne contrarie pas une dentiste. Elle se pencha vers lui dans un bruissement de nylon et un parfum agréable monta de ses vêtements, qui lui évoqua de lointains souvenirs, du temps où il avait une vie privée. Les instruments se frayèrent un passage obscène dans sa bouche, fouillant et fouissant sans la moindre retenue, crissant contre l'émail de ses dents comme des insectes de métal.

— Ce n'est pas la molaire, diagnostiqua-t-elle quand elle eut terminé, vous vous payez une belle inflammation de la gencive. Vous vous nettoyez souvent les dents ?

— Une fois par jour.

— Pas suffisant. Il faut le faire après chaque repas. Et utiliser des brossettes. Avec l'âge, vous avez les dents qui s'écartent et un tas d'impuretés se nichent dans les interstices.

Il se demanda fugacement si Zoé Fromenger choisissait ses partenaires en fonction de la qualité de leur dentition. Car il lui semblait de plus en plus évident que cette femme ne pouvait être celle d'un seul homme.

— On va procéder à un curetage. Je vais d'abord vous anesthésier…

Il faillit émettre une objection mais y renonça. Au point où il en était. Dix minutes plus tard, il avait un côté de la bouche totalement endormi. Peut-être était-ce le but escompté en fin de compte : le faire taire d'une manière ou d'une autre.

Il se redressa et Zoé Fromenger rangea ses instruments.

— Je vous écoute, dit-elle comme si c'était elle qui allait le questionner.

— Mes questions concernent principalement la présence de la voiture de votre mari, une DS4 rouge à toit blanc, sur le parking d'un centre commercial dans la nuit de mardi à mercredi vers 3 heures du matin, commença-t-il avec une élocution rendue approximative par l'anesthésie.

Il l'interrogea du regard.

— Gaspard m'a parlé de ça, répondit-elle, les dents serrées. Il doit y avoir une erreur. Il s'agit forcément d'une autre DS4…

— Vous confirmez que votre mari était bien à la maison cette nuit-là ?

— Catégoriquement. Pourquoi vous avez besoin de savoir ça ?

Il plongea une main dans une poche de son blouson, en ressortit le même cliché qu'il avait montré à Gaspard Fromenger : l'agrandissement de la plaque d'immatriculation. Il la vit pâlir.

— Je ne comprends pas… Il doit y avoir une erreur…

Il laissa passer un silence.

— Madame Fromenger, est-ce que vous avez utilisé la voiture de votre mari dans la nuit de mardi à mercredi pendant qu'il dormait ? demanda-t-il soudain.

Zoé Fromenger cligna nerveusement des paupières.

— Non !

— Et une autre nuit ?…

Pas de réponse.

— Je vais avoir besoin de votre téléphone, décida-t-il.

— Pour quoi faire ?

— Voir s'il n'a pas activé quelques bornes dans ou autour de Toulouse cette nuit-là ou une autre nuit…

— Vous avez le droit de faire ça ?

— J'ai non seulement le droit mais toutes les autorisations requises.

Elle regarda vers le sol.

— J'ai utilisé sa voiture… mais pas cette nuit-là… une autre nuit… La mienne est au garage…

Elle cherchait ses mots.

— C'était une urgence…

— Quel genre d'urgence ?

Elle leva les yeux vers lui. Servaz y lut un mélange de culpabilité, de défi et de tristesse.

— J'ai une relation avec un autre homme… Il voulait me voir tout de suite. Il avait quelque chose d'important à me dire, mais pas au téléphone…

— Quand est-ce que ça s'est passé ?

— Dans la nuit de mercredi à jeudi.

— Son nom ?

Elle le transperça du regard.

— Vous savez bien de qui il s'agit puisque vous êtes ici…

— Erik Lang ?

Elle hocha la tête.

— Vous n'avez pas eu peur que votre mari découvre que vous étiez sortie ?

— Mon mari a le sommeil très lourd, capitaine, il a un métier épuisant. Et il a l'habitude de mes insomnies. Et puis, Erik a insisté… C'était vraiment urgent, selon lui.

— Que voulait-il ?

Elle hésita.

— Madame Fromenger, vous connaissez les termes *obstruction à la justice* ?

— Me dire qu'on devait arrêter de se voir pendant quelque temps… Et ne plus se parler au téléphone. Il voulait me le dire en personne. Avant de couper tout contact…

Il lui jeta un regard acéré.

— Il y a longtemps que ça dure, Erik Lang et vous ?

— Deux ans.

— Vous l'avez rencontré comment ?

— C'était un de mes patients…

— Votre mari n'est pas au courant ?

— Non !

Il se pencha vers elle.

— Madame Fromenger, est-ce que votre mari est quelqu'un de violent ?

Zoé Fromenger blêmit. Il surprit à nouveau de la tristesse dans ses yeux. Servaz souleva la manche de sa blouse. Il y avait un bleu sur son poignet.

— C'est lui qui vous a fait ça ?

— Ce n'est pas ce que vous croyez. On s'est disputés hier soir à cause de cette histoire de voiture. Il voulait savoir si c'était moi qui étais au volant. Il m'a attrapée par le poignet et je me suis libérée un peu trop violemment.

Bien sûr, pensa-t-il.

— Rémy Mandel, ça vous dit quelque chose ?

— Qui ça ?

Il répéta le nom.

— Non.

— Un des fans d'Erik Lang, il ne vous en a jamais parlé ?

— Non. Pourquoi l'aurait-il fait ?

— Ce qui nous ramène à ma première question, dit-il. La présence de la voiture de votre mari sur le parking d'un centre commercial la nuit de mardi à mercredi vers 3 heures du matin. Vous n'avez aucune explication ?

Elle n'en avait pas.

À l'heure du déjeuner, il avait tellement mal à hauteur du sternum qu'il se mit à envisager le pire. Une angine de poitrine. Un problème cardiaque… Il avait produit un effort très violent la veille… et s'il était sur le point de faire un infarctus ? Ses artères coronaires s'étaient-elles durcies et rétrécies avec l'âge sans qu'il y prenne garde ? Il allait avoir cinquante ans… La douleur broyait sa cage thoracique dans un étau et cette sensation de serrement commençait à l'oppresser et à l'angoisser au plus haut point. Chaque respiration, chaque mouvement lui arrachait une grimace et il évitait soigneusement de respirer trop fort, mais, de temps en temps, comme pour savoir jusqu'où cela pouvait aller, il prenait une inspiration aussi profonde que possible et alors la douleur explosait dans sa poitrine et lui coupait le souffle.

Il chercha sur Internet les symptômes de l'infarctus et lut : *pression dans la poitrine, douleur irradiant vers le bras gauche (et plus rarement le bras droit), suées, souffle court, vertiges*. Il les avait pratiquement tous… D'ailleurs, il lui suffisait d'y penser pour éprouver une sorte de vertige et se mettre à transpirer.

Il appela son médecin traitant mais tomba sur un standard où on lui expliqua qu'il ne serait pas reçu avant deux semaines. Il fit valoir qu'il s'agissait d'une urgence et la personne au bout du fil – après lui avoir posé quelques questions sur un ton ouvertement sceptique – ramena ce délai à vingt-quatre heures.

— Prenez des antalgiques en attendant, lui dit-elle. C'est sûrement une côte fêlée si vous vous êtes cogné hier.

— Laissez tomber.

On pouvait crever dans ce pays. *Meilleur système de santé au monde, tu parles*. On ne cessait de rogner sur tout, même sur les dépenses de santé. Il fila aux urgences. Trois heures d'attente dans un couloir au milieu de brancards, de patients abattus et de proches à cran. Un vrai foutoir et des soignants débordés, stressés, découragés qui tentaient de faire face avec les moyens du bord. Il joignit Charlène, lui demanda de passer prendre Gustav à la sortie de l'école. Fut enfin interrogé par un jeune interne et une infirmière. En d'autres circonstances, il aurait décampé depuis longtemps, mais la douleur ne le laissait pas en paix une minute.

— Radio, décréta l'interne après qu'il eut exposé son cas.

Une nouvelle heure d'attente au cours de laquelle il envisagea les pires scénarios imaginables – y compris qu'il allait s'écrouler foudroyé en plein hôpital – et il revenait avec ses radiographies sous le bras. Il était 17 h 30.

— Vous avez deux côtes cassées, conclut l'interne en les examinant. Rassurez-vous, ça n'est pas grave en soi, car il n'y a pas eu de déplacement. C'est plutôt une bonne nouvelle. Mais chacun de vos mouvements met à contribution les nerfs intercostaux qui, comme leur nom l'indique, sont situés dans les espaces entre les côtes et innervent toute la paroi thoracique. Je vais vous rédiger une ordonnance avec un antalgique pour diminuer la douleur et un myorelaxant pour détendre les muscles qui font pression sur les nerfs. Mais sur ce genre de douleur, croyez-moi, leur efficacité est très limitée. Le seul traitement, c'est le repos. Je vais vous prescrire aussi un arrêt de travail.

— Non. Je n'ai pas le temps de me reposer, trancha-t-il.

L'interne haussa les épaules. Il était habitué aux patients récalcitrants.

— Dans ce cas, on va vous faire un strapping des côtes. Ça vous soulagera un peu. Mais il faut laisser le temps faire son œuvre, monsieur Servaz. Ça va prendre plusieurs semaines, peut-être même des mois. Et surtout, surtout évitez tout choc et toute sollicitation excessive de votre cage thoracique, d'accord ?

On le fit déshabiller et l'infirmière s'approcha de lui avec une grande bande adhésive. Elle mesura la distance entre son sternum et sa colonne vertébrale à l'aide de l'Elastoplast et découpa six rubans de même longueur et de six centimètres de large. Elle colla le premier à même sa peau, en partant du sternum puis en tirant dessus et en passant sous le mamelon droit tout en inclinant la bande légèrement vers le bas. Il grimaça quand elle l'appuya sur ses côtes cassées. Elle fit ainsi le tour de son flanc droit et termina dans le dos, au bord de l'épine dorsale. Elle renouvela l'opération avec le deuxième ruban, en démarrant sous le premier et en remontant cette fois, les croisant pour décrire un X aplati. Elle appliqua de la même façon les six bandes parallèles trois par trois, chaque série de trois croisant l'autre série.

— Les croiser permet un meilleur maintien, lui expliqua-t-elle en posant ses doigts froids sur son torse.

Il avait l'impression d'avoir tout le côté droit pris dans un corset. Il se rhabilla précautionneusement et les remercia.

— Faites-moi une faveur, lui dit l'interne. Ne serait-ce que pour le temps qu'on vous a consacré. Rentrez chez vous et reposez-vous au moins jusqu'à demain.

Il ne promit rien – sinon qu'il allait y réfléchir. Il se sentait déjà mieux.

À 18 heures précises, il ressortait du CHU et montait dans sa voiture. La douleur était toujours présente mais – soit l'effet de l'antalgique et du myorelaxant qu'on lui avait fait avaler, soit celui des bandes qui le corsetaient, soit l'effet placebo dû à sa visite – elle était moins intense. Il s'arrêta dans une pharmacie sur la route de Narbonne et présenta son ordonnance. Bon, se dit-il, il avait une gencive neuve et une cage thoracique en voie de guérison : il était de nouveau d'attaque…

En sortant de la pharmacie, il roula vers le centre et utilisa son pare-soleil « POLICE » pour se garer en double file sur le boulevard Lazare-Carnot, devant la Fnac. Il grimpa à l'étage librairie, fit une razzia sur les romans d'Erik Lang parus après 1993, passa commande de ceux qui n'étaient pas en rayon et ressortit.

Il allait remonter dans sa voiture quand il éprouva une démangeaison familière à la base du cou, entre la cinquième et la sixième cervicale. Comme un minuscule influx nerveux circulant dans sa moelle épinière, un message sensoriel allant de la périphérie vers le centre. *Quelqu'un l'observait…* Avec le temps, il avait acquis un véritable instinct pour ce genre de choses.

Il se retourna, balaya le boulevard. La pluie qui tombait depuis 17 heures était en train de se changer en neige.

Il avait dû se tromper.

Personne.

Je les observe. Je les vois.

Je sais qui ils sont, et comment ils vivent. Qui peut dire de quoi on est capable par amour ? Pour un homme qui a vécu toute son existence à travers les mots, le spectacle de la vraie vie s'apparente à la découverte d'une autre planète. Je suis assis au volant de ma voiture, ou planté debout sur un trottoir, ou dans un café à épier à travers la vitre embuée et à écouter les conversations au comptoir, et je les vois, je les observe à leur insu tandis qu'ils continuent à vivre leur vraie vie devant mes yeux, à jouer à leurs vrais jeux, à aimer d'un vrai amour. Un coléoptériste scrutant des dynastes, des chrysomèles, des carabes et des lucanes, voilà ce que je suis... Savez-vous qu'il existe environ 40 000 espèces de carabes et 37 000 de chrysomèles ? Non, bien sûr, vous ne le savez pas. Je ne les quitte pas des yeux et, chaque jour, j'en apprends un peu plus sur eux... C'est le soir qu'ils se livrent le plus, qu'ils se mettent à nu sans s'en rendre compte. Quand leurs maisons et leurs appartements sont éclairés et qu'il fait nuit noire dehors, quand ils n'ont pas encore tiré les rideaux, fermé les volets sur leurs vies secrètes. C'est le moment où j'entre chez eux à leur insu – et où je les vois.

Je sais qui ils sont...

Elle, la très belle femme rousse qui garde l'enfant blond, l'enfant du flic – est-ce qu'elle couche avec son père ? Tu es si belle... Tu le regardes avec tant d'amour, le même amour que tu as pour son fils. Celui que tu as appelé Gustave à la sortie de l'école... Je te vois ôter une barrette dans ta flamboyante chevelure rousse et la libérer, la secouer comme si tu allumais un feu, t'apercevoir, en soutien-gorge noir sur ta peau si blanche, que tu n'as pas tiré les rideaux et qu'on peut te voir. En cela, tu as bien raison... On sous-estime les regards extérieurs, la curiosité d'autrui... Tu jettes un coup d'œil dehors et je vois tes seins parfaits l'espace d'un instant, contenus dans les bonnets.

Et les enfants qui jouent à travers la maison. J'entends leurs bruits d'enfants. Ce sont des enfants turbulents et joyeux, exubérants et espiègles, normaux en somme. Et je pense à ma propre enfance – qui ne fut ni turbulente, ni joyeuse, ni normale... Mon père était un lucane, il me broyait avec ses puissantes mandibules mentales, ma mère une chrysomèle. Moi, je suis un carabe, incapable de voler. C'est ce qu'ils ont fait de moi.

Et puis, il y a l'homme qui t'embrasse sur la bouche en rentrant et qui prend ses enfants dans ses bras. Ton mari... L'adjoint de l'autre... Il a l'air rusé. Mais moins rusé que son patron. Le père de Gustave. Ce policier habile. Servaz. *Lui est vraiment dangereux... Lui, il faut s'en méfier. Lui, c'est un fourmilion – ce terrible insecte prédateur qui creuse un piège mortel dans le sable, une fosse au fond de laquelle il se cache et où il attend qu'un autre malheureux insecte tombe directement entre ses mâchoires. une force invincible le pousse, une rage muette – ça se lit sur son visage. Il n'est jamais en repos. Il ne sera pas en repos tant qu'il n'aura pas découvert le fin mot de cette histoire, le fourmilion.*

Mais il a un point faible. Je l'observe en ce moment même par la fenêtre de la maison de ses amis, assis tranquillement dans la voiture, tandis que la radio diffuse I Feel Love *de Donna Summer.*

11

Vendredi

Terreur

Charlène Espérandieu portait une robe en tricot noir près du corps qui s'arrêtait vingt centimètres au-dessus du genou, serrée à la taille par une large ceinture et une grosse boucle ronde, des bottes en cuir noir souple, montantes, et la section de ses jambes parfaites comprise entre le bas de la robe et le haut de ses bottes était gainée d'une résille au dessin complexe fait de losanges et de croix dont la vision fit battre son sang quand elle l'accueillit sur le seuil de sa maison. Elle avait également posé un bonnet de laine torsadée sur ses cheveux aussi roux et flamboyants qu'un feu d'automne, ses joues étaient rougies par le froid et elle possédait toujours la même sorte de beauté qui lui avait fait se dire un jour qu'il avait en face de lui la plus belle femme de Toulouse.

Il n'était pas facile d'ignorer toute cette beauté quand on s'adressait à elle et il était sûr que celle-ci avait dressé entre Charlène Espérandieu et les autres une forme de distance qui l'avait obligée à redoubler d'efforts pour être traitée comme le commun des mortels.

— Salut, dit-elle.

— Salut.

Il y avait toujours entre eux le même mélange de gêne et d'attirance – une ambiguïté qu'aucun des deux ne s'était jamais décidé à lever, car ils savaient que cela aurait eu des conséquences incalculables pour leur entourage comme pour eux-mêmes.

Gustav apparut au coin de la maison et courut vers lui à travers le jardin gagné par la nuit. Pas encore de « papa », mais pareil accueil faisait quand même chaud au cœur. Il pressa son fils contre lui en ébouriffant ses cheveux pleins de flocons qui, cependant, ne tenaient ni au sol ni dans la chevelure de son garçon.

— Il profite du jardin… Ça va ? demanda-t-elle en lorgnant les coupures sur son visage. Vincent m'a raconté pour hier…

Elle entoura l'enfant de ses bras. Charlène et Gustav s'entendaient presque aussi bien qu'une mère et son fils. C'était elle qui avait aidé Martin à apprivoiser le garçon au début, quand celui-ci réclamait son *autre* père à cor et à cri. Quand ils angoissaient chaque jour à l'idée que des complications postopératoires allaient survenir et mettre la vie de Gustav en danger. Quand il avait repris la direction de l'hôtel de police après son exclusion temporaire. Chemin faisant, Charlène s'était attachée à Gustav. Encore aujourd'hui, elle ne faisait jamais défection quand il s'agissait de s'en occuper. C'était, du reste, quelque chose qu'il avait noté chez elle dès leurs premières rencontres : cet instinct maternel profondément enraciné, plus fort que tout.

Il dit à son fils d'aller s'asseoir dans la voiture et remercia.

— Il a l'air bien, dit-elle à voix basse.

Il lui sourit, comme pour la rassurer. Elle savait comme lui que Gustav était loin d'être tiré d'affaire. Un an après la transplantation, complications vasculaires, biliaires, digestives, rejet du greffon, insuffisance rénale chronique et surtout complications infectieuses (qui survenaient dans plus de 60 % des cas de transplantation hépatique chez l'enfant) étaient autant d'épées de Damoclès suspendues au-dessus de sa tête. Il avait lu les chiffres. La plupart des équipes rapportaient un taux de survie à un an de 80 à 90 %. Il tombait de 70 à 80 % entre cinq et dix ans. Quant au taux de survie du greffon, il variait entre 50 et 70 %. Ce qui signifiait que Gustav – s'il survivait – avait presque une chance sur deux de devoir un jour subir une re-transplantation. Certaines nuits, il se réveillait en sueur, plein de terreur à cette idée.

— Tu veux voir Flavien et Mégan ? demanda-t-elle en montrant la maison.

— Une autre fois, dit-il.

Elle hocha la tête et disparut.

Cette nuit-là, calé contre les oreillers, les livres étalés en vrac sur la couette, un verre d'eau et un tube d'antalgique à portée de main sur la table de nuit – et tandis que la neige descendait silencieusement derrière la vitre –, il se remit à lire dans le halo de la lampe encerclé de ténèbres.

Les heures passant, il se laissa progressivement gagner par les mots de Lang. C'était une lecture pénible – même si d'autres devaient la trouver fascinante –, surtout à cette heure où le silence régnait. Il n'était pas quelqu'un de particulièrement impressionnable : il avait affronté des ennemis autrement redoutables qu'un romancier armé de sa seule imagination et d'un traitement de texte – mais il devait bien reconnaître que Lang connaissait son affaire quand il s'agissait d'inoculer dans l'esprit du lecteur un sentiment grandissant de malaise et d'inquiétude.

Le poison de ces lignes agissait lentement mais, au bout d'un moment, il se sentit pris au piège de ces images et des pensées de l'auteur comme s'il était englué dans une toile d'araignée, alors même que l'araignée demeurait invisible. En les lisant, il avait parfois la sensation de tâtonner dans le tréfonds glissant d'une âme dégoûtante. Car ce que racontait Lang, tout autant que sa façon de le raconter, était répugnant. Ce n'était pas tant les meurtres qu'il décrivait avec force détails complaisants, ni même les motivations sordides de ses personnages – avidité, jalousie, haine, vengeance, folie, névroses –, mais l'atmosphère lugubre, la voix de l'auteur qui sortait de la nuit pour lui parler dans l'oreille et le triomphe presque constant, à la fin, du mal sur le bien.

Il aurait parié que Lang écrivait nuitamment, dans la solitude et le silence. Un oiseau de nuit… qui couchait ses propres démons sur le papier. Où ses fantasmes prenaient-ils leur source ? Le type qui avait créé cet univers romanesque n'appartenait pas à la même espèce que lui – il était d'une autre race. Celle des fous, des poètes… *et des meurtriers* ?

Comme la dernière fois, la première lecture, cependant, n'apporta aucun élément nouveau en ce qui regardait l'enquête. Rien que cette inquiétude lentement distillée qui lui flanqua la chair de poule quand il ouït des pas derrière la porte, à l'autre bout de l'appartement. La personne avait dû se tromper d'étage car, après quelques secondes, il l'entendit redescendre.

Mais, dès le deuxième roman, son attention s'aiguisa et il éprouva le frisson de la familiarité déjà expérimenté avec *La Communiante* il y a vingt-cinq ans et avec *Le Dieu écarlate* la nuit précédente. Un roman intitulé *Morsures*. Il faisait partie de ceux dont il venait de faire l'acquisition et, dans les rayons du magasin déjà, le titre avait évidemment attiré son attention. D'emblée, dès les premières lignes, il sentit le vertige revenir : « *Elle gisait sur le sol dans une position anti-naturelle, couchée sur le flanc, on eût dit qu'elle courait à l'horizontale, jambes et bras repliés. Son visage était enflé et méconnaissable. Mais ce furent surtout les serpents qui grouillaient autour d'elle qui provoquèrent chez lui ce mouvement instinctif de répulsion.* »

Il regarda la date de publication : 2010. Qu'est-ce que ça voulait dire ? Une fois de plus, la vie – ou plutôt la mort – imitait la fiction d'Erik Lang… Une fois de plus, les fanstasmes de l'auteur étaient sortis des pages pour prendre corps dans la réalité.

Il poursuivit sa lecture. Ne trouva aucun autre lien. Laissa tomber le livre et passa au suivant. Rien, là non plus. Il fouillait de plus en plus fiévreusement dans la masse des livres étalés devant lui, avec les taches de couleur de leurs couvertures criardes qui évoquaient les collections de poche des années 1960 et qui formaient un patchwork sur la couette.

Il tendit le bras et attrapa un autre volume. L'ouvrit et se remit à lire en diagonale.

Il lui fallut près d'une heure pour en venir à bout mais, quand il le referma, il était de nouveau en proie au vertige et à la sensation que la température dans la pièce avait chuté. Car le roman, intitulé *L'Indomptée*, racontait l'histoire d'une jeune femme de vingt ans ramenant de nombreux hommes chez elle, flirtant avec eux, mais refusant toute pénétration jusqu'au jour où elle était violée et tuée. La protagoniste était une très belle femme blonde aimant exercer son pouvoir sur les hommes mais qui ne les laissait entrer, selon les mots de l'auteur, « ni dans son corps ni dans son cœur ». Habité par ce poisseux sentiment de familiarité et de malaise au cœur de la nuit, Servaz songea à une autre jeune vierge qui n'avait pas été violée mais bel et bien tuée.

Puis il revit l'homme hautain, arrogant, plein de morgue, qui les avait reçus vingt-cinq ans plus tôt. Et l'homme brisé, accablé par la mort de son épouse, qu'il avait découvert deux jours auparavant. Quel rapport entre les deux ? Il prenait des notes et il fut frappé par le nombre de fois où les mots « mort », « nuit », « froid », « crime », « folie », « peur » revenaient. Mais aussi d'autres récurrences moins attendues : « foi », « amour », « hasard ». Dans *La Communiante*, c'était le mot « trinité » qui se répétait. Ambre, Alice et Erik Lang avaient-ils formé une sorte de *trinité* ? De quelle nature ? Maléfique ? Amoureuse ?

Il se rendit compte que, plus il avançait dans sa lecture, plus le double meurtre de 1993 revenait l'obséder comme il l'avait fait à l'époque. Les deux sœurs prenaient petit à petit le pas sur la mort d'Amalia.

Échappées du plus lointain de son passé de flic, elles étaient de nouveau là, devant lui, accoutrées de leur robe blanche, le regardant fixement et attendant… quoi ? Qu'il trouve enfin le vrai coupable ?

Parallèlement, il commençait à discerner des lignes de force, des constantes dans l'œuvre de Lang. Et il devait bien reconnaître à l'écrivain un certain talent pour restituer les atmosphères les plus sinistres, planter un décor, évoquer une forêt, une lande, un crépuscule descendant sur une colline ou sur une ferme en ruine, tout un théâtre d'ombres à la puissance d'envoûtement indéniable. Même si Lang recourait parfois aux clichés les plus éculés, il avait assez de savoir-faire pour relever un aliment un peu fade d'une sauce plus épicée et assez de folie en lui pour qu'un vrai souffle traversât ses pages. Au bout du compte, la densité, la force et la cohérence de cet univers livré à la barbarie, au meurtre et au désastre étaient indiscutables.

À la fin de la nuit, quand il eut refermé le dernier volume, il était au bord de l'épuisement. Il avait accompagné Lang et ses personnages dans des cloaques où des jeunes gens tombaient comme des mouches victimes d'overdose, dans des appartements où des enfants tuaient leurs riches parents pendant leur sommeil pour toucher plus vite leur héritage, dans des ruelles où des prostituées croisaient la route du sinistre Ange de la Rédemption, dans des bois, des trains de nuit meurtriers, sur une île où les membres d'une secte se livraient au cannibalisme rituel et à la coprophalgie. Il se sentait à la limite de l'indigestion.

Il repoussa les livres à l'autre bout du lit et s'allongea. Ses yeux se fermaient, le sommeil l'emportait. Sa dernière pensée fut qu'il devait contacter un groupe d'anciens flics à la retraite auquel appartenait, il le savait, Léo Kowalski.

Un groupe qui se penchait bénévolement sur des cas de disparition jamais élucidés, en collaboration avec l'OCDID : l'Office central chargé des disparitions inquiétantes de personnes.

Il était 5 heures du matin.

12

Samedi

Disparue

Le lendemain matin, il prit la route du Tarn. Empruntant l'A68, puis la N126 à partir de Gragnague. À la hauteur de Cambon-lès-Lavaur, il quitta la nationale pour une départementale qui se mit à serpenter parmi les collines, grimpant et descendant dans un paysage qui n'était pas sans évoquer la Toscane, avec ses bosquets, ses sites médiévaux, son ciel limpide et ses fermes montant parcimonieusement la garde sur les crêtes. Il était 9 h 45, le matin du 10 février.

Il avait dû passer quelques coups de fil afin d'obtenir le numéro de Kowalski. Une femme lui avait répondu.

— Passez vers 10 heures pour le café, avait-elle dit d'une voix douce. Il sera rentré de sa marche.

La route plongea dans un petit vallon touffu, avec un panneau indiquant la proximité d'un centre équestre qui demeura cependant invisible, vira devant une ruine aux murs à demi effondrés, remonta vers le sommet où elle franchit un large chemin clair et droit qui était tout ce qui subsistait d'une antique voie romaine, puis amorça un virage en épingle à cheveux qui lui révéla un vaste paysage avec – sur l'éminence suivante – un château au milieu des arbres.

Il longea une nouvelle ferme dans laquelle un chien s'égosilla et emprunta une allée gravillonnée qui s'enfonçait dans un petit bois. Quand il en émergea, la bâtisse se dressait devant lui, entourée de terrasses, et il se demanda comment Kowalski avait pu s'offrir pareille acquisition.

Le flic à la retraite l'attendait au bout du chemin, dans l'ombre d'un chêne. Servaz faillit ne pas le reconnaître. Les ans n'avaient pas épargné Léo Kowalski. Il avait en partie perdu ses cheveux et sa barbe rousse avait blanchi. En descendant de voiture et en marchant vers lui, Servaz vit que le bonhomme avait maigri. Il calcula qu'il devait avoir dans les soixante-quatorze ans.

— Martin, dit le retraité, si je m'attendais…

La poignée de main, elle, n'avait rien perdu de sa vigueur. Kowalski broya la sienne et le sonda : le regard de loup était toujours présent. Puis Ko s'avança entre deux piliers de pierre rongés par les intempéries.

— J'ai suivi tes exploits dans la presse, lança-t-il. Je savais que tu ferais un bon flic. Mais à ce point-là…

Il nota que Kowalski laissait la fin de ses phrases en suspens. Il semblait content de le voir, mais sans plus. Ko avait été en son temps une légende au sein de la police toulousaine. Peut-être n'était-il pas si ravi que ça de voir la notoriété de son ancien protégé dépasser la sienne. Et pourtant… Servaz devait bien reconnaître que, malgré leurs différences, Ko était celui qui, le premier, avait fait de lui un vrai flic. Avant d'être intégré à son groupe d'enquête, il ne connaissait pratiquement rien au métier. Ce qu'on lui avait enseigné à l'école lui avait été infiniment moins utile que ce qu'il avait appris auprès du loup rouge, y compris les travers qu'il ne voulait pas reproduire. Grâce à Ko, Servaz avait appréhendé les rudiments du métier – et aussi le genre de flic qu'il ne voulait pas être. C'était Ko – ses qualités d'enquêteur, ses méthodes comme sa part d'ombre – qui l'avait défini en tant que policier, tout comme c'était l'enquête de 2008 qui avait fait de lui l'enquêteur qu'il était aujourd'hui.

Ils grimpèrent les marches du perron et entrèrent dans un vestibule assez petit, eu égard à la taille de l'édifice. Kowalski poussa une porte sur sa droite et ils pénétrèrent dans un salon aux dimensions raisonnables mais nanti d'une cheminée assez vaste pour y cuire un sanglier et d'un lointain plafond à caissons qui avait l'air d'époque. Aux murs, des portraits d'ancêtres qui n'étaient certainement pas ceux du retraité.

— Impressionnant, fit Servaz.

L'ancien chef de groupe le regarda de biais.

— Bel exemple d'interrogatoire indirect, commenta-t-il. Tu veux savoir comment j'ai pu me payer un truc pareil ? C'est simple. Tribunal de grande instance, le bien venait d'être saisi. J'ai reçu le bon coup de fil au bon moment. Les vraies bonnes affaires, c'est là qu'on les fait… Je fais les travaux moi-même, ça m'occupe. Et je loue la dépendance à des touristes sept mois sur douze. Avant, je me levais chaque matin avec un but précis et je me couchais de la même façon. Aujourd'hui, je cherche à quoi consacrer mes journées.

Un pas grinça sur le parquet et Servaz se retourna. Une femme maigre aux cheveux raides et gris se tenait sur le seuil. Elle avait des cernes noirs sous les yeux et un air modeste. Pas vraiment les critères du canon kowalskien au temps de sa splendeur quand, de l'aveu même du chef de groupe, il partait « en chasse ».

— Ma femme, dit Kowalski succinctement.

Elle salua, posa le plateau avec la cafetière et les tasses et disparut.

— Ce qu'est devenue la police aujourd'hui, dit Ko en faisant le service, j'en ai honte. Ces flics qui sont passés à tabac et personne ne moufte. Ces bagnoles de service caillassées ou incendiées. Ces vidéos qui circulent sur Internet où on voit la police humiliée, ridiculisée… Putain, mais où on va ? Y a donc plus personne qui ait des couilles dans ce pays ?

Le Ko d'antan – le loup enragé – n'était pas si loin, en fin de compte. Il n'avait pas pris un gramme de sagesse avec l'âge. C'était la même brute, le même feu.

— Vingt-cinq ans et pas une visite, pas une nouvelle, dit-il soudain, et tout à coup te voilà… J'imagine que c'est pas par nostalgie…

Il plongea ses yeux dans ceux de Servaz. Léo Kowalski n'avait rien perdu de son autorité naturelle. Ni de sa colère. Martin eut envie de répondre que rien ne l'empêchait non plus de se manifester pendant toutes ces années. Depuis son entrée dans la vie professionnelle, il avait passé plus de temps avec ses collègues qu'avec quiconque, y compris son ex-femme Alexandra ou sa fille. Et pourtant, lorsque certains d'entre eux avaient pris leur retraite, ils n'avaient plus donné signe de vie. Pas un mot, pas une lettre, pas un appel. Pourtant, il était facile à trouver. Il s'était renseigné : ces retraités-là n'avaient donné signe de vie à personne. Ils avaient balayé d'un revers de la main quarante ans de leur existence, brûlé leurs vaisseaux derrière eux... Éprouvaient-ils un tel ressentiment à l'égard de leur passé ? Kowalski, lui – Servaz le savait –, n'avait nullement renié son métier d'antan.

— Je me suis laissé dire qu'avec d'autres flics à la retraite comme toi vous enquêtiez sur des affaires de disparition non résolues, en liaison avec l'OCDID et les associations qui recherchent des personnes disparues.

— Exact, répondit Ko d'un ton prudent. J'aurais pu être bénévole aux Restos du cœur, mais je me suis dit que mes compétences seraient mieux employées de cette façon.

— Des affaires pour certaines très anciennes...

— Toujours exact.

Servaz goûta le café. De la lavasse.

— Il est clairet, hein ? J'ai été opéré du cœur. Depuis, Évangeline le fait comme ça. Elle n'a pas envie de rappeler le SAMU à 4 heures du matin par une nuit d'hiver. J'ai beau lui dire que je ne risque rien... que ça n'a rien à voir avec le café. Alors, cette affaire *très ancienne*, c'est quoi ?

Servaz reposa sa tasse.

— Je cherche une jeune fille qui aurait pu disparaître dans la région il y a longtemps...

— Quand ?

— 93...

Ko resta silencieux, mais Servaz vit les muscles jouer sous ses joues couperosées.

— Blonde, cheveux longs... Dans les vingt ans, poursuivit-il.

— *Pu* disparaître ?

— Oui. Je veux savoir s'il y a eu ou non une disparition de ce genre.

— Quand en 93 ?

Il fixa Ko.

— Disons vers la fin mai ou au cours du mois de juin…

Le regard fusa comme un copeau de métal d'une machine-outil.

— OK. Donc, tu cherches une jeune fille ayant le même profil qu'Ambre et Alice Oesterman qui aurait disparu dans la période où elles ont été tuées, c'est bien ça ?

Trinité, pensa Servaz. Il acquiesça.

— Si tu me disais exactement où tu veux en venir ?

Servaz le lui dit. Kowalski l'écouta sans un mot. Puis il reposa lentement sa tasse. Sa main tremblait. Ses yeux étincelaient.

— Putain ! s'exclama l'ancien flic. Je n'arrive pas à y croire… Après toutes ces années… Tu as toujours voulu être au-dessus des autres, hein ? Déjà à l'époque, tu te croyais supérieur à nous… Tu nous considérais comme des moins-que-rien. Tu crois vraiment qu'on aurait pu se planter à ce point ?

— C'est facile à vérifier, dit Servaz sans relever l'insulte. Si une telle disparition a eu lieu, il y a bien quelqu'un dans votre petit groupe de retraités qui a dû en entendre parler.

— Ta théorie du type dans l'ombre qui tirait les ficelles, dit Ko, pensif. Un fantasme, cracha-t-il avec la même colère. Je n'arrive pas à comprendre qu'après toutes ces années tu t'obstines à… (Son regard s'éclaira brutalement.) C'est à cause de l'écrivain, c'est ça ? Ouais, bien sûr. Sa femme a été assassinée…

C'est bien ça ? À qui auraient-ils confié l'affaire sinon à leur meilleur élément ? Et toi, bordel, tu as replongé dans le truc…

Il suivait l'actualité, en tout cas. Mais, après tout, cela avait fait la une de *La Dépêche*.

— À l'époque, Cédric Dhombres a dit qu'il y avait quelqu'un derrière lui. Quelqu'un *d'impitoyable*.

— Conneries ! Enfin, merde, tous les coupables cherchent à faire porter le chapeau à quelqu'un d'autre !

— C'est pour ça qu'il s'est suicidé en s'accusant de tout… Tu vas m'aider, oui ou non ? Je veux juste savoir si une telle disparition a pu avoir lieu dans les jours ou les semaines qui ont suivi le meurtre d'Alice et Ambre.

— Non, mais tu t'entends ? dit Ko en se levant. *Alice et Ambre*… Comme si elles faisaient partie de la famille ! Je vais passer quelques coups de fil. Reste ici.

Il s'était remis à pleuvoir. Ko conduisait son vieux coupé Saab sous une pluie battante et Servaz eut l'impression de retourner dans le passé, quand ils s'étaient rendus chez les parents des deux sœurs, dans cette maison écrasée par le deuil, quand ils avaient fouillé les chambres – lui celle d'Ambre, Kowalski celle d'Alice. Maintenant qu'il y pensait, Ko ne lui avait rien dit de ce qu'il y avait trouvé, s'il avait trouvé quoi que ce soit.

— Où est-ce qu'on va ? demanda-t-il.

— Tu verras.

L'expression de l'ancien flic était impénétrable. Depuis qu'ils étaient partis, il n'avait pas desserré les dents. Une couverture sale recouvrait la banquette arrière et une odeur de chien flottait dans l'habitacle. Sous ce ciel plombé, les collines du Tarn ne ressemblaient plus du tout à la Toscane et leurs respirations déposaient une buée de plus en plus opaque sur les vitres.

— Tu t'es toujours cru meilleur que les autres, hein ? répéta Ko comme si cette question le hantait. Tu la jouais déjà solo à l'époque : le groupe, t'en avais rien à foutre. Et aujourd'hui, ta notoriété t'est montée à la tête, Martin.

Servaz se sentit fatigué tout à coup. Était-ce la chaleur qui régnait dans l'habitacle, le ronflement régulier du moteur ou ce café trop clairet qu'il avait avalé ? Il avait les paupières étonnamment lourdes.

— Quoi ? dit-il.

— Il a toujours fallu que tu mettes ton nez partout… Putain, déjà en ce temps-là… T'as pas idée de la façon dont ça m'énervait…

La tête lui tournait. Qu'est-ce qu'il lui arrivait ? Il aurait dû dormir davantage.

— Qu'est-ce que tu as ? demanda Ko. Ça n'a pas l'air d'aller.

— Si, si, ça va.

Kowalski avait passé ses coups de fil dans une autre pièce. Cela avait duré une bonne vingtaine de minutes. Et puis il était revenu dans le salon et avait demandé à Servaz de le suivre.

— Tu as pu joindre quelqu'un ? demanda-t-il. Vous avez trouvé quelque chose ?

— Ouais, ouais…, dit l'ancien flic de façon évasive.

Soudain, Ko donna un coup de volant pour quitter la départementale et ils roulèrent sur un chemin cahoteux, s'enfonçant sous une cathédrale d'arbres, une longue nef de végétation au bout de laquelle il apercevait, derrière le rideau de pluie, la forme noire d'un bâtiment.

— C'est pour ça que je te gardais près de moi à l'époque, que j'ai fait de toi mon adjoint : pour avoir un œil sur toi…

La voix était froide, maîtrisée – plus du tout en colère – et Servaz sentit un chatouillis courir de la base de son crâne à sa colonne vertébrale.

La bande de hautes herbes au milieu du chemin fouettait le bas de caisse, de grosses gouttes tombaient des arbres et s'écrasaient sur le pare-brise. À cause des cahots, ils bondissaient sur leurs sièges tels des cavaliers sur leur selle et la douleur donna un coup de stylet dans son flanc. Il grimaça.

— Je croyais que c'était parce que tu m'aimais bien, dit-il, stupéfait.

L'ancien flic émit un ricanement. Toussa. Deux fois. La buée plongeait le paysage alentour dans un brouillard.

— Qu'est-ce qui te fait croire que je t'aie jamais apprécié ? Je te détestais au contraire, balança-t-il froidement. Tu n'étais qu'un petit con sorti de la fac qui avait obtenu son poste par piston. Et tu te prenais pour une lumière… Je savais bien que, sous tes airs modestes, tu étais le connard le plus orgueilleux du monde. Mais tu avais ton oncle au-dessus de toi, alors j'ai fait semblant de t'aimer, je t'ai mis dans ma poche pour avoir la paix et que personne vienne m'emmerder. Jusqu'à cette nuit où tu nous as craché à la gueule en prenant la défense de cet écrivain…

Servaz se demanda s'il avait bien entendu. Kowalski n'avait rien oublié. Sa haine et sa rancœur étaient restées intactes pendant tout ce temps. Vingt-cinq années et il n'avait rien pardonné !

À chaque cahot, la douleur revenait, à présent. Le bâtiment au bout du chemin se rapprochait. Servaz vit qu'il s'agissait d'une ruine. Pourquoi Kowalski l'emmenait-il au milieu de nulle part ? Que venaient-ils foutre dans un endroit pareil ? Tout à coup, il se souvint d'une chose. Un souvenir enfoui dans le passé, un caillou dans sa chaussure…

— Pourquoi vous m'avez envoyé moi chercher Cédric Dhombres dans les sous-sols de l'université ce dimanche-là ? Pourquoi vous vouliez être seuls, Mangin et toi, pour visiter sa chambre ?

— Quoi ? De quoi est-ce que tu parles ? dit l'ancien flic en coupant le moteur.

— Ensuite, tu m'as montré toutes ces photos de cadavres. C'est vous qui les aviez placées là, c'est ça ?

Ko ouvrit sa portière et lui lança un regard qui lui fit froid dans le dos. Pendant un instant, il n'y eut plus que le bruit de la pluie martelant la carrosserie.

— T'es cinglé, Servaz, tu sais ça ?

Le retraité descendit et il l'imita, la douleur se manifestant à présent à chaque mouvement. De grosses gouttes froides frappèrent son cou.

Servaz vit qu'une autre voiture était garée un peu plus loin, au pied du bâtiment. Un modèle tout aussi antédiluvien que celui de Kowalski. Il cilla. C'était quoi, cet endroit ?

— Allons, viens, dit Ko. On va éclaircir tout ça.

— Où est-ce qu'on va ?

Ko se retourna, le toisa, un sourire narquois aux lèvres.

— Tu verras bien… Qu'est-ce qui t'arrive, Martin ?

Il avait envie de foutre le camp, de déguerpir, mais il n'en fit rien. Il suivit Kowalski qui, déjà, disparaissait à l'intérieur du bâtiment. Une ancienne grange ou un ancien hangar. Désaffecté. Désert. À part l'homme qui les attendait à l'intérieur, dans le fond.

Impitoyable. Le mot lui revint à l'esprit. Comme un jet de vapeur. Comme un fantôme.

Il s'introduisit dans le vaste espace vide et sonore.

Kowalski s'avançait déjà parmi les gravats et les poutres rouillées jonchant le sol. Cela sentait les feuilles pourrissantes, le salpêtre, la rouille et l'humidité. De hautes et étroites fenêtres aux carreaux cassés faisaient ressembler l'intérieur à une église. Mais sans nul doute une église qui avait été vouée au culte de l'industrie.

La silhouette dans le fond se mit en marche vers eux. Ni trop vite ni trop lentement. D'une démarche tranquille, assurée.

Petit à petit, Servaz la distingua mieux. Il était sûr de ne pas connaître l'homme de haute taille qui émergeait des ombres pour venir à leur rencontre. À l'évidence, il avait le même âge que Ko, ou peu s'en fallait. Grand, le cheveu blanc et dru, la raie nette, mince, il avait toutefois l'air plus distingué et en bien meilleure forme. Un futur centenaire.

— Je te présente le commissaire Bertrand. Un de nos plus infatigables bénévoles, dit Ko.

Bertrand avait la pogne ferme et l'œil vif.

— Léo m'a parlé de votre recherche il y a une heure au téléphone, dit-il. Ça n'a pas été bien difficile. Je me souvenais parfaitement de cette affaire. La disparition avait été jugée inquiétante. L'enquête avait été confiée à la section de recherche de la gendarmerie d'Agen : la jeune fille était originaire de Layrac, où elle vivait chez ses parents, et ce sont eux qui ont signalé sa disparition. Mais, comme elle était étudiante à Toulouse, on nous avait demandé notre aide.

— Pourquoi on se retrouve ici ? voulut savoir Servaz.

Les deux hommes se regardèrent et sourirent.

— J'habite à deux cents mètres d'ici : derrière les arbres. Ma femme n'aime pas qu'on discute de ces histoires à la maison. Elle trouve nos « loisirs » sinistres. Alors, on se donne rendez-vous ici…

— C'est un jeu entre nous, dit Ko. À nos âges, les occasions de s'amuser se font rares.

Il considéra Servaz de haut en bas.

— Avoue que je t'ai foutu les jetons. T'as failli faire dans ton froc.

Servaz ne dit rien.

— Léo plaisante, mais ce que nous faisons ici est très sérieux, le réprimanda diplomatiquement l'ancien commissaire. Nous sommes bien souvent le dernier recours de familles dans le plus complet désarroi. Nous disposons du temps que les fonctionnaires de l'État n'ont pas, en général. C'est un vrai sacerdoce, vous savez. Nous nous dépensons sans compter pour retrouver ces gens, nous y mettons toute notre énergie. Cela dit, dans le domaine des disparitions de personnes, il y a pas mal de charognards qui tournent comme des vautours autour des familles et qui profitent de leur désespoir pour leur extorquer de l'argent. Ils se planquent derrière des associations régies par la loi de 1901 comme la nôtre ; ils se présentent comme d'infatigables chercheurs de disparus et, au départ, ils demandent une somme d'argent pour couvrir leurs frais, puis toujours plus de blé pour se rendre ici ou là ; ils expliquent que les recherches coûtent cher, que le disparu est peut-être à Ibiza, ou en Europe de l'Est, ou en Grèce… Ils nous font beaucoup de tort. Beaucoup. Il y a, dans ce monde, des êtres dénués du moindre sens moral, des êtres dont l'inhumanité est incompréhensible au commun des mortels… De notre côté, nous ne demandons jamais d'argent. Nous sommes là pour aider, un point c'est tout. J'ai le dossier dans ma voiture, conclut-il. Allons-y.

Ils ressortirent et marchèrent parmi les ornières du chemin jusqu'à l'antique Peugeot 405 grise. Leurs véhicules étaient à l'image des deux hommes : ils appartenaient à une époque révolue. En vingt-cinq ans, le monde avait davantage changé qu'au cours des deux siècles précédents. Bientôt, se dit-il, des robots feraient son boulot. La question était de savoir si les robots obéiraient aux hommes ou les hommes aux robots. Déjà, il voyait des milliards de personnes incapables de se séparer de leur téléphone portable, de leurs joujoux technologiques, tandis que la poignée d'entreprises qui les fabriquait devenait chaque jour plus puissante et plus tyrannique et que des peuples somnambules remettaient leur destin entre les mains d'un nombre toujours plus réduit de personnes.

Bertrand ouvrit sa portière et s'assit derrière le volant. Il fit signe à Servaz de faire le tour de la

Peugeot et de s'asseoir côté passager. Ko se glissa sur la banquette arrière.

Dès que Servaz fut assis, Kowalski se pencha par-dessus son épaule et Bertrand tendit le bras. Il ouvrit la boîte à gants. Une chemise cartonnée à l'intérieur. Servaz la prit et l'ouvrit. La photo lui sauta à la figure. Il lut en dessous :

Odile Lepage, 20 ans,
portée disparue le 7 juin 1993.

— Odile Lepage était étudiante à Sciences Po Toulouse. Ses parents ont signalé sa disparition le lundi 7 juin 1993. Elle aurait dû rentrer le week-end du 5, mais elle ne l'a pas fait. Ils ont essayé de la joindre, sans succès. Ils ont appelé la fac et les hôpitaux au cas où il lui serait arrivé un truc. À cette époque, il n'y avait pas de téléphones portables. Son père s'est rendu à sa chambre universitaire. Personne. On n'a plus jamais eu de nouvelles d'Odile Lepage après ça…

— Elle résidait cité Daniel-Faucher ?

— Non, chez des particuliers, avec deux autres filles…

— Ils ont trouvé des indices ?

— Que dalle…

— Est-ce qu'on sait si elle était en contact avec les sœurs Oesterman ?

L'habitacle sentait la pipe et le désodorisant qui émanait du sapin pendu au rétroviseur intérieur. L'ex-commissaire se tourna vers lui.

— Oui… À un moment donné, il est apparu qu'Odile Lepage connaissait Alice Oesterman et, compte tenu du fait que les deux sœurs avaient été assassinées quelques jours plus tôt, on a cherché à savoir si les deux affaires étaient liées, mais on n'a rien trouvé.

— Sauf qu'Odile Lepage avait le même profil, dit Servaz en contemplant la jeune fille pâle aux longs cheveux blonds et aux yeux clairs.

— Oui…

— Qui avez-vous contacté chez nous au sujet d'Odile ?

D'un coup de menton, Bertrand désigna l'homme assis à l'arrière. Servaz regarda Ko dans le rétroviseur, interdit.

— Comment se fait-il que personne ne m'ait parlé de ça ?

— Ça n'avait rien à voir avec notre enquête, répondit l'ancien chef de groupe d'un ton amer. Pourquoi je t'en aurais parlé ? J'avais mis Mangin sur le coup. Il n'a rien trouvé de particulier. Alors, on a laissé tomber…

Servaz faillit répliquer, mais il se ravisa. Il venait de penser à quelque chose.

— Elle était rentrée le week-end précédent ?

— Celui du 29 mai ? Non. Mais Odile rentrait un week-end sur deux. Et elle ne donnait pas beaucoup de nouvelles. Elle était très indépendante. Alors, même s'ils étaient un peu étonnés qu'elle n'ait pas appelé une seule fois au cours de la semaine précédente, les parents ont véritablement commencé à s'inquiéter le week-end suivant.

Il réfléchit.

— Alice et elle se connaissaient comment ?

— Selon certaines filles de l'entourage d'Odile, Alice se joignait parfois à elles pour aller au cinéma ou au resto. Sans plus. Apparemment, elles avaient fait connaissance dans une boîte de nuit. Pas vraiment des amies intimes, plutôt des copines…

— Et Ambre ?

— Non. Ambre ne venait jamais avec elles et, pour ce qu'on en sait, elle ne fréquentait pas la jeune Lepage… En tout cas, elle n'est jamais apparue dans le dossier. Contrairement à sa sœur.

Servaz réfléchit. Il sentait au plus profond de lui que la solution était là, tout près. Il suffisait d'un raisonnement de plus, d'un tout petit saut hypothético-déductif. *Réfléchis ! Une croix au lieu de deux. Oui… C'était ça, la bonne direction… Il était tout près… Tout près…*

— Pourquoi vous vous intéressez à cette affaire ? demanda Bertrand à côté de lui. Elle est résolue depuis longtemps. C'est le groupe de Léo qui s'en est occupé. Si j'ai bien compris ce qu'il m'a dit au téléphone, vous en faisiez partie à l'époque…

Il n'écoutait plus. Il était perdu dans ses pensées. Et soudain, la vérité le submergea et il comprit. Bon sang ! Ils avaient l'explication sous les yeux depuis le début ! Il donna un coup du plat de la main sur le tableau de bord. Bertrand le dévisagea, Ko le fixait, paupières plissées, dans le rétroviseur.

— Je sais, leur dit-il.

13

Samedi

Ali Baba

— Il a été sage ? demanda-t-il à la baby-sitter.

La jeune fille blonde sourit.

— Gustav est toujours sage.

Elle était la fille de voisins qui habitaient deux étages au-dessous. Père ouvrier, mère coiffeuse. Un couple de Portugais arrivés en France dix ans plus tôt. Le père effectuait de petites réparations chez lui de temps en temps, ils lui rapportaient toujours d'excellents portos quand ils rentraient de vacances et il en avait plein le placard de sa cuisine. La mère lui cuisinait de délicieux *pastéis de nata*.

— Il est où ? demanda-t-il.

— Il joue dans sa chambre, répondit-elle sans lever le nez de son portable sur lequel elle pianotait des deux pouces à toute vitesse.

— Tu peux le surveiller jusqu'à quelle heure ?

— J'ai mon entraînement de basket à 18 heures.

— Très bien, je te le confie jusque-là.

— On est samedi, c'est plus cher, lui rappela-t-elle.

Il fit la moue.

— Tu me l'as déjà dit ce matin en arrivant, j'ai pas oublié, répondit-il, un peu vexé.

Elle hocha la tête sans même lever les yeux, concentrée sur ses messages. Il se rendit dans sa chambre, ôta sa veste, sa chemise et le tee-shirt en dessous et examina les bandes d'Elastoplast. Il palpa précautionneusement, se rhabilla et se dirigea vers la chambre de Gustav. Celui-ci était assis sur le sol et lançait ses toupies Beyblade dans une sorte de grande cuvette en plastique. Les toupies tournaient sur elles-mêmes, s'entrechoquaient, rebondissaient les unes contre les autres.

— Ça, c'est Pégasus, dit Gustav en désignant l'une des toupies.

— Et celle-ci ?

— Sagittario…

— Celle-là ?

— Aquario… Tu veux essayer ? lui proposa Gustav en lui tendant un propulseur et une toupie.

Il se demanda pourquoi son fils jouait toujours tout seul, pourquoi il ne se faisait pas de copain.

— D'accord, dit-il.

Vingt minutes plus tard, en descendant l'escalier, il appela le juge puis Espérandieu chez lui.

— Rejoins-moi au *Cactus* dans une demi-heure.

— Du nouveau ?

— Je t'expliquerai en route.

À 14 h 15, il se garait sur le terre-plein central du boulevard Lascrosses, au pied des grandes barres d'immeubles, et entrait dans la petite brasserie où les flics du SRPJ ont leurs habitudes. Il embrassa Régine, la patronne, qui accueillait chacun d'eux avec l'attention d'une deuxième mère ou d'une sœur et se posa sur une banquette.

— T'as une sale tête, fit-elle en le voyant. Double, noir et sans sucre ?

Espérandieu entra dans le bar quarante minutes plus tard. Servaz se leva aussitôt.

— Salut, les cow-boys ! leur lança-t-elle quand ils s'en allèrent.

— Où on va ? demanda son adjoint.

— Visiter la caverne d'Ali Baba.

Ils remontèrent vers le nord par le boulevard Honoré-Serres, puis l'avenue des Minimes, avant d'enfiler l'interminable avenue de Fronton, s'enfonçant dans ces limbes limitrophes de toute grande agglomération où alternent stations-service, centres commerciaux, zones industrielles, résidences et pavillons sans charme. Ils dépassèrent le Marché d'intérêt national et continuèrent encore un peu avant de franchir un portail grillagé et de rouler au milieu de hangars. Des fourgonnettes blanches étaient stationnées un peu partout. Servaz se gara entre les bâtiments et descendit.

— On est où ? voulut savoir Vincent en refermant sa portière.

Il avait cessé de pleuvoir mais la pluie était progressivement remplacée par un brouillard qui changeait le paysage en fusain d'artiste.

Sans répondre, son chef de groupe se dirigea vers une petite silhouette en manteau gris qui se tenait un peu plus loin dans la brume, devant une grande porte métallique. Il salua la greffière du tribunal, laquelle avait l'air rien moins qu'heureuse d'avoir été dérangée un samedi et sortit un mouchoir d'un paquet de Kleenex avant de trompeter dedans.

— Capitaine Servaz, se présenta-t-il. Voici le lieutenant Espérandieu. Allons-y.

Elle émit un vague grognement, dont il n'aurait su dire s'il était approbateur ou réprobateur, essuya son nez rouge, rangea son mouchoir, resserra les pans de son manteau autour d'elle et introduisit la clef dans la serrure. À l'intérieur, Espérandieu découvrit deux grandes rampes bétonnées comme on en voit dans les parkings souterrains, l'une grimpant vers l'étage, l'autre descendant vers les sous-sols.

— C'est quoi, cet endroit ? demanda-t-il.

La rampe qui descendait décrivait un virage. Apparut alors le long des murs un authentique bric-à-brac : étagères, objets aussi divers qu'une roue de la chance, un guéridon, une tronçonneuse, tous accompagnés de l'indispensable fiche à scellé au bout de sa cordelette. Ils atteignirent le bas de la rampe et prirent pied dans un vaste espace divisé en allées par de longues étagères métalliques qui abritaient des décennies de procédures judiciaires, des milliers de dossiers, chemises, cartons, classeurs.

— Ouah, fit son adjoint quand les néons eurent fini de clignoter, je savais même pas qu'un truc comme ça existait ! Depuis quand tu connais cet endroit ?

Les néons n'éclairaient les lieux qu'avec parcimonie, laissant les profondeurs de l'entrepôt dans l'ombre, et Espérandieu pensa à la dernière scène des *Aventuriers de l'Arche perdue* où la caisse contenant l'Arche d'alliance est entreposée dans un immense hangar rempli de milliers de caisses semblables. D'un pas aussi rapide que l'autorisait la longueur de ses jambes – et qui manifestait son impatience jusque dans le claquement de ses talons –, la greffière se dirigea vers une deuxième porte qu'elle déverrouilla à son tour avant de s'effacer pour les laisser entrer.

L'intérieur tenait du marché aux puces, de l'arrière-salle de brocanteur, du hangar de commissaire-priseur et de la réserve de musée. Un fatras d'objets des plus hétéroclites parmi lesquels Espé reconnut en passant des roulettes de casino, une batte de base-ball, deux pioches, un taille-haie, un coffre-fort, des bijoux de pacotille, un violon, un matelas taché de ce qui avait tout l'air d'être du sang et même des bois de cerf et un crocodile empaillé. Ou était-ce un alligator ? Il suivit Servaz qui passait en revue les étagères avec la démarche de celui qui sait exactement où il va. Se dit que son ami lui faisait penser à Indiana Jones à ce moment précis. Ne manquaient que le chapeau et le fouet. D'ailleurs, il lui avait toujours trouvé un petit côté Harrison Ford.

— Putain, cet endroit est incroyable ! dit-il en le rejoignant. T'es déjà venu ici, pas vrai ?

Sans répondre, Servaz lui désigna un des rayons. Vincent s'approcha : sur une des étagères se trouvaient deux robes blanches qui avaient jauni et une croix de bois sous une housse transparente couverte de poussière.

Quand ils ressortirent, le brouillard s'était encore épaissi. Il avait une légère odeur de fumée.

— Et maintenant ? dit Espérandieu.

— On file au cimetière, c'est l'enterrement d'Amalia Lang à 16 h 30. Dis à Samira de nous rejoindre et je veux que quelqu'un se charge de relever toutes les traces ADN qui subsistent sur ces scellés et qu'on les analyse.

Comme tout un chacun, Espérandieu savait que la recherche des empreintes génétiques avait fait des progrès considérables au cours des dernières années et même des derniers mois, et qu'on pouvait aujourd'hui analyser des traces ADN jusqu'alors indétectables, des traces présentes en quantités infimes.

— On est samedi, fit-il observer.

— Regarde qui est d'astreinte.

14

Samedi

Impitoyable

C'était toujours la même chose, un enterrement. On sentait que les personnes présentes n'avaient pas envie d'être là. Parce qu'elles ne pouvaient s'empêcher de penser au jour où ce serait leur tour. Parce qu'une forme d'autoapitoiement était quasi inévitable. Parce que ça leur rappelait leur mortelle condition. Parce que personne n'aimait l'idée d'être mortel.

Bien sûr, les vieux étaient plus concernés que les jeunes, surtout ces adolescents qu'il apercevait et qui feignaient d'être tristes mais ne l'étaient pas vraiment, sans doute parce qu'ils se croyaient immortels ou presque. Ils devaient penser que la vie est longue alors qu'elle est brève, fichtrement brève. Il allait avoir cinquante ans. Il se demanda si la plus grande partie de son existence était derrière lui ou devant. Évidemment, la probabilité qu'elle fût derrière l'emportait largement, mais on ne pouvait exclure non plus qu'il devînt centenaire. C'était quand même une belle vacherie de ne pas savoir… Il aurait bien aimé connaître la date à l'avance. C'était le genre de pensée qui vient toujours aux enterrements, se dit-il.

Il promena son regard alentour. Un bel endroit, si on faisait abstraction du grand pylône électrique, dont il se demanda ce qu'il fichait dans un quartier de villas entourées de pins et d'ifs comme celui-ci. Un minuscule cimetière – peut-être une centaine de tombes – avec vue sur les coteaux et la campagne, du moins quand le brouillard ne noyait pas les champs comme aujourd'hui. La maison de Lang était à moins d'un kilomètre. Il pourrait venir à pied.

Servaz le scruta.

Il avait l'air aussi affecté que la dernière fois et Servaz aurait juré que ce n'était pas du cinoche. L'écrivain avait vraiment une sale tête, joues caves et yeux cernés. Il observa l'assistance, se demanda qui étaient ces gens. Il n'y en avait pas tant que ça, en vérité. Une trentaine de personnes tout au plus. Il les scrutait de loin, Espérandieu et Samira debout à ses côtés, entre les tombes. Pas de prêtre, juste les employés des pompes funèbres qui firent descendre le cercueil en bois clair dans le trou au milieu d'un silence pesant. Des volutes de brouillard passaient sur eux comme la fumée d'un canon sur des servants d'artillerie.

Servaz compta trois couronnes. Pas une de plus. Samira fit éclater une bulle de chewing-gum à côté de lui et il lui jeta un regard auquel elle répondit par un clin d'œil. Il s'interrogea sur sa tenue : est-ce qu'elle l'imaginait appropriée pour un enterrement ? Elle avait encore plus de mascara et de crayon noir que d'habitude, son rouge à lèvres était également noir, ce qui conférait à sa bouche un aspect assez repoussant, de même que ses vêtements : un blouson en cuir clouté, un sweat à capuche avec une tête de mort sur lequel était écrit MISFITS en grosses lettres blanches, des leggings noirs et des chaussures montantes pleines de courroies et de boucles. Visuellement, elle était assez proche d'une goule, d'un vampire femelle, et il se dit qu'une telle vision dans un cimetière avait de quoi glacer le sang. Espérandieu, de son côté, en bon fan des anciennes revues *Creepy* et *Eerie*, la trouvait tout à fait digne de figurer dans une BD de Bernie Wrightson.

— Une étude vient de paraître selon laquelle 18 % des 18-24 ans pensent que la Terre est peut-être plate, lut Espérandieu, le nez plongé dans un journal, en attendant que la cérémonie se termine.

— 18 % de têtes de nœud, ça commence à faire beaucoup, commenta Samira. Tu es sûr qu'elle est pas bidon, ton étude ? Et comment ils expliquent les vols Paris-Tokyo, Tokyo-Los Angeles et Los Angeles-Paris ? Et il se passe quoi quand on dépasse le bord ?

— Selon la même étude, 79 % des Français croient à au moins une théorie conspirationniste, poursuivit Espérandieu.

— Et si cette étude sur les théories du complot était elle-même un complot ? suggéra Samira. Est-ce que considérer que les politiciens nous prennent pour des cons fait de moi une adepte des théories conspirationnistes ? Parce que, dans ce cas, je fais partie des 79 %.

Il n'y avait guère qu'une autre personne à être vêtue d'une manière aussi extravagante. Il l'avait repérée quelques minutes plus tôt : une grande femme un peu à l'écart, qui portait un pantalon en cuir, des talons de vingt centimètres, un manteau imitation panthère et de longs cheveux violets. Jolie silhouette. Son visage était celui d'une femme de l'âge d'Amalia Lang. Une amie ? Il la vit serrer la main d'Erik Lang sans chaleur excessive. En déduisit qu'elle n'était ni une parente ni une proche du mari. Et pourtant, la mort d'Amalia Lang semblait l'affecter personnellement. Sa douleur était manifeste. À part ça, elle avait des traits assez masculins, un nez charnu et des lèvres pincées.

Elle partit parmi les premiers et il la suivit des yeux. Elle se plia en deux pour monter dans une antique 2 CV garée devant le cimetière. Puis, quand la foule se fut dispersée, Lang se dirigea vers eux.

— Du nouveau, commandant ?

Il ne prit pas la peine de rectifier.

— On attend les résultats des analyses ADN. On examine toutes les empreintes. S'il s'agit bien d'une effraction, il se pourrait que le meurtrier se trouve déjà dans un fichier. On n'en est qu'au début.

Lang haussa un sourcil.

— « S'il s'agit d'une effraction » ? répéta-t-il.

— On ne peut rien exclure.

— Comment ça ?

— Rien d'autre que ça : à ce stade, on ne peut rien exclure.

— Donc, vous n'avez rien, c'est bien ça ? Et ce fan ?

— Rémy Mandel ?

Lang acquiesça.

— On l'a remis en liberté.

— Quoi ?

— Il a un alibi.

— Quel alibi ?

— Je ne peux pas vous en parler pour le moment.

— Pourquoi ?

— Monsieur Lang, je n'ai pas pour habitude de m'étendre sur une enquête en cours. Surtout avec le mari de la défunte.

— Que voulez-vous dire ?

— Rien de particulier. C'est la procédure…

Il vit Lang se rembrunir.

— Écoutez, je ne souhaite qu'une chose, commandant : que l'ordure qui a tué ma femme soit retrouvée. Demandez-moi tout ce que vous voudrez mais, de grâce, je vous en conjure, mettez la main sur ce salopard.

Servaz le dévisagea. Erik Lang semblait littéralement au bout du rouleau. Et pas seulement physiquement. Sa peau était plus grise que jamais, ses paupières bordées de rouge lui donnaient un air maladif. Servaz se demanda si le stress décuplait les effets de son affection. Comment s'appelait-elle déjà ? *Ichtyose*…

— Venez, lui dit-il. Faisons quelques pas.

Il fit un signe à Samira et à Espérandieu, puis Lang et lui se mirent en marche, côte à côte.

— J'ai parlé à Zoé Fromenger, elle vous l'a dit ?

Lang parut surpris.

— Non. Je…

— Je sais… vous lui avez donné comme consigne de ne plus vous appeler ni vous envoyer de messages jusqu'à nouvel ordre.

Une fois de plus, l'écrivain eut l'air très étonné.

— Elle vous a dit ça ? Je… je savais qu'avoir une maîtresse dans ces circonstances ferait de moi un suspect… *évident*… je ne voulais pas que vous perdiez votre temps avec ça et que cela vous détourne du vrai… euh… coupable. Et puis… j'avais la trouille…

Je ne garde pas un bon souvenir de ma dernière garde à vue, ajouta-t-il.

Servaz ne releva pas.

— Elle ne s'est pas trop fait prier. D'autant que Rémy Mandel a reçu votre manuscrit des mains de quelqu'un qui se trouvait au volant de la voiture de son mari.

— Quoi ?

Cette fois, Lang parut sidéré.

— Je ne comprends pas.

Servaz lui dit ce qu'ils avaient appris. La rencontre sur le parking du centre commercial. Les vidéos. Tout en épiant chacune des réactions du romancier.

— La DS4 à toit blanc, oui… C'est avec cette voiture que Zoé est venue à notre dernier rendez-vous… La sienne était en panne. (Il observa une pause.) Attendez… si c'est son mari qui a volé mon manuscrit, pourquoi vous ne le mettez pas en garde à vue ?

Servaz rejeta la fumée de sa cigarette.

— Il a un alibi.

— Lequel ?

— Zoé Fromenger : elle a confirmé que son mari était bien avec elle cette nuit-là.

Le visage de Lang franchit un degré supplémentaire dans la stupéfaction.

— Elle est votre maîtresse, dit-il, vous la connaissez bien. Pensez-vous que Zoé Fromenger pourrait mentir à la police pour protéger son mari ?

— Je ne sais pas, répondit l'écrivain après une hésitation. On ne connaît déjà pas quelqu'un dont on partage la vie de tous les jours… Alors, une femme qu'on voit de temps en temps…

— Votre femme savait pour Zoé ?

— Non. J'aimais ma femme, commandant. Plus que tout. Je vous l'ai déjà dit.

Ils firent un pas de plus vers la sortie, suivis à distance par Vincent et Samira. Lang s'arrêta.

— La jalousie, c'est quand même le mobile numéro un, non ? dit-il soudain.

— Pour cela, il aurait fallu que Gaspard Fromenger soit au courant de l'existence du manuscrit, fit remarquer Servaz. Vous parliez de votre travail avec Zoé ?

Lang le scruta.

— Oui… souvent… Elle s'intéressait vraiment à ce que je fais. Elle est de très bon conseil, ajouta-t-il, comme si cela pouvait aider l'enquête.

— Venait-elle chez vous ?

— Non. Jamais.

— Savait-elle où vous rangiez votre manuscrit ?

Lang s'immobilisa une fois de plus.

— Je le laisse tous les soirs au même endroit : sur mon bureau, pas difficile à trouver, si c'est ce qu'on cherche, non ?

Exact, pensa le flic. *Tout désignait le forestier*… Et pourtant, plus il repensait à la scène dans la montagne, plus il était convaincu que la surprise de Fromenger n'était pas feinte, dans cette forêt. Il se remémora l'idée qu'il avait eue dans la voiture de Bertrand. Elle ne collait pas avec l'hypothèse d'un Fromenger coupable.

Il se repassa le film des événements. Comment pouvait-il être à la fois si près et si loin ? Il avait le sentiment de se trouver au centre d'un palais des glaces. Chaque reflet était trompeur mais montrait néanmoins un fragment de la vérité. Laquelle se tenait dans un angle mort, reflétée à l'infini dans les miroirs.

Quelque part se trouvait l'origine, la source de toutes ces images...

De retour au SRPJ, il se dirigea vers un bâtiment un peu à l'écart, du côté de l'entrée des véhicules, la housse contenant les robes de communiante – ainsi que la croix – à la main.

Il trouva Catherine Larchet, la chef de l'unité bio du laboratoire de police scientifique, assise à son bureau, plongée dans la lecture d'une revue qui s'intitulait *Carnets de science*. Servaz aperçut fugacement le titre du dossier principal : « Comment l'intelligence artificielle va changer nos vies ».

Catherine Larchet referma la revue.

— Vous saviez qu'il y a 180 000 robots en Allemagne contre 32 000 seulement en France ? Et où y a-t-il le plus de chômage ? Vous voyez : la science aime trop les faits, c'est pour ça que les idéologues et les démagogues ne l'aiment pas... J'espère que vous ne m'avez pas dérangée pour rien, commandant...

— Capitaine... Si vous étiez un robot, vous ne m'auriez pas répondu ça, rétorqua-t-il.

— Ah ah, touché ! s'exclama-t-elle joyeusement.

Elle jeta un coup d'œil rapide à la housse et il vit son intérêt s'aiguiser. Il s'assit en face d'elle. Elle le fixait tranquillement. Il y a quelques années, c'était elle qui avait effectué à sa demande, en un temps record, l'analyse de l'ADN du cœur qu'il avait reçu dans une boîte isotherme[1]. Elle avait d'abord analysé le sang – l'élément le plus chargé en ADN avec le sperme – puis comparé l'ADN mitochondrial, c'est-à-dire l'ADN

1. Voir *N'Éteins pas la lumière*, XO éditions et Pocket.

contenu dans les mitochondries et non dans le noyau des cellules, avec celui d'Hugo, le fils de Marianne, car l'ADN mitochondrial est transmis intact de la mère au fils. Elle avait ainsi pu confirmer qu'il s'agissait bien du cœur de Marianne, et celui de Servaz avait été brisé. Bien plus tard pourtant, toujours à sa demande, elle avait prélevé des tissus directement dans le cœur – et découvert que l'ADN en était différent de celui contenu dans le sang : Julian Hirtmann les avait trompés en lui envoyant un cœur inconnu baignant dans le sang de Marianne. Le Suisse devait savoir que les services de police analyseraient d'abord celui-ci. Pourquoi l'avait-il fait ? Sans aucun doute pour le torturer mentalement…

Catherine Larchet était une femme discrète mais qui pouvait faire preuve parfois d'une certaine brusquerie. C'était surtout une travailleuse acharnée : il n'était pas rare de voir de la lumière allumée dans son bureau tard le soir et de tomber sur elle les fins de semaine – et il courait le bruit qu'elle n'avait pas de vie en dehors du boulot. Célibataire, peu portée sur les mondanités (même le jour où le ministre avait passé en revue tous les effectifs dans la cour du SRPJ, elle n'avait pas daigné se montrer et lui avait préféré ses tâches du jour), indépendante, on ne lui connaissait qu'une autre passion : la course à pied, qu'elle pratiquait été comme hiver sur les berges du canal du Midi. Son esprit scientifique et rigoureux mettait souvent à mal les hypothèses des flics de la Criminelle et certains s'en agaçaient, tout en reconnaissant son sérieux et sa fiabilité.

— Qu'est-ce que c'est ? finit-elle par demander en désignant la housse.

Il lui parla de l'affaire de 1993, d'Alice et Ambre vêtues en communiantes et attachées au pied de deux arbres, de la croix autour du cou de l'une d'elles.

Elle l'écouta sans broncher.

— C'était ça, l'urgence ? s'insurgea-t-elle quand il eut fini. *Une histoire vieille de vingt-cinq ans* ?

— Liée peut-être à l'enquête sur le meurtre de l'épouse d'Erik Lang mercredi, précisa-t-il. Je voudrais qu'on compare les empreintes génétiques qui ont été prélevées sur la scène de crime avec celles que vous trouverez sur ces anciennes pièces à conviction, dit-il en montrant la housse. Toutes les traces ADN trouvées sur la scène de crime, *absolument toutes*... À l'époque, bien entendu, aucun prélèvement n'avait été effectué sur ces robes. Ni ADN, ni téléphonie mobile, ni caméras de surveillance en ce temps-là. On travaillait à partir d'autres éléments, comme vous le savez.

Il constata qu'il avait réussi à éveiller son intérêt.

— Vous pensez que le meurtrier peut être le même, c'est ça ? À vingt-cinq ans de distance ? Je ne connais pas cette affaire dont vous me parlez... Vous n'aviez pas trouvé le coupable à l'époque ? Vous aviez fait avouer quelqu'un au cours de la... garde à vue ?

Son ton indiquait clairement qu'elle savait comment pouvaient se passer ces choses-là.

— Pas exactement... Quelqu'un qu'on avait relâché s'est désigné comme l'assassin, et il s'est pendu.

— Et vous pensez que ce n'était peut-être pas lui ?

— Je ne veux pas influencer votre jugement, dit-il.

— On n'influence pas des machines, répliqua-t-elle. Ni des codes génétiques. Ce que vous pensez ne changera rien au résultat.

— C'est un monde rassurant que le vôtre, dit-il. Tout y est à sa place.

— Ne croyez pas ça, commandant, répondit-elle. Il reste un paquet de mystères à éclaircir. Les bases biologiques de la conscience, par exemple : on commence à peine à déchiffrer les processus cérébraux. Savez-vous que, quand on a eu fini de séquencer le génome humain, il y a une quinzaine d'années, on s'est aperçu qu'on avait bien moins de gènes que prévu, environ 25 000, à peine plus qu'une plante à fleur ? Alors, comment parviennent-ils à exprimer une telle complexité ? Savez-vous que la matière telle que nous la connaissons, celle qui constitue les étoiles et les galaxies, représente moins de 5 % de l'univers ? En revanche, la « matière noire », dont on ne sait à peu près rien, représente à elle seule près de 30 % de tout ce qui existe. Elle est impossible à détecter par les moyens classiques, car elle ne peut absorber, émettre ou refléter de la lumière. Mais on sait qu'elle est là à cause de ses effets gravitationnels. Et le sida : trente-cinq ans de recherches, des milliards dépensés, vingt-huit millions de morts et toujours pas de vaccin… Savez-vous aussi, commandant, que l'immortalité existe déjà ? Mais oui : chez les hydres, ces minuscules animaux pluricellulaires complexes que l'on trouve sous les feuilles de nénuphar. Les généticiens considèrent que ce polype est immortel, voyez-vous. Et qu'est la durée d'une vie humaine à côté de celle d'un séquoia : 4 000 ans. Vous aimeriez être un séquoia, commandant ?

Comme chaque fois qu'il écoutait Catherine Larchet, Servaz se sentit pris d'un léger vertige. La chef de l'unité bio vivait dans un monde qui n'était pas le sien. Un monde de lois scientifiques, de chiffres, de paradoxes et de mystères à côté desquels leurs enquêtes étaient peu de chose. Car qu'était un meurtre commis par jalousie, cupidité ou stupidité à l'échelle de la science ? Qu'était la mort de deux jeunes filles ? Qu'étaient les romans d'Erik Lang ? Les perspectives qu'offrait chacune de ses digressions étaient infinies et le laissaient, immanquablement, dans un état voisin de la prostration.

— Et vous souhaiteriez ça pour quand ? demanda-t-elle.

— Euh… le plus vite possible.

— Bien entendu.

Ce soir-là, il se replongea dans la lecture d'Erik Lang. Une fois de plus, il sentit les mots de l'écrivain le prendre et l'emporter vers des territoires où régnaient la nuit et le crime. Une fois de plus, le même sentiment de malaise et de fascination mêlés l'étreignit au fil des pages. Dans la bulle de lumière de la lampe, les mots, les scènes, les personnages sortaient du livre et dansaient une ronde autour de lui.

Soudain, il se demanda combien de personnes dans cette ville lisaient en ce moment précis, c'est-à-dire en même temps que lui. Des centaines ? Des milliers ? Et combien regardaient la télévision ou l'écran de leur téléphone ? Infiniment plus, sans aucun doute. Étaient-ils, eux, lecteurs, comme les Indiens d'Amérique au XIXe siècle : menacés d'extinction par une race nouvelle ? Appartenaient-ils à l'ancien monde en train de disparaître ?

Il lut en diagonale trois autres romans sans trouver aucune corrélation et il était près de renoncer quand il souleva la couverture d'un livre intitulé *La Mort glacée*, paru en 2011. Dès les premières pages, il ralentit sa lecture, tandis que son cœur s'emballait au contraire. Il eut l'impression que les mots eux-mêmes devenaient pulsatiles sur le papier… Car ce qu'il lisait, cette fois, *le concernait*.

Il ferma les yeux, vit un homme qui se tenait dans l'ombre et se riait de lui – son grand rire explosait dans son esprit et rebondissait sur les parois de son crâne –, un homme arrogant et machiavélique : un homme au sourire factice. Un homme cruel et sans pitié. Aussi dangereux qu'un serpent…

Impitoyable.

15

Dimanche

Brouillard

La première chose qu'il fit en sortant de chez lui le lendemain fut d'ouvrir sa boîte aux lettres. Elle était vide. Que foutait le notaire ? Où était l'enveloppe ? Puis il se souvint qu'on était dimanche. *Tu perds la boule*. Il venait pourtant de confier Gustav à sa jeune voisine, laquelle lui avait fait remarquer qu'un dimanche entier, ça allait lui coûter une blinde. Cette nouvelle génération avait vraiment le sens des affaires.

Il se sentit coupable d'abandonner son fils un dimanche. Combien de fois déjà était-ce arrivé ?

Il avait appelé Espérandieu et Samira Cheung et leur avait demandé de le retrouver au SRPJ. Pendant le trajet, il joignit le juge Mesplède. Lui parla de ses lectures, de Zoé Fromenger, de la voiture sur le parking. Le brouillard s'était encore épaissi, passant du blanc au gris, aussi cotonneux que si sa voiture était un avion de ligne s'enfonçant dans les nuages. On n'y voyait pas à vingt mètres et les édifices devenaient des fantômes aux lignes floues, tandis que les feux de circulation perçaient la grisaille de leurs yeux rouges.

— Vous êtes sûr ? dit le juge au téléphone.

Servaz se garda bien de répondre.

— OK. Allez-y. J'appelle le juge des libertés. Vous aurez votre autorisation sur votre fax dans l'heure, commandant.

— Capitaine, rectifia-t-il, et il mit fin à la communication.

Il émergea de l'ascenseur et remonta le long couloir désert. Les néons éteints et la brume du dehors plongeaient les lieux dans une pénombre inquiète. Ses pas résonnèrent dans le silence.

— Salut, patron, l'accueillit Samira, les pieds sur son bureau.

— Ça n'est pas un peu contradictoire le « patron » d'un côté et les bottines sur mon bureau de l'autre ? dit-il.

Elle les remit par terre en rigolant.

— Il se passe quoi ? demanda Espérandieu, assis sur l'une des chaises ordinairement réservées aux suspects et à leurs avocats.

Espérandieu n'en avait pas conscience, mais Servaz se souvint que cette phrase était une blague récurrente à ses débuts dans la police, à l'aube des années 1990, un gimmick qui revenait de manière obsessionnelle dans la bouche des flics, quand le ministre de l'Intérieur s'appelait Charles Pasqua. Il déverrouilla son tiroir et récupéra son arme.

— On va perquisitionner chez Lang et le mettre en garde à vue, répondit-il.

16

Dimanche

Croix

Le brouillard s'était encore épaissi. Les bosquets et les tertres du terrain de golf s'évanouissaient dans ses profondeurs, réduits à des ombres, tandis que le soleil se changeait en un disque aussi blafard que la lune. En descendant de voiture, il sentit le goût de la brume sur ses lèvres, son humidité sur sa peau. Il s'avança jusqu'au portail, pressa le bouton mouillé de la sonnette.

— Oui ?

— Capitaine Servaz, monsieur Lang. Je peux entrer ?

Un bourdonnement et le portail s'écarta lentement. Au bout de l'allée, la maison n'était qu'une masse indistincte. Des remous blanchâtres ondulaient devant eux et s'enroulaient autour des troncs. Ils piétinèrent le gravier et la terre du chemin sans un mot. En s'approchant, Servaz vit la silhouette d'Erik Lang. Il se tenait debout dans l'entrée de sa maison d'architecte.

— Vous sentez cette odeur ? leur lança-t-il. C'est celle de la Garonne. D'ordinaire, il faut être plus près du fleuve pour la sentir, mais là elle monte avec le brouillard, elle est présente dans chacune de ses particules, comme des molécules odorantes dans un parfum. L'odeur des âmes noyées…

L'écrivain jeta aux subordonnés de Servaz une œillade brève mais prudente.

— Vous êtes venus en nombre, capitaine…

— Monsieur Lang, nous allons procéder à une perquisition de votre domicile.

Il vit les yeux de l'écrivain s'agrandir, mais ce fut à peu près la seule réaction. Un masque d'impassibilité pour visage.

— Ceci n'étant pas une information judiciaire, je suppose que vous avez une autorisation écrite du juge des libertés, dit Lang.

— En effet.

Servaz lui tendit le fax. La brume l'avait ramolli et gondolé dans sa poche. Lang y jeta un bref coup d'œil puis leur fit signe d'entrer sans autre forme de procès.

— Est-ce que je peux savoir ce que vous cherchez ?

— Non.

— Je vais appeler mon avocat.

— Faites. Mais ça ne changera rien.

Le brouillard collait aux vitres, déposait sur le verre un voile gluant. Il avait l'impression d'être dans un de ces aquariums géants où évoluent de grands poissons. Ils se répartirent le travail : à Servaz le bureau de Lang et le rez-de-chaussée, à Espérandieu et Samira l'étage. Il marcha vers le bureau. En entrant dans la pièce, il reconnut d'emblée la photo qu'avait reçue Rémy Mandel : les mêmes rayonnages, les mêmes livres, la même table de travail, la même lampe, le même sous-main en cuir. Tout était identique. Les questions revinrent. Celui qui avait envoyé les photos et, donc, vendu le manuscrit à Rémy Mandel était-il l'assassin ? Comment avait-il trouvé le fan, comment savait-il où le contacter ? Un tel profil ne correspondait guère à Gaspard Fromenger…

Il examina rapidement les volumes sur les étagères. Erik Lang faisait preuve d'un grand éclectisme dans ses lectures : cela allait des romans aux essais en passant par les biographies, la poésie et même la bande dessinée. Il y avait une petite vitrine pour ses traductions. Servaz compta une vingtaine de langues.

Dans les tiroirs du bureau, il trouva plusieurs montres Patek Philippe, Rolex et Jaeger-Lecoultre, une cave à cigares en acajou avec le cadran en cuivre de l'hygromètre sur la façade, un stylo Montblanc, une agrafeuse, des dizaines de crayons et de surligneurs, du papier à lettres filigrané et des enveloppes vergées de couleur ivoire, des boutons de manchettes, des clefs et des bonbons à la menthe. Pas de doute, un cambrioleur lambda se serait d'abord emparé des montres. C'était le plus facile à écouler et le plus lucratif.

L'examen du reste du bureau ne lui révéla rien de particulier. Il sortit de la pièce. Qu'est-ce qu'il cherchait au juste ? S'imaginait-il que le passé, tout d'un coup, allait refaire surface ? Ici, dans cette maison ?

Il poussa une autre porte. Une sorte de remise étroite et profonde comme un dressing où étaient empilées sur de nouvelles étagères – celles-ci de simples panneaux en aggloméré et non d'épaisses planches de chêne comme dans le bureau – des décennies de magazines et de revues, de journaux, de catalogues. Chaque pile, et il y en avait des dizaines, faisait bien quarante centimètres d'épaisseur. Y avait-il des articles sur l'affaire des Communiantes là-dedans ? L'idée d'avoir à passer en revue cette masse de papier imprimé avait quelque chose de déprimant.

Il remarqua une bonne vingtaine de cartons sous les étagères, à même le sol de béton. Chacun portait inscrite au gros feutre une année. Cela allait de 1985 à l'année précédente. Les cinq dernières – 2013 à 2017 – étant regroupées dans un seul. Comme les rabats n'étaient pas scotchés, il souleva l'un d'eux. Avisa la première enveloppe à l'intérieur. « À l'attention de M. Erik Lang, YP éditions ».

Le courrier des lecteurs…

Il se remémora la réponse en 1993 au sujet de la lettre d'Ambre : *Je ne suis pas collectionneur.*

Voilà pourquoi les dernières années entraient dans un seul carton : parce que le papier à lettres, les enveloppes et les timbres-poste avaient été en grande partie remplacés par des e-mails, des posts et des messages sur Facebook. Désormais, lecteurs et fans avaient un accès direct à leurs auteurs préférés, sans l'intercession sourcilleuse d'une maison d'édition ni les délais imposés par les vicissitudes du courrier ordinaire. Est-ce que ça n'ôtait pas une partie de leur mystère à ces écrivains contraints de sortir de leurs solitudes altières, de leurs tours d'ivoire inaccessibles pour descendre dans l'arène ? Est-ce qu'un auteur devait rester à portée de clic, disponible vingt-quatre heures sur vingt-quatre, ou au contraire ce travail n'exigeait-il pas de la distance et de la réserve, une forme discrète d'insociabilité ? Comment pouvait-on être à la fois dans et au-dessus de la mêlée ?

Il considéra les dizaines d'enveloppes timbrées et son pouls s'accéléra. Allait-il trouver parmi elles les lettres qu'Ambre et Alice avaient rédigées ? Ces billets enflammés de deux jeunes filles à peine pubères mais inconditionnellement fans qui avaient amené Lang à écrire les réponses étonnamment intimes que Servaz avait lues par le passé ? Quelque chose qui y plongeât ses racines, qui éclairât leur relation sous un nouveau jour ? Il tira le carton marqué « 1985 ». L'ouvrit.

Bon Dieu, il est plein à ras bord, il y a des centaines de lettres là-dedans. Il prit la première enveloppe, sortit les deux feuillets qu'elle contenait, les déplia et alla directement à la signature :

Inconditionnellement vôtre, Clara (écrit au feutre noir).

Attrapa la suivante :

En attendant avec maints frissons votre prochaine tranche de ténèbres, Nolan (stylo-plume, encre bleue, agrémenté d'un dessin).

Puis une autre :

Votre dévouée et insomniaque fan, Lally (Bic vert).

Donnez-nous aujourd'hui notre sang de ce jour, Tristan (tapé à la machine).

Je vous imagine, je vous rêve, je vous bois, je vous dévore, Noémie (stylo-bille rouge, hampes et jambages raides comme des piquets)…

Le petit tas grandissait sur le sol à mesure qu'il tirait les enveloppes du carton.

Combien de lecteurs ce type avait-il en 1993 ? Combien de fans inconditionnels parmi eux ? Et combien de cinglés parmi ces derniers ?

Il ne put s'empêcher de jeter un coup d'œil à une des lettres :

Cher Erik (si vous me permettez cette familiarité), nous avons passé la soirée à débattre entre nous de vos œuvres et à essayer de déterminer lequel de vos livres est le meilleur. Je ne vous cache pas que ce fut une féroce bataille, que des arguments mais aussi des noms d'oiseaux furent échangés, même si, comme il fallait s'y attendre, c'est La Communiante *qui l'a emporté…*

Puis à une autre :

Cher Monsieur Lang,

Je n'avais jamais éprouvé une telle impression auparavant à la lecture d'un livre…

Une autre encore :

Monsieur Lang,

Vos livres sont répugnants, vous êtes vous-même un personnage répugnant, tout chez vous me répugne et me soulève le cœur. Je ne vous lirai plus jamais.

Un cri, soudain, à l'extérieur. Il prêta l'oreille. Entendit son prénom prononcé pour la deuxième fois. Cela provenait de l'étage. Il ressortit dans le couloir, s'approcha des marches.

— Qu'est-ce qu'il y a ?

— Viens voir ! lui cria Vincent.

Il se mit à grimper les degrés de béton. En tentant de contrôler son impatience. C'était peut-être un truc sans importance. Une fausse alerte… Sauf qu'il connaissait son adjoint – et cette voix qui, tout à coup, monte dans les aigus. Un brin hystérique. Il l'avait déjà entendue au cours de précédentes enquêtes. Savait ce qu'elle signifiait…

Il s'efforça de respirer calmement. Atteignit le haut des marches. Tourna la tête à droite et à gauche.

— Ici ! lança Vincent.

La chambre à coucher…

Servaz s'avança vers la porte ouverte. Fit un pas à l'intérieur. Vit Vincent penché sur l'une des tables de nuit. Tiroir ouvert. Celle d'Amalia Lang, si son souvenir était bon. Du reste, il apercevait une montre de femme dans le tiroir. Mais c'est autre chose qui accrocha son regard.

Il déglutit. Prit une lente et profonde inspiration.

Au bout du stylo qu'Espérandieu tenait à l'horizontale pendait une croix de bois attachée à un cordon...

Gardé à vue

1

Dimanche

Machine

— Vous êtes placé en garde à vue en raison des soupçons qui pèsent sur vous dans le meurtre de votre épouse, Amalia Lang, commis mercredi dernier vers 3 heures du matin. Vous allez être entendu pour ces faits pendant une durée de vingt-quatre heures.

Il regarde Lang, qui ne bronche pas. Il est 12 h 30, ce 11 février.

— À l'issue de ce délai, le procureur de la République pourra prendre la décision de prolonger la garde à vue pour la même durée. À l'issue de ces vingt-quatre heures, ou des quarante-huit, vous serez soit présenté à un magistrat, soit remis en liberté. Vous pouvez demander à prévenir un membre de votre famille de la mesure dont vous faites l'objet. Vous pouvez demander à être examiné par un médecin. Vous pouvez demander à être assisté par un avocat de votre choix dès le début de votre garde à vue, ou à tout moment pendant la durée de celle-ci.

C'est le moment, se dit-il. *Allons-y*.

— Vous voulez l'assistance d'un avocat, monsieur Lang ?

Lang tourne enfin son regard vers lui, toujours ce même air absent, le gratifie d'un sourire. Fait non de la tête.

— Nom, prénom, date de naissance, demande alors Servaz.

— C'est vraiment nécessaire ?

— C'est la procédure.

Soupir de l'intéressé, qui s'exécute.

— Vous avez le droit de faire des déclarations, de répondre aux questions qui vous seront posées ou de vous taire, continue-t-il de déclamer. Vous avez compris ?

— Et si j'ai faim ?

— Des repas chauds vous seront fournis. Vous pouvez aussi demander à vous soulager.

— C'est fou ce que ça a changé, hein ? balance soudain Lang en souriant. Depuis 93, je veux dire. Plus de gifles ? Plus d'allers-retours, de beignes, de mandales ? *Finito* ? *Verboten* ? On est devenus civilisés… Vous faites comment pour extorquer des aveux, désormais ?

Servaz ne dit rien. Il entend Samira souffler à côté de lui. Elle remue sur sa chaise. Il ne doute pas qu'elle aimerait bien tester ses talons de huit centimètres sur les roubignoles d'Erik Lang. Samira se serait bien entendue avec Ko.

— Tu le descends en bas ? lui dit-il, conscient du pléonasme.

Elle acquiesce et se lève, fait signe à Lang de la suivre.

« En bas », Samira conduit Lang le long d'un couloir sans fenêtre et mal éclairé sur lequel donnent des cellules vitrées violemment illuminées, comme des cages dans une animalerie – les unes occupées, les autres non. Il y a un grand bocal pareillement vitré sur la gauche, des gardes en uniforme à l'intérieur, à la place des poissons rouges. Un des poissons sort de l'aquarium.

— Salut, dit Samira.

Elle montre à l'écrivain le portique de sécurité près du bocal, semblable à ceux des aéroports.

— Allez-y, passez là-dedans.

Une fois le portique franchi, la gardienne – une femme un peu courtaude aux cheveux coupés ras, visage plat et large, dans les cinquante ans, fouille superficiellement Lang, qui se laisse faire sans broncher, puis elle ouvre une porte. Des rangées de casiers comme dans un vestiaire, un vasistas par où passe la seule lumière du jour qui entre dans ces lieux et une table en bois avec un gros registre posé dessus. Samira reste devant la porte, tandis que la gardienne invite Lang à se dépouiller de sa montre, de sa ceinture, de ses bracelets, bagues, bijoux, téléphones, clefs, papiers, porte-monnaie et argent, de se dépouiller de son identité, de se dépouiller de lui-même. Elle fait l'inventaire à voix haute, l'inscrit dans le registre, puis fourre le tout dans une boîte, écrit « Sandór Lang, 13/04/1959 » sur un bout de papier, glisse la boîte dans un casier qu'elle verrouille et colle le papier dessus.

— Je le mets où ? demande-t-elle.

— Cellule individuelle.

Se tournant vers l'auteur, Samira déclare :

— Dans un moment, deux personnes vont venir vous chercher pour prendre vos empreintes digitales et génétique. Ensuite, on vous remontera. Essayez de vous reposer en attendant… J'ai lu *La Communiante*, ajoute-t-elle. Très bon bouquin.

Lang la contemple sans rien dire, le visage inexpressif.

Assis sur le banc de béton, il écoute. C'est calme. Bien plus calme que la dernière fois. Il est vrai qu'on est dimanche. *Il n'a rien oublié…* Vingt-cinq ans et tout lui revient dans la figure. Les bruits, la chaleur, la peur qui vous colle à la peau comme une membrane glacée, l'espèce de folie latente courant telle une lave souterraine et qui parfois se déchaîne en brèves mais terrifiantes éruptions… Les coups de Mangin… l'agressivité… La certitude que cette machine peut broyer n'importe qui.

Il ferme les yeux et se positionne le dos bien droit, les pieds à plat sur le sol, les mains sur les genoux. Il s'applique à respirer calmement, sans forcer, en suivant mentalement le parcours de l'air à l'intérieur de lui – ses poumons qui se remplissent, sa poitrine qui se soulève – puis il laisse l'air s'échapper, l'expulse tranquillement, sans effort.

Il fait de même avec les battements de son cœur, entend comment ils varient au rythme de sa respiration. En même temps, il s'ouvre aux sensations extérieures, aux signaux les plus faibles – les ronflements légers de l'occupant de la cellule voisine, la conversation des gardiens dans le bocal, là-bas. Il laisse les émotions, les pensées l'assaillir, note chacune d'elles sur un Post-it mental, puis les autorise à repartir, se concentre sur le moment présent, ses sensations, le ronflement régulier de son voisin : méditation en pleine conscience.

Des pas approchent. Il a la certitude que c'est pour lui. Les pas atteignent sa porte, s'arrêtent. Bingo. Il ne s'est pas trompé : on déverrouille bruyamment sa cage vitrée – ça fait un boucan d'enfer, ces serrures et ces loquets – et on le conduit dans une autre pièce, elle aussi sans fenêtre. Ça doit faire partie du conditionnement : il faut que le gardé à vue comprenne qu'il est un rat dans un labyrinthe avec seulement deux issues – une bonne réponse et c'est la liberté ; une mauvaise, et c'est la case prison. Il aurait dû demander un avocat. Mais non, il connaît ça par cœur. Il pourrait en remontrer à certains flics côté techniques d'interrogatoire. Du reste, l'autre lui a bien dit qu'il pouvait exiger la présence du baveux à tout moment. On verra… Seuls les coupables demandent leur avocat dès la première minute, se dit-il.

Il entre dans la pièce : un comptoir derrière une vitre, sur sa droite, une table avec un ordinateur et un gros appareil qui évoque un distributeur de billets ou une borne d'enregistrement dans un aéroport. On le fait asseoir derrière la vitre. Un type arborant gants bleus et masque chirurgical s'approche et lui enjoint d'ouvrir la bouche, y introduit un écouvillon pour le prélèvement ADN. Puis on le fait avancer jusqu'à l'appareil et il comprend qu'il sert à relever les empreintes digitales. Traces dactylaires, ils appellent ça. Plus de tampon encreur ni de fiche cartonnée. Fini, ce temps-là. D'abord la main complète, puis les doigts un par un, lui explique-t-on. Le tout poliment et uniment.

Pas une seule fois on n'élève la voix. On est neutres, professionnels. Assurément, les choses ont changé. Est-ce qu'ils obtiennent des résultats comme ça ? Il en doute. Sauf avec les plus fragiles, bien entendu. D'accord. Ce n'est que le début. Attendons voir… Il pense à Amalia et tout d'un coup son cœur se déchire, se brise en mille morceaux, il a mal à en crever. Qu'on puisse croire un seul instant qu'il aimait Zoé et qu'il a tué Amalia à cause de ça le révulse. *Amalia, mon amour, je n'ai jamais aimé que toi.* Une larme sur sa joue. Il l'essuie rapidement mais voit que la fliquette de tout à l'heure – qui vient juste de réapparaître –, celle qui ressemble à une punk du temps des Sex Pistols, a surpris son geste. Celle-là, elle a peut-être lu son livre mais elle n'est pas fan de l'auteur. Mais alors, pas du tout.

— Votre femme, vous l'avez connue comment ? s'enquiert Servaz.

Lang le contemple, se demandant visiblement où le flic veut en venir. Il s'apprête à balancer quelque chose de bien senti, mais il se reprend et hausse simplement les sourcils. Frotte ses poignets sur lesquels la fliquette punk a un peu trop serré les menottes pendant le trajet entre l'« en bas » et l'« en haut ». Servaz lui a commandé de les retirer quand ils sont entrés. Il y a, près d'un des pieds de son bureau, une grosse chaîne solide scellée dans le sol. Il se demande si le flic s'en est jamais servi. Il ignore que peu de bureaux en sont équipés et que le policier qui lui fait face n'a jamais vu aucun de ses collègues avoir recours à ce truc médiéval.

— Grâce à ses photos, répond-il finalement.

— Ses photos ?

— Ma femme était photographe quand je l'ai connue.

Le flic hoche la tête pour l'encourager.

— Racontez-moi ça, dit-il tranquillement, comme s'ils avaient la vie devant eux.

Lang fixe la caméra, car tout est filmé désormais, on ne badine pas – puis il se tourne vers Servaz.

— Elle exposait dans une galerie de Toulouse, commence-t-il. C'était il y a cinq ans… Des photos en noir et blanc. J'avais reçu un carton d'invitation. J'en reçois sans arrêt. La plupart du temps, je ne regarde même pas ce qu'il y a dans l'enveloppe, elle part directement à la poubelle. Là, allez savoir pourquoi, je l'ai ouverte. Vous croyez au concept de sérendipité, capitaine ?

— Donc, vous ouvrez cette enveloppe, dit Servaz sans répondre mais en pensant à celle qui doit voyager en ce moment même dans les tuyaux de la poste et qui contient un message à son intention ayant traversé les ans. Vous lisez le carton d'invitation et vous décidez d'y aller. Qu'est-ce qui vous décide ?

— La photo sur le carton.

Il regarde Servaz droit dans les yeux.

— Comme je vous dis, j'ouvre l'enveloppe mécaniquement – je devais penser à autre chose, j'imagine –, je jette un coup d'œil, je ne connais pas l'artiste, je m'apprête à jeter le carton, mais mon regard s'arrête sur la photo. C'est une reproduction minuscule du cliché original, peut-être cinq centimètres sur quatre, je ne sais plus – mais je ressens immédiatement comme un frisson de familiarité, une émotion intense, qui me prend à la gorge. C'est comme une flèche qui aurait atteint sa cible, un missile téléguidé, vous voyez : il y a dans ce cliché quelque chose qui me touche en plein cœur, qui semble s'adresser directement à moi. *Et à moi seul*… Alors que je ne connais pas cette personne. Sérendipité, capitaine…

— Vous pouvez être un petit peu plus précis concernant cette photo ?

Le flic s'exprime du ton d'un fonctionnaire froid, buté, factuel, au mauvais sens du terme. Est-ce qu'il n'entend pas l'émotion dans sa voix ? Est-ce qu'il ne comprend pas que Lang est en train d'évoquer un des moments les plus importants de sa vie ?

— La scène représentait des ruines comme on en voit dans les films de guerre, dit-il, des tonnes de gravats et de poussière, avec un serpent sombre glissant au milieu des décombres. Je l'ai tout de suite reconnu : un mamba noir. Dès le premier coup d'œil, j'ai compris que c'était une mise en scène. Le serpent apparaissait à travers un trou dans le sol. J'ai supposé qu'Amalia avait complété l'éclairage naturel par une source zénithale, unique et directe, qui pénétrait dans le trou comme une pensée. Et j'ai soupçonné que les gravats eux-mêmes devaient être factices – ils ressemblaient à un décor, ou alors c'était la façon dont elle les avait réagencés. Pourtant, il se dégageait de cette image une force incroyable. Et j'avais la conviction que le serpent était bien vivant et en mouvement au moment où le cliché avait été pris. Il y avait aussi l'ombre d'une croix qui se profilait sur le sol, et qui fendait le trou et le serpent par leur milieu, comme un coup de hache. Amalia avait sans doute placé la croix devant un parapluie. À moins que cette croix fût réelle. Je lui ai posé la question bien plus tard, comme pour beaucoup d'autres aspects mystérieux de ses photos, mais elle n'a jamais voulu me révéler ses secrets de fabrication ; elle disait que si elle le faisait, elles perdraient leur pouvoir sur moi. Quoi qu'il en soit, ce jour-là, je suis resté un long moment à contempler ce cliché, bouche bée, j'avais la gorge nouée, les larmes aux yeux. J'ai tout de suite pensé : *il me faut cette photo*.

Servaz ne dit rien, il laisse venir. Lang a les yeux embués.

— Alors, je décide d'aller faire un saut à cette expo. Je suis à cent lieues de me douter de ce qui m'attend… Elle s'appelle *Brisures, Fissures, Fractures*. Bon, le genre de métatexte pompeux qu'on vous sert avec l'art contemporain et l'architecture, des concepts fumeux, mal digérés, servis avec une sauce indigeste à destination des gogos. Mais l'expo, c'était autre chose… J'ai cru devenir fou. Ces photos… c'était comme si je les avais prises moi-même. Je passais de l'une à l'autre et je ne pouvais empêcher mes larmes de couler. Toutes les photos avaient le même thème : des serpents et des croix. Tantôt, c'étaient des écailles en gros plan et l'ombre de la croix dessus, tantôt une église photographiée de l'intérieur et, sur l'un des vitraux, se profilait une forme serpentine. La netteté et la profondeur de ces noirs et de ces blancs étaient étonnantes, des cieux très sombres, des effets d'orage – et je me suis dit qu'elle devait utiliser des filtres rouges pour ses photos en noir et blanc. Il y avait aussi des ombres bizarres sur les clichés. Cette femme avait créé des ombres qu'aucun objet ou être vivant connu n'aurait pu projeter. Je ne sais pas comment elle faisait ça – peut-être des parapluies sur lesquels plusieurs sources de lumière rebondissaient –, mais tout était d'une intensité rare, tout était oppositions et contrastes. J'avais la sensation d'avoir trouvé mon âme sœur… J'ai demandé à rencontrer la photographe, on m'a dit qu'elle n'était pas là et qu'elle ne viendrait pas. Je me suis étonné. C'était pourtant le vernissage de sa première expo. On m'a expliqué qu'elle fuyait la lumière et les mondanités. Plus on me parlait d'elle, plus elle me fascinait. Il y avait néanmoins un portrait, un seul, sur le catalogue. Dès que j'ai posé les yeux dessus, j'ai eu un coup au cœur. *Cette femme, il me la fallait.*

Sa voix tremble à présent – et Servaz se dit qu'il est impossible de feindre une telle émotion.

— J'ai déclaré que je voulais acheter plusieurs photos. Toutes celles qui n'avaient pas déjà été vendues. Le galeriste a eu l'air très abattu. Il m'a expliqué qu'elles n'étaient pas à vendre. L'artiste avait expressément demandé à ce qu'elles soient brûlées une fois l'expo terminée, c'était la condition pour qu'elle ait lieu. Cette perspective m'a rendu fou. On ne pouvait pas brûler ces photos, c'était impossible ! je lui ai dit. Il a secoué la tête, découragé. Il était bien d'accord avec moi, il avait lui-même tout tenté pour la convaincre de n'en rien faire, mais elle s'était montrée intransigeante.

Il marque une pause, consulte brièvement sa montre et, brusquement, Servaz se demande si ce n'est pas une tactique pour gagner du temps, comme d'autres se murent dans le silence : noyer celui qui vous auditionne sous un flot de détails sans rapport avec l'affaire.

— Bref, à force d'insister, j'ai fini par obtenir son adresse : un squat abritant un collectif d'artistes, je m'y suis rendu avec la boule au ventre. Je ne savais pas comment elle allait réagir. Et puis, *je l'ai vue*… Elle avait dans la quarantaine, ses cheveux avaient prématurément viré au gris mais on devinait qu'elle avait été très belle et elle l'était encore. Surtout, je ne sais pas comment l'expliquer, je sais que ça ressemble à une mauvaise fiction, mais, dès le premier regard, j'ai su que c'était la femme que j'avais attendue toute ma vie.

À présent lancé, Lang évoque cette rencontre avec une loquacité déconcertante. Comment il essaie de convaincre Amalia de ne pas brûler ses photos, comment il lui dit qu'il veut les acheter, là, au milieu de ce joyeux foutoir qu'est ce collectif d'artistes qui paraît tout droit sorti des années 1960, comment elle se montre aussi intransigeante avec lui qu'avec le directeur de la galerie, comment elle lui répète obstinément qu'elles ne sont pas à vendre.

Elle ne semble nullement impressionnée par sa personne – ni par son statut d'auteur. Probablement considère-t-elle qu'il n'est pas un artiste, mais juste un faiseur, il ne peut pas lui jeter la pierre. Et plus elle parle, plus il se sent irrésistiblement attiré par elle. Il est en train de tomber amoureux. Éperdument amoureux. Il y a quelque chose chez elle de si familier, qui éveille en lui des émotions très anciennes.

— Vous n'avez jamais ressenti ça ? Être devant une femme – pas la plus belle, pas forcément celle qui attire le plus l'attention, mais c'est comme si les traits de cette femme, sa silhouette, sa façon de bouger, de parler, de rire, étaient inscrits depuis toujours dans votre mémoire à long terme, alors que c'est la première fois que vous la voyez… Comme si elle vous évoquait à maints égards quelque chose qui était enfoui en vous, qui attendait de se réveiller…

Il continue. Il en est au point où il sait qu'il veut cette femme. Ça ne lui est jamais arrivé auparavant mais il le sait. Il la veut dans sa vie. *Pour la vie*… Il lui fait la cour pendant des semaines, des mois. Il ne ménage pas sa peine. Il pense à elle tout le temps, de l'instant où il se lève à celui où il se couche. Il vient avec des fleurs, du vin, des chocolats – et même un Hasselblad racheté à un amateur. Il l'invite à dîner chez *Sarran*, l'emmène à l'opéra, au cinéma, en balade dans la campagne environnante. Jusqu'au jour où, enfin, elle lui cède. Ce jour-là, elle vient chez lui, elle sonne à sa porte, elle a un paquet à la main. Elle a brûlé toutes ses photos, comme elle l'avait dit. Toutes sauf une. La première qu'il a vue. Le serpent dans le trou. Et elle lui en fait cadeau. Elle entre, lui demande où est la chambre et, dix minutes plus tard, elle est nue dans son lit.

— Elle a emménagé chez moi au bout de six mois, et puis on s'est mariés. Amalia, dit-il en conclusion, très ému, ça a été mon plus beau triomphe.

C'est le mot qu'il emploie. *Triomphe*. Servaz ne dit rien. Il hoche la tête imperceptiblement, comme pour dire qu'il respecte, qu'il comprend. Il est temps de faire une pause.

— Vous avez faim ? dit-il. On va vous apporter un repas…

— J'ai soif surtout.

— Samira, apporte un verre d'eau à M. Lang.

— Ce collectif d'artistes, dit Servaz après la pause, vous pouvez m'en parler ?

Il en parle. Il est étonnamment loquace. Rarement suspect s'est montré si coopératif. Le squat, explique-t-il, existe toujours. C'est un truc basé sur l'autogestion. Bien sûr, sans les subventions de la mairie, ils auraient disparu depuis longtemps, selon lui. Lang retrouve son ton arrogant. C'est très pluridisciplinaire, très bordélique, si on veut son avis. Des gens qui sont passés par les Beaux-Arts, des autodidactes, des fumistes et quelques talents. Amalia avait coupé les ponts avec cette époque de sa vie, le seul lien qu'elle en gardait était une amie.

— Une amie ? fait écho Servaz.

— Une artiste qui travaillait au sein du collectif. Elle s'appelle Lola Szwarzc.

— À quoi elle ressemble ?

Lang lui en brosse le portrait. C'est net, précis, il n'est pas auteur pour rien. Servaz la reconnaît d'emblée : *la femme du cimetière*.

2

Dimanche

Le squat

Servaz leva les yeux vers le tag au-dessus du porche :

LÉZARD PLASTIQUE

Les lettres dessinaient des serpents de couleur enchevêtrés, saturés de jaunes, de rouges, de bleus, avec des bordures blanches, sur la pierre ocre du vieux mur. Elles réveillaient la noble mais décrépite façade avec leur explosion polychrome.

Il franchit le porche et déboucha dans un grand espace industriel reconverti en ruche d'artistes autogérée. S'étonna du public nombreux qui déambulait entre les ateliers et les œuvres, même si on était dimanche. Puis il avisa la banderole accrochée aux balcons du premier étage : « LA FEMME, LE SCANDALE, du 4 au 25 février ». Il était écrit juste en dessous, en caractères plus petits : « Interdit au moins de 18 ans ».

De fait, il n'y avait que des adultes autour de lui.

En s'approchant d'un panneau, il vit que le programme proposait des expos – dessins, peintures, photos – mais aussi du théâtre, du rap, des performances chantées, des effeuillages (depuis combien de temps n'avait-il pas lu ce mot ?), des défilés de créateurs, des installations interactives et des ateliers.

Il tenta d'apercevoir la grande femme du cimetière, mais ne vit personne qui lui ressemblât de près ou de loin. Ses vingt centimètres de talons, ses cheveux violets. Il supposa qu'elle avait peut-être ôté ses talons, réévalua sa taille, et son radar perso se remit en route parmi les curieux et les artistes. Chou blanc. Il se joignit alors aux badauds et s'avança parmi les ateliers participatifs (acroyoga, boxe, autodéfense verbale, photographie argentique…), les stands de presse indépendante (dont un magazine érotique baptisé *Berlingot*), s'arrêta devant une porte derrière laquelle on proposait une conférence donnée par un collectif qui se faisait appeler « Les Infemmes ». Il découvrit qu'on distribuait à cette occasion un fanzine « de contre-culture sensuelle ». Repéra un type qui ressemblait à un artiste – en tout cas selon les stéréotypes qu'il avait en tête, c'est-à-dire dreadlocks emprisonnées dans un bonnet rasta en laine, salopette qui laissait ses maigres bras nus malgré la température et petit bouc poivre et sel sous des lunettes cerclées de fer.

— Je cherche Lola, dit-il.

Le rasta l'examina de haut en bas comme s'il avait un scanner intégré puis, sans un mot, lui montra le rideau rouge un peu plus loin. Servaz marcha d'un pas vif jusque-là et lut l'écriteau posé sur un chevalet : *Tectonique du chaos : la ville, espace modulaire, dessins de Lola Szwarzc.*

Il repoussa le rideau.

Derrière, l'échoppe de Lola n'était rien de plus qu'un placard rempli du sol au plafond d'immenses panneaux blancs couverts de dessins à l'encre de Chine aussi chaotiques que le promettait l'écriteau à l'entrée : un méli-mélo d'échangeurs, de passerelles, de ponts métalliques, de tunnels, de bretelles, de tours, de nuages, de réverbères, dessinés presque aussi maladroitement que des gribouillis d'enfant et entortillés comme des spaghettis dans un plat. D'un panneau l'autre, les mêmes motifs revenaient. La seule différence était leur distribution, leur agencement. *Des serpents, là encore,* songea-t-il. Des serpents de béton et d'acier – ou d'encre.

Des voix de femmes s'élevaient derrière un second rideau, dans le fond, et il toussa. Le rideau s'écarta. Il reconnut le visage chevalin, les cheveux violets et la haute taille.

— Lola Szwarzc ?

— Oui ?

Il sortit sa plaque.

— Capitaine Servaz, j'aimerais vous parler d'Amalia Lang.

— Je me demandais quand est-ce que vous viendriez, lui dit-elle.

Il s'était attendu à ce genre de remarque : il n'était pas en terrain conquis.

— Vous étiez aux funérailles, dit-il.

— Exact.

Elle le dévisagea.

— Comment vous faites ? l'interrogea-t-elle.

— Comment je fais quoi ? s'enquit-il, un peu désarçonné.

— Pour faire ce métier. *Flic*… Qui veut encore être flic de nos jours ?

— Eh bien…

— C'est vrai, quoi, se lança-t-elle sans lui laisser le temps de souffler, vous vous faites casser la gueule par des gamins, insulter, cracher dessus ; on vous demande de faire du chiffre au lieu de traquer les malfrats et de rédiger des tonnes de paperasse chaque fois que vous allez pisser ; vous ne pouvez même plus vous défouler dans les interrogatoires ; vous avez des taux de divorce et de suicide record – c'est pas la joie, hein ?

Elle avait prononcé ces mots comme un constat glacial, sans la moindre once de compassion : le flic, c'était l'ennemi de classe pour les gens comme elle.

— Et vous croyez que le travail de policier se résume à ça ?

— Je ne sais pas, je ne suis pas experte.

— Et vous êtes experte en quoi ?

— Ah, je vois : quand on est à court d'arguments, on tape en dessous de la ceinture.

Il musela sa mauvaise humeur naissante.

— Lola Szwarzc, c'est un nom de scène, constata-t-il en s'efforçant de gommer toute animosité de sa remarque. Votre vrai nom, c'est quoi ?

— Isabelle Lestrade…

— Amalia, vous la connaissiez bien ? Vous aviez l'air très affectée au cimetière.

Un voile de tristesse passa sur le visage de Lola-Isabelle. Elle chercha une trace de sarcasme dans les traits du policier, n'en trouva pas, réfléchit.

— Avant qu'elle se mette en ménage avec ce type, oui.

— Et après ?

— Après, elle a changé, elle s'est éloignée de nous, j'étais la seule qu'elle voyait encore de temps en temps. De moins en moins souvent…

— Et lui, vous le connaissez ?

— De nom… J'ai aussi lu quelques-uns de ses bouquins. Pas ma came… Sinon non, je ne sais rien de ce type, à part qu'il m'a toujours fait l'effet d'un connard arrogant.

Bon résumé, pensa-t-il.

— Parlez-moi d'elle. Comment avez-vous fait sa connaissance ?

— Si on allait prendre une bière à la buvette ? Les discours, ça me donne soif.

La buvette se réduisait à un comptoir en contreplaqué avec une cafetière qui, visiblement, avait échappé à l'obsolescence programmée et une tireuse à bière en porcelaine, mais elle était prise d'assaut et ils se faufilèrent parmi les clients.

— Amalia, expliqua-t-elle après s'être désaltérée, elle est entrée dans nos vies comme elle en est sortie : du jour au lendemain. Un beau matin, elle était là, avec son baluchon. « Je suis photographe, elle nous a dit, j'aimerais faire partie de votre collectif, je m'installe où ? » Avec sa jolie frimousse et l'air de celle qui a roulé sa bosse. C'était ça, Amalia, sous ses dehors fragiles : un bulldozer. Il était impossible de lui refuser quoi que ce soit. Et puis, ses photos étaient magnifiques. Alors, on l'a tout de suite prise sous notre aile.

Elle avala une autre gorgée, passa sa langue sur ses lèvres fardées de mousse. Les yeux de Servaz se posèrent sur la pierre brun-rouge qui pendait à son cou. Une agate. Elle remarqua son regard.

— Ça s'appelle une sardonyx, dit-elle. On l'appelle aussi la pierre de vertu. Dans l'Antiquité, c'était un symbole de vertu et de courage. Elle est aussi associée à l'intuition, on dit qu'elle aide à prendre des décisions difficiles. Sardonyx… J'aime bien ce mot.

Il hocha la tête sans rien dire pour la ramener à son récit.

— Elle est restée ici pendant plus d'un an. Elle dormait sur place, mangeait sur place. Elle ne sortait que pour faire ses photos et rencontrer des propriétaires de serpents. Jusqu'au jour où Lang a débarqué. Je m'en souviens très bien : j'étais là. Elle l'a envoyé promener mais il s'est accroché. Il voulait lui acheter ses images, elle ne voulait pas les vendre. Elle a quand même accepté de prendre un verre avec lui. Ensuite, il est revenu deux ou trois fois par semaine pendant des mois. Il apportait un café, il venait voir les nouveaux clichés qu'elle avait pris… En vérité, il y a beau temps que ce n'était plus pour les photos qu'il venait. Amalia jouait les indifférentes, mais à moi on ne la fait pas : c'était une tactique pour mieux le harponner, elle lui laissait quand même entrevoir qu'il avait ses chances. Je suis sûre qu'elle savait exactement ce qu'elle voulait dès la première minute. *Et ce qu'elle voulait, croyez-moi, c'était ce type…*

Elle s'interrompit pour plonger son regard dans le sien.

— Et ensuite ?

— La suite, vous la connaissez. J'en sais pas plus que vous. Quelle saloperie, hein, ce qui lui est arrivé ?

Elle reposa son gobelet vide, demanda une autre bière, sortit un paquet de cigarettes, commença à en tirer une hors du paquet.

— Je peux en avoir une ? dit-il.

Lola Szwarzc hésita, lui tendit le paquet.

— Je prendrais bien une autre bière aussi, si ça ne vous fait rien. C'est ma tournée.

Elle pivota vers le jeune homme à barbiche et catogan qui faisait office de barman. Il en profita pour attraper la cigarette qui dépassait et la fourra dans sa poche tandis qu'elle parlait au barman. En tira une deuxième et la glissa entre ses lèvres, l'alluma.

— Quand est-ce que vous l'avez vue pour la dernière fois ? dit-il en tendant un billet de cinq euros.

— Il y a six semaines environ. Elle passait de temps en temps. De plus en plus rarement…

— Vous l'avez trouvée comment ?

De nouveau, le regard chargé de sous-texte – et Servaz sentit un frisson courir le long de son échine.

— *Préoccupée*… Elle avait des soucis, c'est évident. Et elle avait beaucoup maigri. Je lui ai demandé ce qui se passait. Elle m'a dit qu'elle se réveillait chaque matin avec l'impression qu'on l'avait droguée. Qu'elle avait la tête lourde. Qu'elle ne comprenait pas ce qui lui arrivait. Je lui ai demandé pourquoi elle était si maigre. Elle m'a expliqué qu'elle faisait un régime. Je lui ai conseillé de l'arrêter, mais, Amalia, elle n'en faisait toujours qu'à sa tête.

Servaz se remémora la remarque de la légiste sur la taille de son estomac.

Elle se réveillait chaque matin avec l'impression qu'on l'avait droguée…

— Qu'est-ce qui la préoccupait à votre avis ?

Une écharde de lumière dans les prunelles de Lola Szwarzc. Un éclat bref mais sinistre.

— J'en sais rien. À vous de me le dire… En tout cas, elle avait des raisons de l'être, non ? Puisqu'elle est morte.

De retour au SRPJ, il convoqua Samira et Vincent, leur tendit le sachet contenant la cigarette et une liste de noms.

— Je veux qu'on relève les empreintes digitales et aussi l'ADN sur le filtre de cette cigarette, et qu'on les compare aux ADN et aux empreintes trouvés sur la scène de crime. Je veux aussi que vous remontiez dans le passé de ces personnes et que vous dénichiez où elles se trouvaient et ce qu'elles faisaient au printemps 93.

Espérandieu lut :

Gaspard Fromenger,
Zoé Fromenger née Neveux,
Isabelle Lestrade alias Lola Szwarzc.

3

Dimanche

Je le vois

Je le vois. Il va et il vient, il entre et il sort, il court partout, avec ce masque de préoccupation qu'il porte toujours sur le visage. Il cherche la vérité et il s'en approche – incontestablement.

Cette vérité que je connais depuis longtemps.

Il va me falloir agir.

Attends, me dis-je. Sois malin. Ce n'est pas encore le moment. Fais attention à lui. Il est le redoutable fourmilion. Il construit son piège mortel en forme de cône dans le sable meuble et il sait que, tôt ou tard, la fourmi noire tombera dedans. Qu'elle ne pourra s'en tirer, car les parois de sable se déroberont sous ses pattes, l'entraînant dans leur avalanche. Que tout au fond ses terribles mâchoires venimeuses l'attendront pour l'étreinte fatale. Je ne le laisserai pas faire. Parfois, la fourmi parvient à s'échapper.

Je l'y aiderai…

Mais peut-être que c'est moi le fourmilion. Et lui rien qu'une fourmi noire qui se prend pour un fourmilion. Il croit tendre un piège, mais si c'était lui qui était piégé ? Sait-il que je suis là ? À plusieurs reprises, il s'est retourné et il m'a cherché des yeux mais il ne m'a pas vu. On dirait qu'il sent ma présence.

Il y a un tas de choses que j'aurais pu faire différemment dans cette vie. Il y a un tas d'occasions que j'ai loupées. Je ne raterai pas celle-là. Je serai à la hauteur, cette fois, croyez-moi. Oh oui. Cette fois, je grandirai. Ça doit être terrible de s'approcher de la mort en se disant qu'on a raté sa vie. Je ne veux pas que ça m'arrive. Bien sûr, j'ai encore le temps – mais qui peut être sûr qu'il ne va pas mourir demain ?

Je le suis à la trace – le fourmilion – et c'est dans mon piège qu'il va tomber. Car je connais son point faible. Il vaudrait mieux pour lui qu'il renonce. Mais il n'est pas du genre à renoncer. L'humanité se divise en deux catégories : ceux qui renoncent au premier obstacle et les autres. J'ai trop longtemps fait partie de la première. Le fourmilion appartient à la seconde jusqu'à la folie. Contrairement à d'autres, il ne poursuit aucun but en particulier, il ne pense pas à lui-même. C'est la chasse qui est son but. Dès qu'il tient une proie, il lui en faut une autre. Si demain on lui annonçait qu'il n'y a plus de criminels sur Terre, que le meurtre, la torture ont été éradiqués de sa surface grâce à, disons, un vaccin, il cesserait de boire, de manger. Il n'aurait plus aucune raison de vivre.

Il ne se lève chaque matin que pour ça – la chasse, ce métier bizarre qu'il a choisi. Est-ce qu'il ne faut pas être fou soi-même, est-ce qu'il ne faut pas être atteint d'une étrange maladie pour exercer un métier qui consiste à penser jour et nuit à des meurtres, à des cadavres, à des victimes et à des meurtriers ? Comment est-il possible d'avoir une vie normale après ça ?

Mais il n'a pas une vie normale – je l'ai vu : il est un des hommes les plus seuls que je connaisse. un solitaire. Perdu le soir parmi ses livres, ses disques – je l'ai vu : depuis le deuxième étage du parking Victor-Hugo, juste en face, debout dans l'obscurité au milieu des voitures, ma vue plongeait directement dans son salon. Et il était là, en train de lire, pendant que le garçon dormait.

Bien sûr, il y a ce gamin blond. Mais c'est bizarre : quand je les observe, on ne dirait pas un père et un fils. Il y a une espèce de distance entre eux. Un je ne sais quoi. Et pourtant, ce gosse, il l'aime. Oh, ça oui.

Je connais ton point faible. Un homme comme toi ne devrait pas en avoir…

4

Dimanche

La mort de Flocon

Il pose les livres sur son bureau, l'un après l'autre. Lit les titres au fur et à mesure : *La Communiante*, *Le Diable écarlate*, *Morsures*, *L'Indomptée*, *La Mort glacée*… C'est un brin théâtral, soit. Mais il faut ce qu'il faut. Il y a des Post-it de différentes couleurs glissés entre les pages. On dirait un nuancier pour la décoration d'intérieur. On voit bien qu'il les a lus et relus.

Le regard de Lang s'étire de curiosité.

— Vous avez lu mes romans, on dirait, constate-t-il, les yeux réduits à deux fentes.

Servaz les dispose en une seule rangée devant lui et s'assoit.

— Pas seulement celui-là, répond-il.

— Vous en pensez quoi ?

— On n'est pas obligé d'aimer l'auteur pour aimer ses livres.

Lang sourit.

— Ah… alors, ça vous plaît.

Il fait mine de réfléchir, secoue la tête avec une moue dubitative.

— En fait, non : je crois bien que je n'aime ni l'auteur ni les livres…

Lang se renfrogne un instant, puis le sourire revient, indulgent.

— Vous savez, je me souviens parfaitement de vous en 93, maintenant. Le jeune flic aux cheveux longs qui restait dans son coin et qui m'observait en silence… Déjà, à l'époque, vous ne m'aimiez pas beaucoup. Je le sentais. Vous avez essayé de me faire porter le chapeau pour deux crimes que je n'avais pas commis… Vous n'allez pas recommencer ?

— Ce sera ça, votre ligne de défense : je ne vous aime pas ?

— Allez vous faire foutre, capitaine.

— Vous pensez à Alice et à Ambre des fois ? C'étaient vos fans, après tout.

Un silence.

— Chaque jour que Dieu fait.

— Vous écrivez le jour ou la nuit ?

— Qu'est-ce que ça peut bien vous faire ?

— Simple curiosité.

— La nuit.

— Stylo ou traitement de texte ?

— Qui écrit encore à la main ?

Servaz hoche la tête, comme si cela avait son importance. Il est à fond dans son rôle à présent. Il s'empare d'un livre.

— *La Communiante*, commence-t-il. Bon, je vais pas vous refaire l'histoire, vous la connaissez mieux que moi. Une jeune fille trouvée attachée au pied d'un arbre, assassinée, vêtue seulement d'une robe de communiante, une croix de bois pendant à son cou. Elle a été frappée. Plusieurs coups mortels portés à l'arrière du crâne.

Il écarte le roman. Comme s'il n'y avait rien d'autre à en dire. Passe au suivant.

— *Le Diable écarlate*, c'est là que ça devient intéressant… (Il lève les yeux et fixe Lang.) À l'époque, personne n'a pensé à lire vos autres livres. Ce qu'on est négligent, parfois. *Le Diable éclarlate*, donc… L'intrigue est un peu tirée par les cheveux, non ? Qu'est-ce que vous en dites, avec le recul ? Enfin, bon, poursuit-il sans attendre la réponse, l'intéressant, c'est la fin : l'assassin, un très jeune homme, étudiant en lettres, est finalement trouvé pendu en ayant laissé un mot où il s'accuse du crime. Roman signé Erik Lang et publié en… 1989. Soit quatre ans avant le suicide de Cédric Dhombres.

Lang hausse les épaules.

— Il faut croire qu'il l'avait lu aussi.

Servaz approuve du bonnet.

— C'est aussi ce que je me suis dit.

Il attrape le suivant.

— *Morsures*, publié en 2010. Une femme est tuée par des morsures de serpents extrêmement venimeux. On la retrouve sur le sol, entourée par les reptiles… Très impressionnante la scène, soit dit en passant. Un vrai morceau de bravoure. Elle ne porte pas de robe de communiante – vous n'alliez pas faire le coup deux fois – mais c'est la grande quantité tout autant que la multiplicité des venins qui la tuent.

— Ça et le vol du manuscrit, ça corrobore la piste du fan, non ? observe l'écrivain.

À ces mots, Servaz pense aux dizaines, aux centaines de lettres de fans dans les cartons.

— Hmm. Peut-être bien, peut-être bien, dit-il. (Il écarte l'ouvrage, ouvre l'avant-dernier.) Venons-en à *L'Indomptée*… Là aussi, la fiction rejoint la réalité ou l'inverse : une très belle jeune femme de vingt ans ramène de nombreux hommes chez elle, elle les trouve dans des bars, des boîtes de nuit, ou bien ce sont ses professeurs, car elle est étudiante, elle aussi. Elle flirte avec eux, les fait boire, les allume. Elle semble comme possédée au cours de ses errances nocturnes. Elle aime sentir le pouvoir qu'elle a sur ces hommes et l'exercer, mais elle ne les laisse entrer, je cite, « ni dans son corps ni dans son cœur ». Jusqu'au jour où elle est violée et tuée. La jeune femme s'appelle Aurore.

— Et ?

— Un prénom commençant par A. Comme Ambre. Ou Alice.

— Quelle imagination, capitaine.

— Ne me dites pas que vous ne vous êtes pas inspiré d'Ambre, Lang. Le roman a été publié en 1991.

— Bien sûr que si, rétorque-t-il. Qu'est-ce que vous croyez ? Nous autres romanciers, nous nous nourrissons de la réalité, évidemment. Nous sommes des éponges, des vampires. Nous l'absorbons, nous la saignons pour en tirer nos petites histoires. Nous sommes des trous noirs, en vérité : rien ne nous échappe, ni le matériau de l'actualité, ni la conversation à la table d'à côté, ni la dernière théorie scientifique, ni les soubresauts de l'Histoire… Tout est absorbé, recyclé, transfiguré et recraché sur la page.

— Éponges, vampires, trous noirs… – ça fait beaucoup de métaphores en même temps, non ?

Lang renifle de mécontentement mais poursuit.

— Comment ne pas s'inspirer d'Ambre et Alice pour en faire des personnages ? Elles étaient mes muses, je vous l'ai dit. Elles alimentaient mes rêves, j'étais obsédé par elles. *L'Indomptée*, c'est certainement mon meilleur livre. Soyez beau joueur, Servaz. Reconnaissez que c'est un grand roman.

— Aurore ressemble beaucoup à Ambre, c'est vrai, dit-il sans lui donner cette satisfaction, ne reculant devant aucune petite blessure infligée à l'ego du grand homme que sa remarque précédente a déjà égratigné. Elle était comme ça, Lang ? Allumeuse, perverse, jouant de ses charmes ?

— Elle était merveilleuse, répond simplement Lang. Elle écrivait des lettres merveilleuses, elle était belle et intelligente. Merveilleusement tordue, aussi. C'est l'âge d'Ambre qui vous gêne ?

— Quoi ?

— Elle avait seize ans, moi trente. Vous ne l'avez toujours pas digéré.

— Hmm. N'empêche que la scène du viol près de la cheminée est foutrement réaliste, si j'ose dire. On croirait que vous y étiez, tellement ça sonne vrai.

Lang lui jette un regard soupçonneux, cherchant manifestement à deviner les prochains mouvements du joueur d'échecs qu'il a en face de lui. Qui s'empare du dernier livre comme il avancerait un nouveau pion.

— *La Mort glacée*, lit-il. Sacré titre, hein ? Là-dedans, il est question d'un flic qui rencontre un tueur en série enfermé dans un asile au fond de la montagne. Le flic est décrit comme, je cite, « intuitif, lettré, brillant, mais aussi dépressif, maladroit, forte tête ». Et mélomane. Son musicien préféré ? Richard Wagner.

Lang retrouve le sourire. Un sourire empreint de tristesse.

— Oui, bon, d'accord, capitaine, j'admets qu'il y a un peu de vous chez Noé Adam. N'oubliez pas qu'à l'époque de cette histoire de cheval, vous étiez dans tous les journaux. Vous et vos exploits. Pareil quand vous avez résolu le meurtre de cette prof à Marsac, en 2010. Mais je n'avais pas fait le lien entre le flic le plus célèbre de Toulouse et le débutant aux cheveux longs qui faisait partie de ce groupe d'enquête en 1993, je vous l'avoue – pas avant que vous m'interrogiez l'autre nuit... *Servaz, le flic mélomane*. N'y voyez aucune offense. C'est un sacré bon flic, Noé Adam.

L'écrivain pousse son avantage.

— C'est tout ce que vous avez ? Des fictions ? Sans blague ? J'ai des milliers de fans qui auraient pu s'en inspirer...

Échec... Mais les traits du joueur adverse se décomposent comme sous l'effet d'une brusque dépressurisation, comme si le bureau était une carlingue dont la porte de secours venait de sauter, et Servaz voit avec stupeur une larme rouler le long de sa joue.

— J'aimais ma femme, capitaine... Je l'aimais plus que tout. Jamais je n'aurais pu lui faire du mal. J'ai fait le serment de la chérir et de la protéger chaque jour de ma vie jusqu'au dernier. Et je n'ai pas pu tenir ma promesse. Je n'ai pas pu... Réfléchissez à ça. Si vous pensez que je suis coupable, alors faites ce que vous avez à faire. Mais, de grâce, n'allez pas vous imaginer une seule seconde que vous connaissez la vérité, parce que vous ne savez rien. Rien... *Vous n'avez pas la plus petite idée de ce qui s'est passé*.

Il a fait tomber un cachet effervescent dans un verre d'eau. Car la douleur est revenue. Il a dû faire un faux mouvement. Ou bien c'est cette fichue position assise. L'un et l'autre, ils regardent le cachet se dissoudre dans le verre comme s'ils assistaient à un tour de magie. Servaz sent les Elastoplast tirer sur ses côtes, sous sa chemise.

Quelques minutes plus tôt, il a appelé à la maison pour savoir comment allait Gustav. Bien, à en croire les cris et les rires qu'il a entendus derrière la voix de la baby-sitter.

Il avale le verre d'eau, se masse les paupières puis consulte ses notes. Sa montre. Ses notes. Sa montre.

Il a l'air d'un fonctionnaire qui s'ennuie ferme derrière son bureau, qui attend l'heure de la cantine.

Et c'est exactement ce qu'il veut que Lang voie : un type qui fait son boulot sans investissement émotionnel, sans rien de personnel, dans une morne indifférence. Une routine administrative. Il n'y a pas d'enjeu, rien qu'une besogne à accomplir. Mais Lang n'est pas dupe. Ce spectre surgi du passé n'est pas n'importe quel flic dans n'importe quelle garde à vue. C'est sa statue du Commandeur à lui, sa Némésis.

L'écrivain esquisse un sourire triste.

— Je vous ai déjà parlé de mon père, capitaine ?

Il change de position sur sa chaise, décroise et recroise les jambes.

— Mon père me foutait les jetons.

C'est à croire qu'il sait l'effet que ce mot – *père* – a sur lui chaque fois qu'il le prononce.

— Mon père était un homme dur, violent, et pour tout dire fou, capitaine. Il avait servi en Indochine, comme cuistot, mais il se considérait comme un vrai soldat. Il avait participé à la bataille de Diên Biên Phu. Il avait fait partie des prisonniers contraints de marcher pendant des centaines de kilomètres à travers la jungle et les rizières jusqu'aux camps situés à la frontière chinoise avant d'être internés dans des conditions effroyables par le Viêt-minh. Sur les onze mille soldats faits prisonniers, soixante-dix pour cent moururent de mauvais traitements, de famine, de maladie ou exécutés sommairement, vous le saviez ? On les forçait aussi à subir quotidiennement le matraquage de la propagande communiste et à faire leur autocritique en public. C'est sans doute dans ce camp que mon père a perdu la raison.

Lang observe Servaz en parlant. Les mots sortent de sa bouche comme des gouttes d'eau glacées.

— Faites-en ce que vous voulez mais vous devez comprendre que j'ai appris à survivre dès le plus jeune âge.

Servaz ne dit rien.

— Mon père et ma mère étaient comme l'huile et l'eau. Mon père était sombre, taciturne, il avait peu d'amis. Ma mère était gaie, ouverte, simple et gentille. Elle aimait mon père et, pour lui plaire, elle avait accepté petit à petit de moins voir ses amis, de ne plus sortir, de rester le soir devant la télé et la journée enfermée dans sa cuisine. On vivait dans une maison un peu à l'écart du village. Un beau village au pied des montagnes, avec la forêt de sapins derrière. Il fallait faire trois kilomètres pour s'y rendre et ma mère ne conduisait pas, elle n'avait pas de voiture, peu de femmes en avaient en ce temps-là. Je suis sûr que mon père n'avait pas choisi cette maison par hasard…

Il pose les mains sur ses genoux, tend les bras et relève les épaules, comme un alcoolique à confesse dans un groupe de soutien.

— Quand j'avais neuf ou dix ans, mon père s'est mis en tête de m'endurcir. Il me trouvait trop mou, trop pleutre ; à ses yeux j'étais une mauviette. Alors, il a cherché à m'endurcir par tous les moyens. Il me forçait à faire du sport jusqu'à épuisement, il baissait le chauffage dans ma chambre l'hiver, il apparaissait soudain et me donnait un coup par-derrière, du plat de la main, sur la nuque, par surprise…

Servaz se raidit en entendant ça.

— Quand je lui demandais en pleurant pourquoi il faisait ça, il m'expliquait que, dans la vie, je ne sentirais pas tous les coups venir. Que certains arriveraient sans prévenir. Qu'il fallait que je m'habitue. C'est la première fois de ma vie – et la dernière – que j'ai vu maman se dresser contre lui. Un jour où elle en a eu assez de m'entendre pleurer, elle lui a fait face, elle s'est tenue debout devant lui, a levé la tête, car il était bien plus grand qu'elle et lui a dit de plus jamais porter la main sur moi. J'ai vu mon père devenir rouge de fureur, ses yeux étincelaient, et il a attrapé maman par le poignet, l'a tirée de force dans la chambre et a refermé la porte. J'ai entendu la voix de ma mère crier : « Non, s'il te plaît, pas ça ! », et puis plus rien pendant un bon moment. J'avais très peur. Pour maman, pas pour moi. Et puis, la porte de la chambre s'est rouverte et mon père est passé devant moi sans rien dire. Maman a pleuré dans la chambre toute la nuit, mais les coups de papa ont cessé…

Lang a obtenu ce qu'il voulait : à présent, Servaz l'écoute attentivement, littéralement scotché. Il a l'impression que son cœur tape dans sa poitrine.

— Ensuite, il y a eu le chat…

Arrivé à ce stade de son récit, Lang ralentit encore. Servaz sent ses tripes se nouer. Il n'a pas envie d'entendre la suite. Il n'a qu'à détailler le visage de Lang pour deviner que ce n'est pas une belle histoire.

— Cet été-là, j'ai trouvé un chaton abandonné au pied d'un sapin. C'était pendant les grandes vacances. Une journée magnifique. Le soleil brillait sur les montagnes, le ciel était bleu, je jouais dans le jardin et je l'ai vu : une tache blanche dans l'ombre du sapin. Un petit chat blanc comme un flocon de neige avec un museau tout rose et rien qu'une grande tache noire sur le dos. J'ai tout de suite aimé cette boule de poils. Un vrai coup de foudre entre lui et moi. Il était si rigolo. Et pas timide. Il s'est frotté dans mes jambes, je l'ai ramené à la maison et je l'ai montré à maman. On lui a donné du lait – en ce temps-là, on donnait du lait aux chats – et on est vite devenus les meilleurs amis du monde. (Lang lève les yeux vers le plafond et Servaz voit sa pomme d'Adam faire un aller-retour.) Au début, mon père n'a trop osé rien dire, l'altercation avec ma mère devait encore être présente dans son esprit. Puis, petit à petit, il a commencé à s'en prendre au chat. Des petits coups de pied en passant, ou bien il lui gueulait après parce qu'il avait pissé dans un coin. L'hiver est arrivé et mon père a exigé que le chat dorme dehors, même quand les températures sont devenues négatives. Et il a fait très froid, cet hiver-là. Ça me fendait le cœur. Je lui ai fabriqué un abri sommaire, dérisoire contre le gel avec un carton, des chiffons et de la paille mais, un jour, je l'ai trouvé piétiné et j'ai soupçonné que c'était un coup de papa. Papa s'est de plus en plus acharné sur Flocon – c'était le nom que je lui avais donné –, il le chassait des alentours de la maison, il le battait aussi avec une verge souple. Je ne sais pas ce qu'il avait contre lui. Flocon était doux, affectueux mais il urinait partout, c'est peut-être ça… Mais je crois plutôt que papa ne supportait pas quelque expression d'amour que ce soit, et ma mère comme moi nous aimions ce jeune animal.

Servaz voit alors le regard de Lang se porter vers la fenêtre, se faire brumeux, douloureux, lointain.

— Flocon, je crois, s'est laissé mourir. Il a commencé par refuser de s'alimenter, il ne mangeait plus la nourriture que nous lui apportions, maman et moi. Le soir, je restais des heures le nez collé à ma fenêtre et je voyais Flocon, assis sous le sapin, qui me fixait d'un air triste dans le clair de lune. Puis il se levait et disparaissait dans la nuit froide. Je me rappelle que mes larmes coulaient directement de mes joues sur la vitre embuée ; j'avais les dents qui cognaient contre le verre tellement je sanglotais. Flocon maigrissait à vue d'œil. Il semblait de plus en plus malheureux. Il avait peur de s'approcher de la maison. Et puis, un matin de février, on a trouvé son petit corps sans vie sur le perron. Raide et gelé. Il était devenu squelettique. Mon père a voulu se baisser pour le ramasser, mais je me suis jeté sur lui en hurlant, je l'ai bousculé de toutes mes forces et je l'ai fait tomber dans la neige, puis je me suis enfui dans la forêt avec Flocon dans mes bras. Je me suis retourné une seule fois, à l'orée des bois, pour voir si mon père me poursuivait : il était toujours assis dans la neige et il souriait de toutes ses dents.

Pour la première fois, je m'étais rebellé et j'avais affronté le danger. Je suis rentré plusieurs heures plus tard, à moitié gelé, seul. Je n'ai même pas été puni, cette nuit-là.

Il observe Servaz, lit sur ses traits les effets de son récit. Il ferme les yeux et prononce les paroles suivantes :

— À votre avis, est-ce que j'ai tout inventé ou est-ce que cette histoire est vraie, capitaine ? Vous voyez : c'est ça, l'art du conteur. Faire naître cette terrible proximité qui vous fait accompagner, aimer et regretter les personnages, souffrir avec eux, se réjouir, trembler avec eux… Pourtant, ce ne sont que des mots.

Sur quoi, il se penche en avant.

— Les romanciers sont des menteurs, capitaine, ils enjolivent, ils extrapolent, ils finissent par prendre leurs mensonges pour la réalité. Mais peut-être que cette histoire que je viens de vous raconter est vraie, allez savoir.

Servaz hoche la tête. Il se souvient du temps où il rêvait lui-même de devenir écrivain, où son meilleur ami, Francis Van Acker, après avoir lu une de ses nouvelles intitulée *L'Œuf*, lui avait dit qu'il avait les ailes, qu'il avait le don. Que c'était là son destin. *L'écriture*… Et puis, son père était mort et il avait laissé tomber ses études de lettres pour entrer dans la police[1].

— Votre père, demande Servaz en se secouant pour chasser l'emprise grandissante de ces souvenirs que les paroles de Lang ont réveillés, il est toujours vivant ?

1. Voir *Le Cercle*, XO éditions et Pocket.

L'écrivain a un mouvement de dénégation.

— Deux ans après la mort de Flocon, il a eu un accident de voiture. Il s'est mangé un arbre. Il était ivre. Ma mère s'est remariée au bout de six mois, avec un brave type, qui m'a élevé comme son fils. C'est lui qui m'a donné le goût de la lecture.

Un bruit du côté de la porte. Servaz tourne la tête et voit Samira qui le fixe intensément. Il se lève, écoute ce qu'elle a à lui dire à l'oreille puis revient s'asseoir.

Le regard de Lang posé sur lui. La fatigue qui revient d'un coup. Et la douleur dans ses côtes. Il sait qu'il vaut mieux être en bonne forme physique pour une garde à vue – tous les avocats vous le diront –, et cela vaut aussi bien pour le gardé à vue que pour celui qui l'interroge. Mais il manque de sommeil. Et il se rend compte aussi qu'avec ses petites histoires tricotées maison, Lang est en train de prendre l'ascendant. Qu'il n'a plus la main. Il est temps de lui faire sentir qui est du côté du manche.

— Tous les jours, je me disais que ça allait s'améliorer, poursuit l'écrivain, que mon père allait changer, ouvrir les yeux. Mais les gens ne changent pas, ils croient tous que leur système de valeurs est le bon, que ce qu'ils font est la chose à faire. Personne ne pense jamais que le type en face de lui a raison et lui-même tort, pas vrai, capitaine ?

Il rapproche ses mains et appuie le bout de ses doigts les uns contre les autres en forme d'arcs-boutants.

— Tout le monde pense être réglo. On se dupe soi-même. On arrange, on embellit – et on noircit les autres pour mieux s'apprécier. C'est comme ça qu'on arrive à vivre…

5

Dimanche

Gambit

Le téléphone sonne. Il décroche. C'est Catherine Larchet, la chef de l'unité bio.

— Venez tout de suite, lui dit-elle.

Il jette un coup d'œil à Lang, se lève et sort. Il a le palpitant qui est monté en régime : il a rarement entendu la biologiste parler sur un ton pareil. Il freine des quatre fers devant le bureau de Samira et Vincent. Vincent est penché sur son écran, Samira au téléphone, dans un certain état d'excitation.

Servaz l'entend prononcer :

— Oui, Neveux, N-E-V-E-U-X. Prénom : Zoé. Oui, je veux savoir quelle école…

— Surveille Lang, dit-il à Vincent, j'en ai pour une minute. Ça avance ?

Espérandieu a levé la tête de son écran.

— Isabelle Lestrade était étudiante en 1993. Au Mirail. J'essaie de voir si sa route a pu croiser celles des sœurs Oesterman, de Cédric Dhombres ou d'Erik Lang. Pour l'instant, j'ai rien.

Servaz acquiesce. Espérandieu sort et file veiller sur Lang, lequel demande à son adjoint : « C'est votre tour de me faire la conversation ? » Martin attend que Samira ait raccroché. Elle est venue lui murmurer à l'oreille qu'ils ont ausculté l'ordinateur du fan et a essayé de tracer l'adresse IP du vendeur de manuscrit.

— Le type qui a envoyé les messages à Mandel a utilisé Tor, c'est-à-dire des proxys à la chaîne qui nous empêchent de remonter jusqu'à lui. Il y a toutefois des failles dans Tor mais il va nous falloir du temps, dit-elle après avoir mis fin à la conversation.

Il n'a rien compris ou presque, mais il lui répond quand même :

— On n'en a pas.

— Désolée, patron, je fais de mon mieux.

— OK.

Il a remercié Samira, lui a dit de persévérer. Il se dirige vers les ascenseurs, passe devant des portes ouvertes. Entend un collègue demander :

— Il vous a agressée ?

Au moment même où il dépasse la porte par où s'est élevée la voix, une autre lui répond :

— Y a vraiment besoin d'une agression pour envoyer la police ? Sérieux ? Je vous l'ai dit trois fois : ce type est un putain de pervers, il mate les filles du club d'aviron dans les douches. Je vous demande juste de lui poser quelques questions, de lui foutre la trouille.

Il s'est arrêté. *Aviron…*

Le mot fait retentir une alarme dans son crâne. Une lumière clignotante rouge et une sirène au son strident. Il fait deux pas en arrière, lance un regard à l'intérieur.

Une jeune femme blonde, dans la trentaine, rubescente de colère. Le collègue en face tente de la calmer.

— Je vais voir ce qu'on peut faire, d'accord ? Laissez-moi une minute…

Servaz n'a pas le temps. C'était il y a vingt-cinq ans, quelle chance que cela ait un rapport ? Infime… Mais quand même… Il repart à contrecœur. Il se promet de questionner le collègue plus tard. Il descend. Dans le hall, il contourne le comptoir de l'accueil par l'arrière, émerge dans la grande cour intérieure, se dirige vers l'autre cour – celle par où entrent les véhicules et sur laquelle donne le laboratoire de biologie.

Catherine Larchet l'attend. Elle porte encore son legging noir, son débardeur et sa veste de course à pied lavande. Elle a les yeux qui brillent et, tout de suite, il est aux aguets.

— Comment vous avez fait pour deviner ? demande-t-elle.

Il avale sa salive, repense à son cri de joie dans la voiture du commissaire à la retraite, près du hangar abandonné : « Je sais ! » Il ne s'était pas trompé…

— Je peux récupérer les deux croix ? dit-il.

Fatiha Djellali a une voix ensommeillée, rauque, le genre de voix qu'on a après une nuit de fête ou de débauche. On est dimanche ; c'est peut-être ce qu'elle a fait : la fête. Il y a quelque chose chez la légiste qui lui fait soupçonner que c'est une femme d'excès. Peut-être a-t-elle besoin de ça – elle qui passe ses journées avec des morts – pour se sentir vivante.

— Capitaine ? dit-elle. Vous savez qu'on est dimanche.

— Je suis désolé, dit-il, je voulais savoir où en était l'analyse toxicologique.

— Un dimanche ?

— Oui, un dimanche. C'est… quelque peu urgent. J'ai un suspect en garde à vue.

— Vous pensez à quelque chose ?

— Je ne veux pas vous influencer.

— Allez-y, crachez le morceau.

— Je me demande si elle n'a pas été droguée… Amalia Lang… Et pas seulement cette nuit-là. Droguée de manière répétée…

Un silence. Il l'entend bouger, puis deux voix qui chuchotent malgré sa main posée sur le téléphone. *Elle n'est pas seule*.

— Vous avez besoin de la réponse aujourd'hui ?

— Comme je viens de vous le dire, j'ai quelqu'un en garde à vue. Ça pourrait tout changer…

Nouveau silence, nouveau conciliabule. Il croit deviner le murmure contrarié d'un homme à côté d'elle. Celui-là n'est pas mort mais bien vivant.

— Laissez-moi deux heures. Je vais appeler quelqu'un et voir où ça en est, d'accord ?

— Merci.

Deux heures… Ils ont renvoyé Lang en cellule. Histoire de le laisser mijoter un peu. Servaz est néanmoins conscient que le temps qui passe ne joue pas en leur faveur. Et que Lang peut au contraire reprendre du poil de la bête en bas. Il appelle Espé.

— D'ici cinquante minutes, tu le remontes et tu le cuisines.

— Sur quoi ?

— Je sais pas, moi, n'importe quoi… Tout ce qui a trait à l'affaire. Tu lui poses les mêmes questions dix fois, vingt fois ; tu le pousses à bout, tu le fais suer et, quand il est KO debout, tu lui colles Samira dans les pattes – qu'elle remette le couvert et lui repose les mêmes questions.

— Et s'il n'est pas KO debout ?

— Tu recommences, jusqu'à ce qu'il le soit.

— Et s'il en a marre et qu'il veut parler à son avocat ?

— Un risque à courir.

— Et si…

— Bon, je t'ai pas demandé de t'entraîner sur moi.

La réponse arrive deux heures plus tard, à la minute près. La voix enthousiaste de la légiste au téléphone :

— GHB, dit-elle. Je serais curieuse de savoir comment vous l'avez découvert… Vous êtes sûr qu'elle ne souffrait pas de troubles du sommeil ? Ça pourrait lui avoir été prescrit en cas de troubles sévères…

La drogue du viol – incolore, inodore, peut être versée dans une boisson sans en changer ni le goût ni l'aspect.

— Non, je ne sais pas, dit-il. Il faudra vérifier.

— En tout cas, la dose n'était pas anodine. Elle devait être à moitié dans les vapes quand elle est descendue.

Il s'assoit en face de Lang et Lang l'accueille d'un air las. Visiblement, l'écrivain commence à en avoir assez. Et il s'interroge : Servaz le devine à son regard. Il est en train de se demander jusqu'où on peut aller dans l'obstination policière. Dans l'entêtement. Il pressent à son attitude que son interrogateur a un atout dans sa manche – et Servaz ne fait rien pour dissiper cette impression. L'écrivain doit se demander aussi si la fin de la partie approche ou si elle va durer encore.

Servaz consulte sa montre – comme un arbitre sur le point de siffler le début de la seconde mi-temps. Puis il lève les yeux, les plisse.

— Alice et Ambre, elles venaient chez vous quand vous étiez encore un auteur célibataire ?

— Je ne suis marié que depuis cinq ans, capitaine. Elles sont mortes depuis vingt-cinq.

— Ça ne répond pas à ma question.

— Non. Alice et Ambre ne sont jamais venues ensemble chez moi. J'ai déjà répondu à cette question à l'époque.

Servaz compulse un bloc-notes qu'il a sorti de son tiroir.

— Oui, vous avez déclaré que vous les rencontriez dans des cafés, des restaurants pour, je cite : *bavarder, échanger des points de vue*. Et une fois dans un bois…

— C'est ça.

— Donc, elles ne sont jamais venues ensemble chez vous ?

— Non.

— Et séparément ?

Il voit Lang hésiter.

— Séparément, monsieur Lang ?

— Oui…

— Oui, quoi ?

— Oui : séparément, c'est arrivé une fois.

— Les deux ?

— Non.

— Laquelle des deux : Alice ou Ambre ?

Une hésitation.
— Ambre…
— Ambre est venue chez vous ? C'est bien ça ?
— Pas dans ma maison actuelle, précise l'écrivain, dans celle que j'avais avant celle-là : une sorte de chalet à la montagne – sans la montagne… Vous voyez le genre, murs en rondins, cheminée en pierre, fauteuils club en cuir et peaux de vache sur le sol.
Une fois encore, des détails inutiles. Pour noyer le poisson.
— Quand ça ?
— Ce que j'en sais, moi. C'est si vieux… Je dirais 89, par là…
— Elle avait donc dix-sept ans.
— Si vous le dites.
— Pourquoi vous n'en avez pas parlé à l'époque ?
Il esquisse un faible sourire.
— Parce que vous n'avez pas posé la bonne question.
— Elle est venue seule ?
— Je viens de vous le dire.
— Je veux dire : à part sa sœur. Elle aurait pu être accompagnée de quelqu'un d'autre.
— Non.
— Qu'était-elle venue faire ?
— Je ne m'en souviens pas.
— Vous en êtes sûr ?
Soupir de l'intéressé.
— C'était une fan, elle devait vouloir voir son auteur favori, je suppose… hors la présence de sa sœur… quelque chose comme ça… Je me souviens qu'Alice était plus immature les premières années, et

je sentais qu'Ambre avait un peu honte de sa sœur, quelquefois… et qu'elle me voulait pour elle seule.

— Elle est restée combien de temps ?

— Deux heures, trois, quatre… comment voulez-vous que je m'en souvienne ?

— Vous vous souvenez de ce qu'elle portait ?

— Bien sûr que non !

— Elle vous a allumé ? Elle vous a provoqué ? Ambre avait l'habitude de faire ça, non ? C'est ce que vous nous avez déclaré à l'époque (Servaz attrape le bloc-notes, le feuillette, s'arrête sur une page) : *C'était Ambre, toujours la même petite vicieuse, toujours la même sacrée tordue. Ambre, c'était une putain d'allumeuse. Elle adorait jouer avec les hommes, c'était son truc. Elle crevait d'envie de baiser, mais elle en était toujours aussi incapable.*

— Et alors ? J'ai beaucoup exagéré, vous savez. J'étais jeune, fougueux, indocile, quand vous m'avez interrogé en ce temps-là. J'étais énervé, en colère : j'avais envie de provoquer la police, de voir vos têtes quand je dirais ça…

— Vous l'avez « baisée » ce jour-là, Erik ?

Lang se raidit en entendant son prénom.

— Je vous interdis de m'appeler comme ça. On n'est pas potes, capitaine.

— Vous l'avez sautée, Lang ?

— Qu'est-ce que ça peut bien foutre ? C'était il y a presque trente ans. Écoutez, vos collègues, là, ils m'ont posé deux cents fois les mêmes questions. C'est du harcèlement. J'en ai assez. Je crois que je vais demander la présence de mon avocat…

— Pas de problème, lance Servaz d'un air faussement détendu.

Il sort son téléphone.

— Je l'appelle tout de suite, si vous voulez.

Il déclare en même temps :

— Je crois que c'est vous qui avez passé ce coup de fil anonyme il y a vingt-cinq ans…

Lang fronce les sourcils. Sur le moment, il semble vraiment ne pas savoir de quoi Servaz est en train de parler.

— Le coup de fil qui a dénoncé Cédric Dhombres, je crois que c'est vous qui l'avez passé…

Lang lève vers lui un visage perplexe.

— Quoi ?

— Vous avez appelé anonymement ce numéro pour les appels à témoins que nous avions diffusé en 1993, vous vous souvenez ? C'est vous qui nous avez balancé ce scandale impliquant Cédric Dhombres à la fac de médecine. Vous aussi qui avez appelé les parents des filles à plusieurs reprises.

Il a consulté les archives : à l'époque, la réponse de France Télécom leur est parvenue bien après le suicide de Cédric Dhombres et la clôture du dossier. Tous ces coups de fil ont été passés à partir de cabines téléphoniques dans le centre de Toulouse…

— Vous aussi qui vous êtes envoyé à vous-même les menaces de mort que vous nous avez montrées il y a quatre jours… vous encore qui étiez au volant de la DS4 sur ce parking, dans la nuit de mardi à mercredi… vous enfin qui avez vendu votre propre manuscrit à Rémy Mandel…

— Je croyais que c'était la voiture de ce con de Fromenger ? C'est ce que vous m'avez dit au cimetière…

— Une DS4 rouge à toit blanc, c'est dans vos moyens.

— Et l'immatriculation ?

— Très facile de se procurer une fausse plaque sur Internet de nos jours.

— Et pourquoi j'aurais fait ça ?

— Pour faire porter les soupçons sur Gaspard Fromenger, le mari de votre maîtresse ?

— Vous avez des preuves ?

Non, il n'en a pas – mais il a autre chose. Il a ce que vient de lui annoncer la chef de l'unité bio. Il a deux croix dans un tiroir.

De nouveau, Servaz s'empare du roman intitulé *L'Indomptée*. Il tourne lentement les pages – il prend tout son temps, il sait qu'il a réussi à déstabiliser son vis-à-vis –, puis il lit à voix haute :

Il est couché sur moi et, en cet instant, je vois son âme dans ses yeux. Si proches des miens qu'ils en sont flous. Que voit une femme qui regarde dans les yeux de son violeur ? Les flammes du foyer se reflètent dans ses pupilles mais ce que je vois, ce qu'Aurore voit, mesdames et messieurs, ce sont les flammes de l'enfer, c'est une âme si laide qu'Aurore est proche de défaillir de peur et de dégoût, cependant qu'elle sent le poids de l'homme couché sur elle, lourd comme un cadavre, ses mains avides et glissantes qui fouillent à travers les couches de vêtements, sa bouche au goût de chiffon sale qui l'embrasse avec une brutalité obscène. Imaginez ça, si vous le pouvez, mesdames et messieurs. C'est une scène empreinte d'une rage insensée mais muette, d'une cruauté désespérée mais silencieuse – car mes cris restent coincés dans ma gorge, et lui n'émet aucun son à part une respiration aussi lourde et puissante que celle d'une machine.

— Vous l'avez violée, n'est-ce pas ? Elle est venue chez vous – seule – et vous l'avez violée. C'est ce qui s'est passé.

— Qui ça ?

— Ambre Oesterman.

Un silence. Puis Lang rétorque :

— Je n'ai violé personne, vous délirez, capitaine. Je croyais que cette affaire était close depuis longtemps. Je suis ici pour quoi, exactement ?

Il montre d'un coup de menton le téléphone de Servaz sur le bureau.

— Vous attendez quoi pour appeler mon avocat ?

Servaz baisse la tête, ferme les yeux, semble rentrer en lui-même. Puis il la relève. Les rouvre. Fixe Lang avec une intensité telle que l'écrivain a l'impression que ce regard le brûle.

— La fille trouvée à côté d'Alice, celle qui était défigurée, ce n'était pas Ambre, dit-il soudain.

— Quoi ?

La stupeur, l'incrédulité, la sidération, cette fois, dans la voix de Lang.

— Elle était vierge, Erik : *vierge*… et puisque vous avez violé Ambre Oesterman, ça ne pouvait donc pas être elle.

6

Dimanche

Ambre + Alice

Pendant une fraction de seconde, il voit que Lang ne comprend rien. Qu'il ne sait plus quoi penser. Et c'est déjà une victoire. Une fraction de seconde, pas plus… Mais qui lui confirme – s'il en était besoin – ce que l'ADN lui a déjà appris.

— Pendant très longtemps, je me suis demandé ce que les deux sœurs avaient sur vous pour vous faire chanter – le légiste était formel : pas de viol, aucun signe d'agression sexuelle –, et puis j'ai compris. C'est ça qui s'est passé, n'est-ce pas ? Vous avez violé Ambre quand elle est venue chez vous, seule, et ensuite les deux sœurs vous ont fait chanter, en se montrant toujours plus exigeantes et menaçantes. D'où les sommes d'argent que vous sortiez tous les mois. Jusqu'au moment où vous vous êtes dit qu'il n'y avait plus qu'une seule issue possible…

— Vous délirez.

Lang lui lance un regard féroce – mais ça manque de conviction : le mot *vierge* l'a déstabilisé, forcément.

— Et si ce n'était pas Ambre qui était attachée à cet arbre, c'était qui, d'après vous ? finit-il par demander.

— Une dénommée Odile Lepage. Une connaissance d'Alice. Portée disparue dans les jours qui ont suivi. Jamais retrouvée depuis. Physiquement, elle ressemblait aux deux sœurs.

Il a décroché le téléphone à la première sonnerie, comme s'il attendait ce coup de fil avec impatience, échangé quelques mots avec Espérandieu. Qui lui a dit, rigolard : « Tu vas regarder le match PSG-Real Madrid ? » Ce à quoi il a répondu très sérieusement : « Non. » « Je t'apporte un café », a ensuite dit Vincent. Cette fois, il a simplement répondu : « Merci. »

Il raccroche. Puis il dévisage de nouveau Lang. Qui a suivi le bref échange téléphonique d'un air tendu, convaincu que quelque chose d'important vient de se dire. Le coup du téléphone, c'est un classique.

Servaz ouvre un tiroir et en sort une des croix de bois, enfermée dans un sachet transparent, qu'il brandit entre le pouce et l'index.

— Vous la reconnaissez ?

Coulant un regard prudent vers le sachet, Lang se demande visiblement quel nouveau tour on est en train de lui jouer.

— Oui… c'est la croix qu'Ambre portait autour du cou quand ils ont trouvé son corps, c'est ça ? Enfin… le corps que tout le monde a pris pour celui d'Ambre, rectifie-t-il d'une voix sans timbre.

Servaz secoue négativement la tête, plonge sa main libre dans le tiroir, en ressort une deuxième croix dans un sachet identique.

— Non, la croix que la pseudo-Ambre – en vérité, Odile Lepage – avait autour du cou, *c'est celle-là*, dit-il en montrant la seconde. Celle-ci (il soulève la première, qu'il tient dans la main gauche), *c'est celle d'Alice, sa sœur…* Elle n'en portait pas sur la scène de crime parce que quelqu'un la lui avait enlevée avant que nous arrivions – mais le cordon avait laissé une marque sur sa nuque ensanglantée, ce qui nous a fait penser qu'elle portait bien une croix, elle aussi, avant que ce quelqu'un s'en empare… Vous voyez, là : cette tache sombre sur le cordon, c'est le sang de la nuque d'Alice.

Il range la deuxième croix dans le tiroir, garde celle d'Alice – celle au cordon taché de sang, celle qui n'était pas sur la scène de crime – à la main.

— Celle-ci, nous l'avons trouvée dans votre maison, annonce-t-il en balançant un peu le sachet. Dans les affaires d'Amalia : *dans le tiroir de sa table de nuit.*

— C'est impossible…

Erik Lang a parlé d'une voix réduite à un filet atone, qui oblige Servaz à tendre l'oreille. Il est blanc comme un mort. Le flic laisse passer une pause interminable.

— Pourquoi impossible ? demande-t-il.

— Qu'est-ce que… ? Qu'est-ce que faisait Amalia avec cette croix dans ses affaires ? balbutie Lang, incrédule.

Servaz l'enveloppe d'un regard sans indulgence. L'écrivain a l'air d'avoir vu un fantôme. Le flic répond tout doucement :

— Je crois que vous commencez à le deviner, n'est-ce pas ?

Puis il déchire lentement, très lentement, une feuille de son bloc-notes, attrape un stylo et gribouille dessus en prenant tout son temps :

AM~~BRE~~ + ALI~~CE~~ + A = AMALIA

Il retourne la feuille pour que Lang puisse lire. Servaz n'aurait pas cru cela possible, mais l'écrivain pâlit encore plus. Son visage se décompose. La grimace qu'il tord le rend presque méconnaissable.

— C'est impossible ! Qu'est-ce que ça veut dire ?

— Je crois que vous le savez…

Lang s'est figé, tassé sur son siège. Il a l'attitude d'un homme vaincu, démoralisé – d'un homme qui découvre que toute sa vie a reposé sur un mensonge, que tout ce qu'il a bâti était construit sur du sable, d'un homme qui a perdu tous ses repères.

— Comme je vous l'ai dit, reprend le flic, la seconde victime trouvée sur la scène de crime à côté d'Alice, et que tout le monde à l'époque a prise pour Ambre – y compris ses parents, à la morgue, quand ils ont regardé un peu trop hâtivement leur supposée deuxième fille hideusement défigurée après avoir, dans un premier temps, formellement identifié la première –, s'appelait, selon toute probabilité, Odile Lepage. Elle était plus ou moins amie avec Alice et ressemblait assez, de complexion comme de couleur de cheveux, aux deux sœurs. Si son visage avait été intact, on se serait aperçu, bien sûr, de la méprise. N'oubliez pas qu'en ce temps-là il n'y avait pas de prélèvements ADN. Et on n'avait aucune raison de relever les empreintes des victimes… Je pense qu'Alice – en l'absence de sa sœur Ambre qui devait être en compagnie d'un homme à ce moment-là – avait demandé à Odile Lepage de l'accompagner au rendez-vous que vous leur aviez fixé, sans doute au prétexte de verser l'argent mensuel du chantage, parce qu'elle ne voulait pas y aller toute seule. Je pense qu'Ambre est arrivée trop tard et les a découvertes mortes toutes les deux sur le lieu du rendez-vous, qu'elle a emporté la croix que sa sœur portait autour du cou en souvenir et qu'elle a ensuite disparu de la circulation parce qu'elle avait peur de vous…

— En souvenir de quoi ? articule Lang d'une voix blanche, comme si ce détail avait une quelconque importance.

— En souvenir de cette nuit fatidique, en souvenir de ce que vous avez fait à sa sœur Alice.

À présent, la stupeur et la douleur se partagent les traits de Lang, un voile de sueur brille sur ses tempes. Servaz voit quelque chose qui ressemble à de la terreur passer au fond de ses yeux.

— En revanche, poursuit-il irrésistiblement, si la deuxième victime n'était pas Ambre Oesterman, l'ADN de votre femme a été analysé et comparé à l'ADN d'Alice conservé sous scellé de justice depuis lors. La science a fait d'énormes progrès depuis 1993, comme vous le savez, et il n'y a pas le moindre doute : *c'est bien la sœur d'Alice qui dormait dans votre lit, monsieur Lang*… Il semble bien que vous n'ayez jamais réellement su qui était votre femme, hein ?

On dirait un combat de boxe : saoulé de coups, acculé dans les cordes, l'écrivain vient de prendre une dernière droite et il vacille, les yeux dans le vague, avant d'aller au tapis.

— J'imagine que votre femme a dû produire certains documents le jour de votre mariage… Ce n'est pas très compliqué. Chaque année, des milliers de personnes voient leur identité usurpée dans ce pays. Je connais même le cas d'une femme qui a découvert le jour de son mariage qu'elle était déjà mariée… et divorcée. Il suffit d'un numéro de téléphone, d'une adresse, d'un numéro de Sécurité sociale et d'un extrait d'acte de naissance. Ensuite, on fait une déclaration de perte et on obtient une nouvelle carte d'identité. Tout cela, elle a pu l'obtenir en fouillant dans les affaires de quelqu'un qui ne se méfiait pas – en faisant des ménages par exemple – ou en dérobant un portefeuille ou encore en traînant dans les administrations. En vingt-cinq ans, elle a eu tout le temps de se forger une nouvelle personnalité… Nous avons donc trouvé dans votre maison une pièce à conviction concernant le double meurtre de 1993. Par conséquent, nous allons rouvrir le dossier, annonce Servaz.

Pas encore tout à fait prêt à rendre les armes, le boxeur au bord du *knock-out* se rebiffe une dernière fois :

— Impossible, plus de vingt ans ont passé : il y a prescription…

Servaz secoue la tête.

— Ah, non, non, il n'y en a pas, désolé, corrige-t-il. J'ai toujours cru à votre culpabilité dans cette affaire, voyez-vous – alors, en 2002 comme en 2012, quelques mois avant la date de prescription, avec l'accord d'un juge, j'ai systématiquement rédigé un nouveau procès-verbal, qui a été rajouté aux autres pièces du dossier. Comme vous le savez, ce genre de démarche remet les compteurs à zéro.

Lang est au tapis, compté par l'arbitre, mais il veut quand même se relever avant le « 10 » fatidique :

— Il n'y a pas de preuve, s'acharne-t-il, ce n'est pas moi qui les ai tuées…

— Sur ce point, je suis d'accord, admet tranquillement le policier. Laissez-moi essayer de vous résumer comment ça a dû se passer… (Il marque une pause, met de l'ordre dans son raisonnement.) Les filles vous faisaient chanter… elles exigeaient toujours plus… votre position devenait intenable et vous avez décidé d'y mettre fin. Vous leur avez fixé un rendez-vous près de la cité U, comme d'autres fois, j'imagine. Mais cette fois, ce n'était pas pour leur verser de l'argent. Cependant, vous ne comptiez pas vous salir les mains, non : vous avez demandé à ce pauvre garçon, à ce malheureux Cédric Dhombres, de le faire à votre place. Je ne sais pas comment vous vous y êtes pris – si vous l'avez fait chanter vous-même à cause des photos, s'il aurait fait n'importe quoi pour l'auteur qu'il vénérait, si vous lui avez offert de l'argent. Cédric Dhombres avait peur de vous : il parlait d'un homme *impitoyable*, qui « lui ferait du mal »… Vous l'avez menacé, poussé au suicide ? Toujours est-il qu'il les attend dans le petit bois, à la nuit tombée. Il surprend Alice : il attaque par-derrière, comme vous lui avez dit de le faire – la bonne vieille méthode de votre père –, puis il frappe la deuxième qui se retourne, et, là, il s'aperçoit que ce n'est pas la bonne personne, il panique. Que faire ? Le temps presse… Odile Lepage ressemble aux deux sœurs – d'où sa méprise –, mêmes cheveux longs et blonds, même genre de silhouette, même allure générale. Il la frappe donc jusqu'à la défigurer totalement. Avec l'espoir que ni vous ni personne ne vous apercevrez de sa méprise. Ça a marché au-delà de ses espérances, la seule à connaître la vérité, c'était la survivante : Ambre… Il les a revêtues des robes de communiante, conformément à la mise en scène morbide que vous aviez imaginée, a passé les croix autour de leur cou et a décampé. Mais il sait que ça n'est pas

Ambre qu'il a tuée, qu'elle court toujours. Alors, il file à sa piaule. Comme personne ne répond, il fracture la porte. Peut-être cherche-t-il à savoir où elle se trouve… Ambre, de son côté, a dû découvrir la scène peu après, elle a récupéré la croix d'Alice – sans doute comme un souvenir macabre de cette nuit-là – et elle s'est évanouie dans la nature. Quand elle a lu dans les journaux que tout le monde la croyait morte elle aussi, elle a dû décider de passer dans la clandestinité : son seul lien avec son existence d'avant, sa sœur, était rompu et elle devait craindre pour sa vie… Et puis, vous avez eu beaucoup de chance : ce pauvre garçon s'est pendu en avouant son crime. Et n'oublions pas ce qu'il a écrit : « *J'ai toujours été ton plus grand fan. Je gage qu'à partir d'aujourd'hui j'aurai dans tes pensées la place que je mérite. Ton fan numéro 1, à jamais dévoué…* » Sur le moment, ça ressemblait à un geste désespéré de la part d'un fan déséquilibré – mais, en réalité, c'était bien plus que ça. Un cadeau. Une offrande. Un sacrifice. Il devait aussi être mort de trouille à l'idée qu'Ambre allait réapparaître et le dénoncer. Et puis, il avait peur de vous : l'homme *impitoyable*.

— Et vous allez prouver ça comment ?

Servaz fait mine de ne pas avoir entendu. Il sait que Lang n'a plus guère de munitions, qu'il est à sa merci, qu'il n'a même plus envie de se battre. Il le lit dans ses yeux pleins de douleur et de mélancolie, il l'entend dans sa voix.

— Revenons à votre femme, monsieur Lang. Elle a été droguée. GHB. On en a trouvé des résidus dans ses cheveux et dans son sang. Je vous souhaite bonne chance, à vous et à votre avocat, pour expliquer qu'il s'agissait d'un cambriolage qui a mal tourné après ça… Votre femme a été droguée, sans doute par vous, pour ralentir ses réflexes, c'est ce que le jury pensera : *préméditation*.

— Quoi ?

L'espace d'un instant, Servaz a un doute : Lang a l'air sincèrement surpris – il jurerait que sa stupéfaction n'est pas feinte. *Nom de Dieu, il ne savait pas pour la drogue*… Qu'est-ce que ça peut bien vouloir dire ? Il y a quelque chose qui lui échappe.

— Ou alors, poursuit-il néanmoins, il y a une autre hypothèse : peut-être qu'elle ne voulait pas que vous sachiez ce qu'elle prenait pour supporter de se coucher chaque nuit avec un monstre…

— Je ne sais pas de quoi vous parlez, affirme Lang, et, encore une fois, Servaz a l'étrange sentiment que, sur ce point, il est absolument sincère.

Est-ce qu'un élément capital lui a échappé ? A-t-il mis une pièce du puzzle au mauvais endroit ? Il n'en déroule pas moins sa démonstration.

— On s'est renseignés, le type qui vous coache à la salle de gym où vous avez vos habitudes vous a vu trois fois plus que d'habitude ces derniers temps. « Le genre de changement qu'on observe normalement le 1er janvier », il a même dit. Vous vous attendiez à être mis en garde à vue… Vous vous êtes préparé physiquement et psychologiquement. Mais comment, dites-moi, peut-on se préparer à une garde à vue avant que le crime ait lieu sinon en étant soi-même le criminel ?

Servaz laisse à Lang le temps de ruminer ça. Quelque chose dans l'attitude de l'écrivain, et dans l'ombre qui voile à présent son regard, lui laisse à penser qu'il a gagné, que l'autre est vaincu.

— Revenons à… Ambre-Amalia. Au cimetière, il n'y avait que trois couronnes : Amalia ne fréquentait pas beaucoup de monde, pas vrai ? C'était une vraie casanière… Lola Szwarzc m'a dit que votre femme, quand vous lui rendiez visite dans ce squat, au tout début, savait exactement ce qu'elle voulait. *Et que ce qu'elle voulait, c'était vous…*

Pas de réponse, cette fois.

— En me racontant l'histoire de votre rencontre, vous m'avez dit que vous pensiez avoir trouvé l'âme sœur en découvrant les photos d'Amalia dans cette galerie. Pas étonnant : elle a tout fait pour que vous ayez cette sensation… Ces photos n'existaient que dans un seul but : *vous mettre le grappin dessus*. Et quand vous l'avez vue, vous êtes tombé sous son charme, comme vous étiez tombé sous celui d'Ambre vingt ans plus tôt. Et vous avez éprouvé cette impression de « déjà-vu ». Comme vous l'avez dit vous-même : *il y avait quelque chose chez elle de si familier, qui éveillait en vous des émotions très anciennes*. Normal, puisque – si Amalia avait bien changé après toutes ces années d'errance et de galère – elle n'en restait pas moins la même personne.

Et puis, l'estocade :

— Quel effet ça fait d'avoir dormi pendant cinq ans auprès d'une femme que vous aviez violée et qui vous haïssait sans doute de toutes ses forces ?

— Je l'aimais…

La phrase a jailli spontanément, au bout d'un long silence – comme une confession, un aveu.

Servaz hésite à prononcer la phrase suivante, mais il n'est pas là pour jouer les bons Samaritains.

— Jusqu'à la tuer ?

Regard désespéré de Lang. La réponse laisse Servaz sans voix :

— *C'est elle qui me l'a demandé.*

7

Dimanche

« Ce n'est pas un meurtre »

— Ce n'est pas un meurtre, c'est un suicide assisté – de l'euthanasie active.

L'émotion dans sa voix. Servaz le fixe, abasourdi. C'est quoi, cette stratégie ? Est-ce qu'il compte vraiment s'en tirer comme ça ? Sa dernière cartouche ? Puis le flic repense au sentiment qu'il a éprouvé juste avant : celui que Lang ne savait pas qu'Ambre-Amalia avait été droguée. *Quelque chose lui échappe*.

— Quoi ? coasse-t-il.

Lang lui lance un regard contrit, infiniment triste.

— Oui, je l'ai assommée. Oui, j'ai fait en sorte que les serpents la mordent pendant qu'elle était inconsciente, je les ai approchés d'elle un par un, à l'aide d'une pince… Chez eux, la morsure est un réflexe de défense, en cas de danger ou de peur…

S'ensuit un silence sinistre. Servaz a bien conscience que l'écrivain vient d'avouer l'assassinat – là, devant la caméra – mais il se demande où Lang veut l'emmener.

— Un… un *suicide assisté* ? répète-t-il, incrédule. Comment ça ?

Les yeux de Lang flambent un instant, puis s'éteignent.

— Ma femme était malade, capitaine. Très malade… Maladie de Charcot, ça vous parle ? Une maladie dégénérative presque toujours mortelle d'origine inconnue, qui provoque la paralysie de toutes les fonctions – y compris cérébrales et respiratoires – et le décès en moins de trois ans en moyenne dans des conditions extrêmement pénibles.

Sa voix s'est cassée – navrée, assombrie –, comme s'il en était personnellement responsable.

— La plupart du temps, la maladie apparaît par hasard, sans qu'il y ait eu de facteurs déclenchants, chez des sujets ayant le plus souvent entre quarante et soixante ans. Elle n'est pas non plus due à l'hérédité. En fait, on ne sait pas grand-chose de cette saloperie… Elle commence par une paralysie progressive : au bout des doigts ou de la langue, puis se répand peu à peu… À ce jour, il n'existe aucun traitement.

Il y a sur ses traits les stigmates d'un chagrin inconsolable.

— Vous n'imaginez pas ce qu'ont été ces derniers mois, capitaine. Vous n'avez pas idée… Personne ne le peut sans l'avoir vécu.

Il passe une main dans ses cheveux, de son front à sa nuque, lentement – et sa bouche se tord en un rictus. L'écrivain lui parle ensuite de la rapide dégénérescence d'Amalia (il n'a pas la force de l'appeler Ambre, ou bien il veut ne se souvenir que d'Amalia : *la femme aimante et aimée*), de ses problèmes de plus en plus importants de mémoire, de sa perte de poids, de ses crises de larmes. Servaz pense alors à la maigreur du corps d'Amalia Lang, à ses traits fatigués, à son estomac trop petit, selon la légiste, à sa diète, selon Lola.

L'écrivain est au bord des larmes.

— Les derniers temps, même son élocution en était affectée… Les mots sortaient de sa bouche tronqués, amputés ou déformés. Parfois, ils ne sortaient pas du tout… Il y en avait un qui manquait au beau milieu d'une phrase, et ça la mettait en rage…

Il prend une profonde inspiration.

— Elle n'avait plus de forces… elle se traînait… on aurait dit le fantôme de la femme que j'avais connue… Mais elle refusait l'hospitalisation.

Seigneur, se dit Servaz. *Si ce type dit vrai, c'est le plus grand acte d'amour qu'un homme puisse accomplir*.

Mais il n'oublie pas pour autant Alice et Odile.

— Alors oui, peut-être que j'étais amoureux de Zoé Fromenger… Mais mon amour platonique pour ma femme n'a jamais cessé d'exister, capitaine. Il était plus fort que tout. Je l'ai aimée jusqu'à son dernier souffle, je l'aime encore aujourd'hui. Et ça m'est égal si, de son côté, elle ne m'a jamais aimé, si elle m'a menti, trompé, abusé… si son amour n'était qu'un mensonge.

Servaz n'en croit pas ses oreilles : ce type est en train de parler de la femme qu'il a violée quand elle avait dix-sept ans, dont il a tué la sœur, et il se pose en victime, bon sang ! Et pourtant, il y a quelque chose de désespérément sincère chez Erik Lang, en cet instant précis.

— Cette femme, je l'ai aimée au-delà de tout, capitaine. Je voulais vieillir avec elle, je voulais mourir dans ses bras, un jour… Elle avait des projets, des rêves pour deux. Une vision. Elle me donnait de la force, de la joie. Chaque jour avec elle était une fête – avant la maladie…

— Quand sont apparus les premiers symptômes ?

— Il y a deux ans et demi.

Une fièvre anime de nouveau son regard.

— C'est elle qui m'a demandé de le faire pour lui épargner une mort dans d'atroces souffrances, poursuit-il. Car elle n'avait pas le courage de se suicider – et surtout elle ne voulait pas savoir à quel moment sa mort surviendrait : elle ne voulait pas voir la mort venir, vous comprenez ?

Ombre pathétique de lui-même, Lang grimace.

— Bien entendu, au début, j'ai protesté, j'ai refusé, je lui ai dit qu'il n'en était pas question. Non pas que j'aie eu peur de la prison. Mais je ne voulais pas la tuer. C'était hors de question. Je ne voulais pas être hanté par cette image pour le restant de mes jours…

Ses mains volettent un instant, comme deux oiseaux en cage.

— Mais elle est revenue à la charge… Sans cesse elle me suppliait, elle pleurait ; elle s'est même mise à genoux, une fois. Tous les jours elle me harcelait, elle appuyait sur la corde sensible, elle me répétait : « Tu ne m'aimes pas. » Et son état empirait de jour en jour. Alors, j'ai fini par céder… Mais je ne pouvais pas la tuer de mes mains, c'était impossible, je n'en avais pas la force. Et je ne voulais pas qu'elle souffre, je voulais être sûr que sa mort serait rapide et indolore. C'est pourquoi j'ai pensé aux serpents… En l'assommant et en lui inoculant les venins des reptiles les plus dangereux du monde, elle serait morte en quelques secondes, je me suis dit…

Il s'est tassé sur son siège. Il a terminé. Il a l'air soulagé d'avoir vidé son sac et son regard incertain fixe un point au-dessus de l'épaule gauche de Servaz.

— Et vous l'avez droguée pour diminuer ses réflexes, ajoute celui-ci.

De nouveau, Lang semble surpris.

— Non, la drogue, je vous l'ai dit : ce n'est pas moi.

Servaz tique.

— Vous pouvez prouver tout ça ? demande-t-il. La maladie, je veux dire… Je peux faire exhumer le cadavre, requérir des examens complémentaires. Mais j'aimerais mieux éviter d'en arriver là.

Lang hésite.

— La seule personne en dehors de moi à qui elle s'était ouverte de sa maladie, c'était son amie Lola, celle du squat : c'est ce qu'elle m'a dit.

Servaz le toise froidement.

— Non. Je suis désolé, mais elle n'a rien dit à Isabelle Lestrade…

— Qui ça ?

— C'est le vrai nom de Lola… Elle ne lui a rien dit de sa maladie… Elle a déclaré au contraire qu'elle suivait un régime.

Lang semble atterré, il tombe des nues.

— Le Dr Belhadj ! tonne-t-il soudain. Au CHU de Toulouse ! C'est un spécialiste de la sclérose latérale amyotrophique – c'est l'autre nom de la maladie. Elle le voyait une fois par semaine et même deux ces derniers temps. Lui pourra vous le confirmer…

Servaz hoche la tête en contemplant le visage ravagé de l'écrivain. Un doute affreux lui est venu. Il se lève.

— Très bien. Je reviens tout de suite.

Il sort.

Il a appelé le CHU. À force de patience et après avoir été baladé d'un service à l'autre, il a fini par obtenir une personne qui lui a expliqué que le CHU de Toulouse est bien reconnu comme centre de référence pour huit maladies rares, mais que la maladie de Charcot n'en fait pas partie. Selon cette même personne, il existe bien, toutefois, au sein du CHU, un centre de ressources sur la SLA, la sclérose latérale amyotrophique, lui-même rattaché à l'unité d'exploitation neurophysiologique du département de neurologie de l'hôpital. Il a quand même demandé à la personne au bout du fil si elle connaissait le Dr Belhadj. Non, elle ne connaissait pas, mais elle a précisé qu'il ne fallait pas en tirer de conclusion : il y a beaucoup trop de médecins ici pour les connaître tous. Et l'a invité à appeler le département de neurologie, pôle neurosciences.

Il a demandé si on pouvait le lui passer. Ce qu'on a fait aussitôt.

Au département de neurologie, on lui a demandé ce qu'il voulait, puis on l'a mis en attente pendant un bon quart d'heure en lui balançant dans l'oreille une musique qu'il ne connaît pas mais que Mozart aurait pu jouer avec les pieds. Au bout de quinze minutes, une nouvelle voix le tire de sa transe :

— Qu'est-ce que vous cherchez exactement ?

Il explique.

— Vous avez un fax ? Je vais vous envoyer la liste des praticiens. Si votre Dr Belhadj travaille sur la SLA, il est forcément dedans.

Il a. Il donne le numéro, en conclut que la personne au bout du fil n'a jamais entendu parler du Dr Belhadj. Quand la liste arrive, il constate qu'elle fait plusieurs pages. Il n'aurait jamais pensé qu'il y avait autant de spécialistes au service neurologie. Il compte : douze pour la neurologie vasculaire, neuf pour la neurologie cognitive, l'épilepsie, le sommeil et les mouvements anormaux, huit pour la neurologie inflammatoire et la neuro-oncologie, douze pour les explorations neurophysiologiques, cinquante-huit, pas moins, pour les consultations spécialisées dans les disciplines précédentes…

Et, là-dedans, pas le moindre Dr Belhadj.

Il marche vers son bureau. Lang lui a menti. Il a essayé un dernier coup tordu. Il devait bien se douter, pourtant, qu'ils vérifieraient. Quel est le but de cette dernière manœuvre ? Gagner du temps ? Ça n'a pas de sens. Il pense à Amalia droguée. Et, tout à coup, il entrevoit une autre réalité – une *terrible* réalité.

Il a encore un coup de fil à passer…

— Elle se rendait comment à l'hôpital ? demande-t-il un quart d'heure plus tard.

— Avec sa voiture au début. En taxi dernièrement.

— Vous l'accompagniez ?

— Non. Elle refusait que je l'accompagne à l'hôpital, que je la voie là-bas.

— Ce Dr Belhadj, vous l'avez déjà rencontré ?

Lang lui jette un regard prudent.

— Une seule fois, je l'ai aperçu. J'avais insisté pour venir avec elle, cette fois-là… Elle me l'a montré du doigt, dans le hall du CHU, puis elle m'a demandé de l'attendre dans la voiture et elle s'est dirigée vers lui.

— Vous l'avez vue lui parler ?

— Non.

Servaz le contemple. À son tour, il grimace.

— Je suis désolé, dit-il. Mais je crois que votre femme vous a piégé…

— Comment ça ?

— Ambre… Amalia vous a poussé à la tuer très certainement dans le dessein de vous faire condamner indirectement pour deux autres de vos crimes demeurés impunis : son viol et le meurtre de sa sœur Alice. Elle s'est droguée elle-même pour être sûre que la police écarterait la thèse du cambriolage qui a mal tourné et pour attirer les soupçons sur vous. Elle a laissé la croix dans son tiroir pour que soit rouverte par la même occasion l'enquête de 1993…

Il pose les mains à plat sur son bureau.

— Elle a dû suivre un régime sévère pour maigrir ainsi, peut-être aussi qu'elle se faisait vomir… Quant à ses problèmes d'élocution : elle les simulait quand elle était avec vous à la maison. Une sacrée performance, je dois dire… Dès qu'elle était à l'extérieur, ses symptômes disparaissaient. Même chose pour ses trous de mémoire. Je viens d'avoir Lola Szwarzc au téléphone, elle est formelle : Ambre… Amalia ne présentait aucun des symptômes que vous m'avez décrits.

Lang ne réagit pas. Son teint a viré au gris et Servaz a peur qu'il ne fasse un malaise.

— Il n'y a pas non plus de Dr Belhadj au CHU de Toulouse. Ni ailleurs. Par conséquent, il n'existe aucune preuve de ce que vous avancez, et le jury conclura certainement à l'assassinat avec préméditation : à cause de la drogue. Passible de la réclusion criminelle à perpétuité.

Il encaisse, les yeux rouges, larmoyants.

— Mais vous, vous me croyez !

Servaz hausse les épaules, fataliste. Au plus profond de lui se lève une vague de triomphe perverse.

— À ce stade, ça n'a plus guère d'importance, Lang. Les faits sont tous contre vous – et ma petite hypothèse apparaîtra pour ce qu'elle est : une théorie improbable, que rien ne vient étayer…

— Mais la comparaison ADN prouve que… qu'Amalia était… Ambre… vous l'avez dit vous-même.

— Et après ?

— Ils… Le jury… se posera forcément la question…

— Et… ? Tout ce qu'ils verront, c'est que vous avez assassiné la femme que vous pensiez avoir tuée en 93. Et cela aggravera votre cas. Comment croire quelqu'un qui était déjà un assassin vingt-cinq ans auparavant ? En outre, j'ai coupé la caméra quand je suis sorti du bureau, tout à l'heure… Après que vous avez avoué le meurtre de votre femme. Rien de ce qui s'est dit ensuite n'a été enregistré…

Il est temps de conclure. Chacun de ses mots est un clou de plus dans le cercueil.

— La femme pour laquelle vous allez finir votre vie en prison, celle pour qui vous vous êtes sacrifié ne vous a jamais aimé : elle vous haïssait de toutes ses forces au contraire. Votre grande histoire d'amour n'était en réalité qu'un mensonge.

Servaz regarde l'heure. Il appelle Espérandieu.

— Redescends-le en bas, dit-il. Demain matin, on appelle le juge.

— On prolonge la garde à vue ?

Il montre la caméra.

— Pas la peine. Il est cuit. Tout est là-dedans…

Vincent invite alors l'écrivain à se lever, lui passe les pinces. À son tour, Servaz se lève – et Lang et lui se défient une dernière fois du regard, leurs yeux connectés, unis par un même dénouement : la victoire d'un côté, la déroute de l'autre. Un léger sourire s'épanouit sur les lèvres du romancier.

Un sourire triste. Infiniment triste.

— Je peux vous demander une faveur, capitaine ? Il y a un manuscrit inachevé sur mon ordinateur. Vous pourriez l'imprimer ? J'aimerais le récupérer… (Il soupire.) Vous croyez que je pourrai écrire en prison ?

8

Dimanche

Aviron

Comme chaque fois, il a rangé son bureau, il a mis de l'ordre. Il a préparé les formulaires, le rapport pour le juge qu'il enverra demain, sauvegardé l'enregistrement vidéo… Il a la satisfaction du travail bien fait, de la belle ouvrage : une porte refermée définitivement – enfin – au bout de vingt-cinq ans. Et pourtant, cette victoire lui laisse un goût singulier.

Il y a vingt-cinq ans, Lang a commis le plus abject des crimes et il a ensuite tué, indirectement, trois personnes – si on inclut le suicide de Cédric Dhombres. Et, cependant, la vengeance d'Amalia ne lui paraît pas moins abjecte : *ce mensonge hideux de l'amour*… Car il croit Lang quand il dit avoir agi par amour.

La justice doit-elle être rendue à n'importe quel prix ? Qui est-il pour répondre à pareille question ? Personne… Il attrape sa veste, referme la porte derrière lui.

Comme la nuit est tombée – un dimanche qui plus est –, le couloir est désert, obscur, silencieux. Il se dirige quand même, à tout hasard, vers le bureau devant lequel il est passé plus tôt dans la journée, celui où il a entendu prononcer le mot *aviron*. Par la porte entrouverte, une bande de lumière se faufile et se répand dans la pénombre du couloir. Il entend un froissement de papier à l'intérieur, suivi d'un tiroir qu'on referme. Le collègue se retourne vers lui quand il se glisse dans la pièce. Comme lui, il range ses papiers, s'apprête à partir. Une unique lampe brille encore.

— Salut, dit Servaz.

L'autre lui lance un regard prudent. Il n'y a aucun atome crochu entre eux. Simonet est un type de la vieille école, obtus, réfractaire au changement, et surtout un peu trop dilettante au goût de Servaz.

— Salut…

— C'était quoi cette histoire de club d'aviron, tout à l'heure ? demande-t-il tout à trac.

— Pourquoi tu veux le savoir ?

— Simple curiosité.

De nouveau, le regard circonspect. Simonet n'est pas dupe, mais il est pressé de partir, de rentrer chez lui. Il n'a pas envie de discuter.

— Il y a plusieurs filles qui se sont plaintes que le patron du club rentre dans les douches à l'improviste pour les mater. Encore un de ces délires nés de l'affaire Weinstein, ajoute-t-il d'un ton méprisant et amer.

Servaz a tressailli.

— Il s'appelle comment ?

Le regard du collègue s'affûte. Il soupèse ce qu'il va lâcher et surtout ce qu'il peut obtenir en échange. Marchandage ordinaire de flics.

— François-Régis Bercot. Pourquoi ? Ça te dit quelque chose ?

— Rien du tout.

Simonet secoue lentement la tête.

— Servaz, aboie-t-il, arrête de me prendre pour un con !

— Une vieille histoire… il y a vingt-cinq ans, plaide Martin. Laisse tomber. Ça n'a aucun rapport.

— Il y a vingt-cinq ans ? Sérieux ? le raille Simonet. Nom de Dieu, Servaz ! T'as vraiment du temps à perdre, putain ! Tu crois pas qu'on a autre chose à foutre que remuer la poussière ?

Toi sûrement, pense-t-il. Il a déjà tourné les talons. Simonet a raison. Rien qu'une coïncidence. Il y en a dans toutes les enquêtes criminelles : des petits détails qui semblent conduire quelque part et qui ne sont que des branches mortes, sans rapport avec l'affaire. C'est ce genre de coïncidence qui donne du grain à moudre aux sceptiques incorrigibles, aux amateurs de théories du complot, à tous ceux qui aiment refaire l'Histoire et croient que la vérité est ailleurs.

Il ressort dans le couloir. Un téléphone sonne quelque part, derrière une porte. *Ça vient de son bureau…* Il marche rapidement, ouvre la porte, le volume de la sonnerie augmente. Il décroche.

— Quelqu'un veut vous parler, dit la personne de service dominical au standard

— Je n'ai pas le temps, dites…

— Il dit qu'il est un fan et qu'il veut vous parler de Gustav… Il a insisté.

— Quoi ?

— Je n'ai pas très bien compris, il dit qu'il est un fan et qu'il…

— J'ai compris ! Passez-le-moi !

Il a le cœur dans la gorge, le sang qui cogne aux tempes.

— Allô !

— *Tu veux revoir Gustave, enculé de flic ? Libère Erik Lang et tu le reverras. Sinon… Je te donne une heure pour réfléchir. C'est moi qui te rappelle…*

Déclic. Il l'a reconnue.

La voix éraillée, un peu trop aiguë, de quelqu'un qui communique peu : la voix de Rémy Mandel.

9

Dimanche

Campagne

Il fonce à travers les rues, gare sa voiture en bas de chez lui sur un emplacement réservé, bondit hors du véhicule et traverse le trottoir en courant. Dans l'ascenseur minuscule et grillagé, il donne des coups de poing contre la cloison.

— Plus vite !

Il a crié. Il se fout qu'on l'entende. Quand la cabine s'immobilise, il repousse violemment la grille, jaillit sur le palier. Il sonne, tourne la poignée de cuivre. La porte n'est pas verrouillée. Il se rue à l'intérieur. Appelle. Fait irruption dans le salon, voit le visage ahuri de la baby-sitter.

— Où il est ?!

Il a hurlé. Elle prend peur. Elle écarquille les yeux.

— Gustav ? Il est parti avec votre collègue…

Il l'attrape par les épaules, la secoue. Leurs deux visages très proches. Il postillonne.

— Qu'est-ce qu'il a dit ?

— Lâchez-moi ! Il a dit que vous lui avez demandé d'emmener Gustav chez le médecin et qu'il le ramène dans une heure, que vous n'aviez pas le temps avec votre enquête.

— Et tu l'as cru, pauvre idiote ? On est dimanche !

— Vous êtes malade ! Je vous interdis de…

— Il ressemblait à quoi ?

— Grand, cheveux blancs, yeux bleus ! Je comprends rien ! Qu'est-ce qui se passe, merde ?

Il est déjà reparti. Mandel lui a dit qu'il rappellerait dans une heure sur son téléphone fixe du SRPJ. Il dévale l'escalier, fait irruption sur la place Victor-Hugo – où il bouscule un hipster barbu qui proteste quand son panier à course se répand sur le trottoir – des oranges et des pommes, bio certainement, qui roulent dans le caniveau –, se met au volant et redémarre dans un hurlement de gomme, sous le regard éberlué du hipster, repart vers le boulevard de l'Embouchure.

— Je veux parler à Gustav ! dit-il dans le téléphone.

— On n'est pas dans un film, rétorque la voix de Mandel. Vous allez faire exactement ce que je vous dis.

Servaz ne dit rien.

— Vous allez libérer Lang.

— Je ne peux pas faire ça…

— Un mot de plus et je lui coupe un doigt, c'est clair ?

Servaz se tait.

— Démerdez-vous pour le libérer, ensuite vous prenez la direction d'Albi. D'ici une heure, vous recevrez de nouvelles instructions. Je vous conseille vivement d'être en route à ce moment-là. Filez-moi votre numéro de portable. Et pas d'embrouille : Lang, vous et moi – personne d'autre. Ne perdez pas de vue que j'ai Gustav avec moi.

Je ne perds pas de vue que je vais t'arracher la tête, pense-t-il. Mais la peur est plus forte que la rage, en cet instant.

Le garde, en bas, le considère d'un air ahuri :

— À cette heure-ci ?

— Une urgence, répond-il. Le juge veut lui parler. Il y a des éléments nouveaux. Bon, alors, c'est pour aujourd'hui ou pour demain ?

— On y va, on y va… pas la peine de s'énerver. Mais avant, il faut me signer une décharge.

— Pas de problème.

Il signe.

Lang est allongé sur le banc de sa cellule, les yeux fermés, mais il les rouvre instantanément quand ils déverrouillent la porte. Ils glissent du garde à Servaz, surpris. Il n'a aucun moyen de savoir l'heure qu'il est – et il doit se demander si c'est déjà le matin, s'il a dormi d'une seule traite toute la nuit.

— Levez-vous, dit le flic.

Puis il lui passe les menottes, le pousse doucement à l'extérieur, l'entraîne vers l'ascenseur sous les regards perplexes et convergents comme les rayons d'une lentille en provenance du bocal. Au lieu de le remonter au deuxième, il a appuyé sur le bouton du rez-de-chaussée.

Quand il émerge dans le hall d'accueil et tourne à gauche en direction de la cour intérieure, les deux plantons le contemplent de derrière leur comptoir. Lang aperçoit la nuit au-delà des vitres, son regard tombe sur une horloge.

— Où on va ? demande-t-il, désorienté. Putain, c'est quoi ce bordel ?

Une fois dans la cour, Servaz le conduit vers l'endroit où il a garé sa voiture. Il aurait pu la rejoindre directement depuis les cellules de garde à vue – il y a une porte qui donne accès au parking souterrain à partir des « geôles » – mais cela aurait par trop attiré l'attention. La lune brille au-dessus des façades austères du commissariat, elle se reflète dans ses vitres noires. Il ouvre la portière côté passager, pousse Lang à l'intérieur.

— Où on va ? répète celui-ci.

— La ferme.

Deux minutes plus tard, ils roulent sur le boulevard en direction de l'est, longeant le canal sombre, les façades des immeubles aux fenêtres illuminées, puis tournent dans l'avenue de Lyon avant de gagner la rocade nord par la route d'Albi.

Pendant un moment, Lang ne dit rien. Il semble effrayé. Quand ils atteignent le périphérique, cependant, et se glissent dans le flot des phares, quittant l'agglomération, il se manifeste :

— Vous allez me dire où on va à la fin ?

Servaz ne répond pas. Il a glissé son arme dans son étui en Cordura et il sent sa présence tout contre lui, sous sa veste en cuir, tandis qu'il conduit. Il a posé son téléphone portable sur le tableau de bord. Ils sont en train de franchir la barrière de péage sur l'A68, l'autoroute qui serpente comme une rivière entre les collines du nord-est, en direction de Gaillac et d'Albi, quand l'écran s'illumine soudain, aussitôt suivi par une sonnerie qui ressemble au grelot d'un vieux téléphone.

— Il est dans la voiture ? demande Rémy Mandel.

— Oui.

— Passez-le-moi.

Servaz tend le téléphone à Lang, qui le prend avec ses mains menottées.

— Allô ?

Un silence.

— Oui, c'est moi… Qui… Qui êtes-vous ? Mandel, c'est vous ? Nom de Dieu, qu'est-ce qui vous prend ?

Servaz quitte le ruban de l'autoroute des yeux pour scruter le profil de l'écrivain dans le faible halo du tableau de bord. Il a l'air tendu, nerveux. Il écoute sans broncher.

— Je ne comprends pas, dit-il après un moment. Que voulez-vous ? (Le romancier a parlé d'une voix incrédule, déroutée. Il écoute ce que le fan lui dit.) Attendez… je ne sais pas ce que vous voulez, mais je… je refuse de m'enfuir… Non : je ne veux pas, je vous dis… Vous êtes fou, Mandel… je… je ne m'enfuirai pas, vous entendez ? (Il écoute encore, et Servaz perçoit le grésillement de la voix de Mandel de plus en plus forte dans le téléphone.) N'insistez pas, Mandel, je refuse de faire ça ! Vous devez libérer ce gosse ! (Nouveau grésillement dans l'appareil, puis l'écrivain se tourne vers lui et le lui tend.) Il veut vous parler…

— J'écoute, dit Servaz.

La voix dans l'appareil est pleine de colère :

— Ramenez cet abruti avec vous !

— Vous l'avez entendu : il vous a dit qu'il ne voulait pas s'enfuir. Relâchez mon gosse, Mandel.

— Fermez-la et faites ce que je vous dis ! Sortez à Lavaur ! Ensuite prenez la D12 ! Le téléphone risque de ne pas passer là-bas, alors je vais vous donner mes instructions tout de suite. Un bon conseil : ne dites à personne où vous allez…

Quand il repose le téléphone, il découvre que Lang l'observe attentivement.

— Pourquoi vous faites ça ? demande l'écrivain.

— Il a mon fils…

Ça ne semble pas rassurer l'écrivain pour autant, bien au contraire.

— Ce type est cinglé, vous le savez ?

— Merci, je ne crois pas que quelqu'un de normal se comporterait de la sorte.

— Qu'allez-vous faire ?

— Pour l'instant, ce qu'il me dit.

— Je ne veux pas être mêlé à ça.

— Vous l'êtes déjà…

— J'exige d'être ramené en cellule…

— Je vous ai dit de la fermer…

— Vous… Vous n'avez pas le droit de me contraindre à vous suivre… Mon avocat vous fera virer de la police, vous allez vous retrouver au chômage et sans droits à la retraite…

— Encore une remarque de ce genre et je vous tire une balle dans le genou, Lang.

L'écrivain se le tient pour dit.

La lune brille sur les collines, lesquelles se découpent en ombres chinoises sur la nuit claire, coiffées de chevelures d'arbres ; des nappes de brouillard stagnent dans les creux, à l'orée des bois, et, quand ils plongent dedans, la clarté des phares se change en une lueur d'incendie. L'autoroute a cédé la place à un paysage totalement obscur depuis qu'ils ont quitté Lavaur, les seules lumières étant celles de fermes isolées.

Servaz se demande comment on peut vivre dans un endroit pareil, dans ce silence et cette nuit si profonde que le temps semble s'y arrêter jusqu'au lendemain. L'hiver, cette obscurité a quelque chose de terrible.

Le cœur serré, les mains crispées sur le volant, il suit les instructions de Mandel. Il ne cesse de penser à Gustav. Où se trouve son fils en ce moment ? Est-il attaché ? Bâillonné ? A-t-il peur ? Est-il bien traité ? Il le revoit dans cette chambre d'hôpital autrichienne après l'opération. Comme il avait peur pour lui alors. Comme il craignait pour sa vie. La même peur qui l'a envahi et qui lui tord l'estomac à cet instant.

Cela fait un moment que Lang n'a plus prononcé une parole. À quoi pense-t-il ? Cherche-t-il une issue ? Si Servaz ralentit, va-t-il sauter de la voiture et filer ? Il a toujours sa ceinture bouclée.

Ils franchissent une colline, basculent de l'autre côté et là, au bas de la pente, Servaz manque louper l'entrée du chemin, aussi étroite qu'un tunnel qui s'enfonce à travers les bois, avec la croix en pierre étouffée par le lierre en guise de repère, comme prévu.

Il écrase la pédale de frein, vire et s'engage sur les ornières, entre deux murailles d'arbres.

— C'est ici ? demande Lang d'une voix chevrotante.

Il ne répond pas. Le faisceau des phares bondit vers le haut et vers le bas, illuminant tantôt les troncs, tantôt la voûte de branches, en fonction des cahots.

— C'est quoi, cet endroit ? dit Lang – et Servaz entend la peur dans sa voix. Vous êtes en train de faire une énorme connerie, capitaine.

— Profitez-en. Ça devrait vous donner des idées pour votre prochain bouquin. Et maintenant, je ne veux plus un mot, vous entendez ? Fermez-la, Lang. Je ne plaisante pas…

10

Dimanche

Libre

Je suis libre. Il a tué en moi la ferveur. L'amour que je croyais indéfectible, la fidélité, l'adoration. Il a éteint la flamme. À présent, je vais apprendre à le détester.

Quelle déception de l'entendre rejeter mon offre, mon sacrifice au téléphone. Quel lâche, quel traître, quel foutu hypocrite. Et surtout me traiter de fou. Est-ce qu'il me prend pour Mark David Chapman, ricardo Lopez ou John Warnock Hinckley ? Je ne suis pas fou. La folie, c'est autre chose. Il m'a appelé par mon nom – plus de Rémy, comme sur les dédicaces… Après tout ce que j'ai fait pour lui, il n'a donc rien compris… Être fan, ce n'est pas simplement aimer quelqu'un, son œuvre, ce qu'il représente, sa personne, l'admirer, vouloir lui ressembler. Non, c'est bien plus que cela…

J'étais heureux quand il triomphait, triste quand il échouait. Ses succès et ses échecs étaient les miens. Je guettais avec vénération la sortie de chaque nouveau livre, le lisais et le relisais, je suivais avec la même dévotion chacun de ses pas dans le monde, j'étais un spécialiste, un expert, le gardien du Temple, je collectionnais les articles, les dédicaces, les photos... Il était mon modèle, mon héros. Il m'aidait à traverser le désert de ma non-existence. J'ai investi en lui tout mon amour, toute mon énergie, tout mon temps, tous mes rêves. J'ai fait de lui mon ami, mon confident, mon grand frère, mon idéal... J'ai cru que nous étions intimes, qu'il y avait entre nous quelque chose de spécial, de sacré.

Mais je viens d'ouvrir les yeux : il est lui et je suis moi – et il ne peut rien m'apporter personnellement. Je lui ai sacrifié ma vie, mais lui : que m'a-t-il donné en échange ? Je n'étais pas moi-même. J'étais un atome, une particule au milieu d'une foule d'autres comme moi, une masse anonyme de fans – ah, les fans... *J'aurais dû voir la vérité bien plus tôt : les personnes comme lui ne sont fans de personne. Elles n'aiment qu'elles-mêmes, elles sont trop pénétrées de leur propre importance, trop occupées par leur propre gloire, leur propre vie pour s'intéresser à celle des autres. Nous, les fans, notre amour est à sens unique, il ne sera jamais payé de retour. Les gens comme lui prennent notre adoration, notre amour comme si cela leur était dû. Mais ils se fichent pas mal de nos petites vies...*

Et tout cet amour pour lui, ça m'a rétréci... Tout cet amour inconditionnel gaspillé en vain, que j'aurais pu donner ailleurs... À mes parents, à mes amis, à une femme, à des enfants... Je regarde le ciel, les millions d'étoiles. Elles étaient là bien avant que je naisse, elles seront là bien après ma mort. Et je comprends à quel point c'était absurde, dérisoire.

Mais c'est l'heure d'un tout dernier rituel de vénération, d'un tout dernier sacrifice.

Une dernière fois, je vais faire quelque chose pour toi : je vais faire de toi une légende, qu'on n'oubliera jamais.

Et quand on se souviendra de toi, on se souviendra de moi. Tu me dois bien ça…

11

Dimanche

Autodafé

La grange est plongée dans l'obscurité, aussi inerte et noire qu'un morceau de charbon, lorsqu'ils émergent dans la clairière. Aucun signe de vie et pourtant la voiture de Mandel – la Seat Ibiza – est bien là, garée tous feux éteints.

Servaz décrit une courbe ample et vient se ranger à côté.

Ses pleins phares fouettent un instant la façade de pierre du corps de ferme en ruine, qui forme un L avec la grange en bois aussi haute et vaste que le bâtiment principal. Il y a beau temps qu'il n'y a plus de carreaux aux fenêtres – ni même de portes ou de volets –, mais des carcasses rouillées d'engins agricoles, une herse rotative et une remorque à ridelles dorment encore dans la cour, tels des animaux assoupis.

— Putain, dit Lang dans un souffle, expirant tout l'air contenu dans ses poumons.

La nuit, ces bâtiments abandonnés et entourés d'arbres ont un aspect encore plus sinistre, encore plus hanté, que celui qu'ils doivent avoir en plein jour. Haute et massive, la grange projette son ombre lugubre sur la terre battue de la cour et sur le bâtiment voisin.

Servaz coupe le moteur. Descend. Prête l'oreille.

Aucun bruit à part le vent léger qui fait frissonner les arbres. Le flic fait le tour du véhicule, ouvre la portière passager et tire l'écrivain dehors sans un mot.

— Faites pas le con, Servaz, gémit celui-ci, alors que le flic le pousse vers la grange, en le tenant fermement par le bras.

Les étoiles clignotent au-dessus des cimes mouvantes de la forêt, tandis qu'ils marchent vers la grange. La peur que fait naître chez Lang ce décor se sent à la résistance qu'il offre, plus grande à chaque pas, et Servaz le lâche, sort son arme, fait monter une balle dans le canon et pointe celui-ci vers le romancier, montrant la double porte béante.

— Allons-y. On entre.

Lang le regarde. La lune éclaire son visage. Il a peur.

— Non.

Il a répondu fermement. Il croit sans doute que le flic ne mettra pas ses menaces à exécution. La crosse de l'arme s'abat sans prévenir sur sa bouche, aussi rapide que la morsure d'un serpent, et un craquement se fait entendre, en même temps que Lang pousse un cri.

— Entre…

L'écrivain se plie en deux et crache du sang dans la poussière. Il touche avec précaution ses dents brisées, lève la tête et jette un regard terrifié à Servaz, qui braque à présent sur lui le faisceau aveuglant de sa torche.

— ENTRE !

À contrecœur Lang avance. Servaz le suit. Il devine dans le dos un peu courbé de l'homme, dans son cou rentré dans les épaules sa terreur, sa résignation, son incrédulité. Son pied droit piétine quelque chose, quelque chose de plat et de mou, et il abaisse un instant le faisceau de la lampe vers la pointe de ses chaussures.

Il a marché sur un livre…

Un roman signé Erik Lang.

La torche réveille ensuite des poutres verticales et horizontales qui soutiennent une haute et complexe charpente, et de grandes balles de foin parallélépipédiques, formant comme une pyramide à l'intérieur. La voix s'élève de derrière la pyramide :

— Fermez les portes…

— Où est mon fils ? gueule Servaz.

— Fermez les portes…

L'écrivain s'est retourné vers lui, perplexe sur la conduite à tenir, les yeux agrandis par la peur dans la lueur de la torche. Servaz lui fait signe de tirer les battants sur eux.

— N'essaie pas de t'enfuir, précise-t-il quand Lang marche vers la double porte.

Le romancier s'exécute, tirant sur eux les deux grands battants, qui grincent et se referment sur la nuit du dehors.

— Maintenant, venez par ici, lance la voix.

Il y a une petite porte ouverte dans le fond, la nuit noire au-delà. Ils marchent dans cette direction et, par deux fois, Servaz piétine un livre qui gît dans la paille. Un roman de Lang… Qu'est-ce que ça veut dire ?

Les deux hommes franchissent la porte basse, prennent pied sur un plancher de bois aux lattes étroites et ajourées.

— Il y a un interrupteur sur la droite. Allumez…

Servaz tâtonne. Actionne l'interrupteur. La lumière jaillit aussitôt d'une ampoule nue pendant au bout d'un fil torsadé et il sent l'adrénaline, la rage, la panique remonter à la surface en voyant Rémy Mandel tenir Gustav tout contre lui et appuyer une lame pointue sur son cou, dans le halo de la lampe.

— Mandel, tonne-t-il, la voix tremblante de colère et de trouille, si vous…

— Il ne risque rien si vous faites ce que je vous dis, l'interrompt le grand fan. Éteignez cette torche, putain ! ajoute-t-il en clignant des yeux.

À cet instant, le regard de Servaz croise celui de Mandel – le fan ira jusqu'au bout, il le sait – puis descend jusqu'à la pâle frimousse de son enfant, à peu près à la hauteur du nombril du géant, et son cœur se déchire en voyant la peur dans les yeux de son garçon.

Ce n'est que dans un troisième temps qu'il découvre tout le reste : autour de Mandel et de Gustav, il y a des monceaux de livres empilés sur le sol – des dizaines et des dizaines de livres –, jetés à terre mais pas n'importe comment : ils dessinent un cercle grossier autour d'eux. Un grand cercle d'environ deux mètres de diamètre. *Voilà l'explication des romans qu'il a piétinés en venant*… En un instant, il analyse toute la situation, point par point – mais c'est l'odeur qui lui fait comprendre le plan. Il pince les narines.

Essence…

Il a envie de bondir, de se ruer sur le fan, mais il n'en fait rien. La pointe de l'instrument exerce une pression légère sur la peau du cou de Gustav, qu'il ne peut ignorer. *Coupe-papier…* Moins tranchant qu'un cutter, mais suffisamment pointu pour percer une carotide… Et Mandel tient fermement son fils contre lui de son autre bras.

— Qu'est-ce que vous voulez, Rémy ? demande-t-il doucement.

Pendant tout ce temps, Lang, debout devant lui, n'a pas bougé d'un cil.

Et c'est lui que Mandel regarde, pas le flic qui se trouve derrière.

— Bonsoir, Erik, dit-il.

Lang ne répond rien. Ne bouge pas. Respire-t-il seulement ?

— Je suis content de vous voir…

Un sourire pincé sur le visage du fan.

— J'imagine que vous beaucoup moins…

Toujours aucune réaction.

— Vous avez essayé de me faire porter le chapeau pour vos crimes, Erik. *À moi : votre plus grand fan…*

Un reproche, de la colère dans la voix de Mandel. Cette fois, Lang réagit.

— Non ! Je savais que les caméras de surveillance vous innocenteraient !

— Et maintenant, vous refusez de vous enfuir, poursuit le grand fan sans l'entendre, d'une voix calme et unie. Vous avez peur, vous préférez aller en prison… Vous me décevez – *terriblement*.

— Écoutez…

— Je vous admirais… Toute ma vie, vous avez été un modèle pour moi. Un exemple. Je rêvais d'être comme vous, je rêvais *d'être vous*. Vous voyez, je vous aimais, Erik, j'aurais fait n'importe quoi pour vous. Comprenez-vous de quelle sorte d'amour il s'agit ? L'amour d'un fan ? Est-ce que vous savez seulement ce que cela représente ?

Non, visiblement Lang ne sait pas.

— Je guettais la sortie de chaque nouveau livre, je suivais votre actualité, j'étais un spécialiste de votre œuvre, un expert. Je collectionnais les articles, les dédicaces, les photos… Vous étiez mon héros. Au fond, je sais tout de vous, Erik. Il y a si longtemps que je vous suis, que je vous observe, que je vous guette. Si longtemps que, chaque jour, je me lève en me demandant : « Est-ce qu'on va parler d'Erik Lang aujourd'hui ? Sera-t-il dans les journaux ? À la radio ? » La première chose que je faisais en prenant mon petit déjeuner, c'était d'aller sur votre page Facebook, sur vos comptes Twitter et Instagram et de voir s'il y avait quelque chose de nouveau. Et s'il n'y avait rien, je laissais un petit commentaire, ou bien je *likais* le commentaire de quelqu'un d'autre, ou je lui répondais. Ces réseaux sociaux, Seigneur, ils ont changé ma vie. Avant, il fallait se contenter des articles dans les journaux, quand il y en avait, quel ennui… Toute mon existence, je vous l'ai consacrée, Erik. Et tout ça pour ça…

Mandel éclate de rire, un rire bruyant, qui le secoue tout entier, qui résonne sous la haute charpente, vers laquelle son visage se tend. Il abaisse son regard sur l'écrivain.

— VOUS ÊTES UN MINABLE, LANG… Je ne sais même pas comment un être aussi méprisable que vous a pu écrire des livres si merveilleux…

À présent, les larmes coulent à flots sur le visage de Mandel. Il tremble. Et Servaz surveille toujours la main tenant le coupe-papier, le canon de son arme incliné vers le sol, pour ne pas risquer d'atteindre Gustav.

— MAIS JE VAIS FAIRE DE VOUS UNE LÉGENDE, ERIK…

De nouveau, il a élevé la voix.

— ON PARLERA DE VOUS DANS CENT ANS…

Les yeux pleins de larmes, il s'excite de plus en plus. Terrifié à la pensée de cette lame toujours posée sur le cou de Gustav, Servaz déglutit.

— Mandel…, tente-t-il.

Mais le fan ne l'écoute pas.

— UNE LÉGENDE…, répète-t-il.

Il a posé une main sur la tête de Gustav, sur ses cheveux blonds, et Martin sent la peur lui siphonner les entrailles.

— Est-ce que vous savez pourquoi Mark David Chapman en voulait à John Lennon au point de le tuer ? Parce que dans *Imagine* Lennon avait demandé à ses centaines de millions de fans d'imaginer un monde sans possessions – pendant que lui se pavanait avec ses millions de dollars, ses yachts, ses investissements immobiliers et son appartement luxueux dans le Dakota Building. Chapman considérait Lennon comme un hypocrite, un traître. Et, dans le Sermon sur la Montagne, les hypocrites sont les pires de tous…

Servaz sursaute en entendant Lang répliquer :

— *Conneries*… Chapman a reconnu qu'il voulait être célèbre et qu'il aurait tué Johnny Carson ou Elizabeth Taylor à défaut de tuer Lennon. Vous voulez être célèbre, Rémy ? C'est ça ?

Tais-toi, pense Servaz derrière lui. *Pour une fois dans ta vie, ferme ta putain de bouche, l'écrivain…*

— VOUS N'AVEZ RIEN COMPRIS. VOUS ÊTES UN IDIOT.

— Alors, expliquez-moi, dit Lang.

Le fan considère l'écrivain sans la moindre trace d'amour à présent.

— Vous appartenez à un monde où le meurtre n'est qu'une idée, Lang. *Un fantasme*… Votre monde à vous, c'est le royaume des mots. Pas la réalité… Tous ces crimes, ces morts horribles que vous décrivez ne sont que des images dans votre tête. Des mots sur le papier. À aucun moment, ils n'ont un quelconque rapport avec la réalité. À moins que… Votre femme, vous l'avez tuée, Erik ? Vous avez eu assez de couilles pour ça ? Ou c'est quelqu'un d'autre qui l'a fait à votre place ? Et vous, vous serez toujours celui qui est tout juste capable d'en faire une jolie histoire sur du papier…

— Vous êtes fou, Mandel.

Tais-toi donc, pense-t-il. *Ferme-la*…

— ASSEZ DISCUTÉ, LANG. VENEZ ICI : DANS LE CERCLE.

— Non !

— VENEZ DANS LE CERCLE OU JE TUE CE GOSSE…

Quelque chose dans le calme dangereux dont fait preuve Mandel verse de la glace dans les veines de

Servaz. Il resserre son emprise sur le Sig Sauer mais il a les mains moites, glissantes, le visage en feu, la sueur lui pique les yeux.

— Vous êtes fou, Mandel ! répète Lang.

— CAPITAINE, lui lance le fan d'un ton menaçant.

Gustav s'est mis à pleurer, des sanglots le secouent. Alors, Servaz fait un pas en avant. Il appuie le canon de l'arme contre la nuque de Lang.

— Allez-y, *entrez dans le cercle*, dit-il en essayant de rendre sa voix aussi ferme que possible. Faites ce que je vous dis… Sinon je jure devant Dieu que je vous fais sauter la cervelle…

Un pas.

Deux…

Trois…

Lang a enjambé la petite frontière de livres de quelques centimètres de haut.

— Encore un, enjoint Mandel.

À présent, Servaz voit nettement les livres détrempés, les planches mouillées qui luisent sous les pieds de l'écrivain, de son fan… *et de Gustav*. L'odeur d'essence est plus forte que jamais dans la grange. Mandel fait un pas de côté, utilisant toujours son fils comme bouclier, et le flic découvre le bidon d'essence – ouvert – qui se trouve derrière lui.

— Retournez-vous, ordonne-t-il à Lang.

— Non !

— Faites ce qu'il vous dit ! lance Servaz dans le dos de l'écrivain, le pistolet braqué.

L'espace d'une seconde, Lang hésite, puis il tourne légèrement la tête vers lui, le visage de profil, tout en continuant à lui présenter son dos et à faire face à Mandel.

— Vous ne tirerez pas ! Vous auriez trop peur de faire griller votre…

Mais le grand fan a profité de cet instant de distraction pour se jeter sur l'écrivain, le faire pivoter vers Servaz et lui coller le coupe-papier sous le menton, d'un seul mouvement vif, fluide et puissant.

— Je l'ai affûté spécialement pour l'occasion, lui glisse-t-il à l'oreille.

Il a lâché Gustav. Lequel s'élance, court, franchit le cercle et se jette dans les bras de son père qui l'étreint, le serre contre lui. Mandel n'a pas cherché à le retenir.

— Mon Dieu, Mandel, qu'est-ce que vous faites ? halète Lang.

Il lève le menton au maximum pour fuir la morsure de la lame, si bien que l'arrière de son crâne est presque appuyé contre l'épaule du grand fan, son visage renversé en arrière.

— Je ferai de vous quelqu'un de célèbre, tente-t-il. Je vous mettrai dans mon prochain roman ! Je dirai tout ce que vous avez fait pour moi !

Un briquet est apparu dans la main libre du fan. Un Zippo. Il le fait claquer et la flamme jaillit.

— Vous êtes fou, Mandel ! vocifère Lang, qui a reconnu le bruit caractéristique du briquet. Vous allez nous faire cramer !

Servaz voit l'écrivain suer à grosses gouttes à présent, les yeux exorbités. De son côté, il est incapable de bouger. Il presse juste la tête de son garçon contre lui, l'empêchant de regarder – mais Gustav n'en a pas envie de toute façon.

— Mandel, ne faites pas ça ! s'écrie-t-il.

— Une légende, murmure doucement le fan dans l'oreille de Lang, d'une voix aussi venimeuse que ses serpents.

La petite flamme oscille, tremble, s'incline et se redresse dans les courants d'air – fragile, menaçante, dangereuse. La sueur coule comme de l'eau sur le visage de l'écrivain.

— Je vous en supplie ! gémit Lang. Non, non !

Alors seulement Servaz voit que les vêtements de Mandel aussi sont trempés, il voit le fan donner un léger coup de pied au bidon d'essence, voit celui-ci se renverser et se vider. La suite ressemble à un rêve : le temps qui s'étire, se gondole, chaque seconde détachée de la précédente – et, dans ce temps dilaté, étiré, il voit comment Rémy Mandel met le feu à ses vêtements, jette le briquet ouvert vers le sol puis lâche le coupe-papier et étreint de toutes ses forces l'écrivain qui se tortille, se débat, hurle, prisonnier des bras puissants de son fan.

Martin enfouit le visage de Gustav dans son torse quand les flammes grandissent, brillantes et jaunes, envahissent tout le cercle, se mettent à danser une ronde infernale autour du romancier et de son fan, embrasent les deux silhouettes, bientôt confondues en une seule. Il presse les mains sur les oreilles de son garçon quand les deux torches humaines hurlent d'une seule gorge, cependant que leurs chairs fondent, que leur sang bout, que le feu les dévore.

Autour d'eux, les pages des livres s'enflamment, se détachent, s'élèvent dans l'air chaud. Les unes après les autres, elles volettent, dizaines d'oiseaux aux ailes de feu sous la charpente, puis se racornissent et fondent comme neige au soleil avant de disparaître – des milliers de mots partis en fumée…

Le souffle du brasier, la chaleur sur le visage de Servaz, la fumée qui déjà emplit ses poumons, les hurlements dans ses oreilles.

Cours ! Cours ! Sors Gustav d'ici !

La gorge pleine de fumée, il a peine à respirer. Il tousse, hoquette. Incline Gustav vers le sol, une main sur sa nuque, et le pousse rapidement vers la sortie, lui-même plié en deux, les yeux pleins de larmes, tandis que l'édifice craque de partout.

Baisse-toi ! Encore ! Si tu perds connaissance, ton fils est mort !

Il entend les explosions du bois derrière eux, des murs et des poutres dévorés par le feu qui ne vont pas tarder à s'effondrer. Les hurlements s'élèvent encore. Un vertige s'empare rapidement de lui, sa vue se trouble.

Baisse-toi ! Ne respire pas ! Avance !

L'étourdissement ralentit chacun de ses gestes. Il pousse son fils en avant, lui fait contourner en courant les balles de foin, le rattrape quand il trébuche, fonce sur les portes de la grange tête baissée, tel un taureau.

Cours ! Plus que quelques mètres !

Ils sont dehors !

Il court encore avec son fils dans la nuit, court loin de la grange incendiée, court et s'arrête enfin, hors de portée des flammes, et se laisse tomber par terre, à genoux, son fils à côté de lui, pour tousser, hoqueter, avaler à grandes goulées l'air nocturne, le fils et le père agenouillés côte à côte dans la nuit, expectorant et suffoquant – mais sains et saufs.

Épilogue

Pères

Immense, énorme, le ciel s'étendait devant eux.

Petit à petit, à mesure que l'aube avançait, il avait pris la couleur des fleurs qui sont le symbole de la ville voisine. Le vent avait quelque peu forci, et fumées et fumerolles se couchaient au-dessus des restes noircis de la grange, tandis que les arbres s'ébrouaient comme si le matin les réveillait.

Servaz huma le doux parfum du café chaud versé du Thermos dans le gobelet.

Non seulement parce qu'il aimait cette odeur, mais aussi parce qu'elle chassait celle qui s'était installée dans ses narines : cette puanteur de bois brûlé, de cendres détrempées, d'essence et de chair calcinée. Il avait lu quelque part que l'odeur naît de la rencontre entre les molécules qui s'échappent de l'objet et les millions de cellules réceptrices qui les attendent au fond de nos fosses nasales. Sans doute était-ce pour cela qu'elle refusait de s'en aller.

Le camion des pompiers stationnait toujours dans la clairière, de même que les véhicules de la police scientifique et une ambulance, écorchant le jour naissant de leurs gyrophares. Il avait fallu attendre que l'incendie soit maîtrisé et ce qui restait de la grange sécurisé pour pouvoir la transformer en scène de crime ; cela avait pris presque toute la nuit.

Bien plus tôt cette même nuit, une autre ambulance avait emporté Gustav pour qu'il soit examiné et Martin l'avait accompagné. Il n'était revenu sur les lieux qu'une fois son fils endormi à l'hôpital – on lui avait administré un sédatif léger – et il avait retrouvé sur place Espérandieu, Samira, les autres membres de son groupe d'enquête, Cathy d'Humières, la proc de Toulouse, et le docteur Fatiha Djellali. Et aussi Stehlin, le patron du SRPJ. Lequel lui avait annoncé qu'il allait être entendu le jour même par la police des polices – et aussi suspendu à titre conservatoire. En l'écoutant, il n'avait rien ressenti de ce qu'il aurait dû ressentir : nulle crainte, nul remords ; rien que de la rage et de la tristesse. Tout ce qu'il retenait de cette nuit, c'est qu'il avait sauvé son fils. Et pourtant, d'une certaine manière, il avait échoué. Car deux hommes étaient morts.

— Martin, je ne peux plus rien pour toi, cette fois, dit doucement Stehlin. Tu as dépassé les bornes.

Le ton était mesuré, presque amical. À l'évidence, Stehlin le ménageait. Il avait un fils à peine plus vieux que Gustav, peut-être était-ce cela. Adossé à l'un des fourgons, très pâle dans la lumière du matin, Servaz prit le temps de savourer une nouvelle gorgée de son café brûlant avant de demander :

— Vous auriez fait quoi à ma place ?

Question qui parut plonger son chef dans des abîmes de perplexité.

Il fut entendu huit heures durant par des représentants de l'IGPN, l'Inspection générale de la police nationale, venus de Bordeaux tout exprès. Ils allèrent tout de suite dans le vif du sujet : « Pourquoi vous n'avez pas averti votre hiérarchie ? » « Pourquoi vous avez dit à Erik Lang d'entrer dans cette grange ? » « Est-ce que vous vous doutiez de ce que Mandel allait faire ? » Puis, à mesure que les heures s'écoulaient, on était passé au tutoiement : « Ils vont te cramer les fesses, Servaz, ça va barder pour toi… » Mais sans animosité, cependant. Sans doute les types en face de lui étaient-ils pères de famille, eux aussi. Comment leur expliquer qu'il avait cru bien agir, qu'il avait fallu faire des choix en un quart de seconde, qu'il ne savait pas lui-même si ces choix étaient les bons. Comment leur faire comprendre que toute sa vie se résumait à ça : une suite de choix, de décisions, et au bout du compte aucune certitude. Certes, il avait accompli des exploits remarquables, risqué sa vie plus d'une fois, pour sa famille, pour son travail, pour lui-même – mais il avait le sentiment que tout ça n'avait servi à rien : qu'il n'avait fait que contribuer au chaos chaque jour plus grand. Il avait échoué, ils avaient tous échoué. Collectivement et individuellement. Il ne le leur dit pas, bien sûr ; il leur dit ce qu'ils avaient envie d'entendre. Néanmoins, il ne se faisait guère d'illusions : au cours de cette nuit de folie, cette nuit qu'il n'oublierait jamais, il avait remis en liberté un homme suspecté de meurtre, menti à ses collègues, il l'avait plus ou moins kidnappé (il s'abstint de préciser qu'il l'avait menacé avec son arme de service et même frappé, l'intéressé n'étant plus là pour en parler) et il avait agi en dehors de tous les cadres légaux… Selon toute probabilité, la sanction serait la révocation. Avec ou sans droits à la retraite ?

Il ne désirait qu'une chose : retourner à sa vie d'avant, à Gustav, à son travail, à son appartement, mettre Mahler sur la chaîne stéréo, se réveiller un dimanche comme si rien de tout ça n'était arrivé et s'attarder dans son lit jusqu'à ce que Gustav se lève et le rejoigne.

En ressortant de l'interrogatoire, il alla faire quelques courses – du café moulu, un pack d'eau minérale, des pommes et des mandarines, deux pizzas, des fromages chez *Xavier* et des Scoubidou, les bonbons préférés de Gustav, dont il limitait toutefois la consommation. En avançant dans les rayons, entouré de personnes qui ignoraient tout de ce qui s'était passé, il repensa à Ambre-Amalia dont l'existence n'avait tourné qu'autour d'un seul mot : *vengeance*. Qu'avait-elle éprouvé pendant toutes ces années ? Comment était-il possible de vivre à côté d'un homme qu'on haïssait ? Avait-elle été heureuse une seule fois ? La vie d'Ambre Oestermann était un mystère qu'il ne percerait jamais, elle était morte avec ses réponses.

Puis il repassa voir son fils à l'hôpital. Gustav boudait : il voulait rentrer à la maison, il voulait dormir dans son lit, il voulait sa chambre, ses jouets, il voulait Charlène… mais à part ça, il allait bien. Les médecins insistèrent cependant pour le garder en observation jusqu'au lendemain ; ils souhaitaient s'assurer qu'il n'y avait pas de « dommages psychologiques », selon leur expression.

Servaz resta auprès de Gustav jusqu'à ce qu'il se rendorme, puis il rentra récupérer quelques affaires. Il avait l'intention de passer la nuit à l'hôpital.

En pénétrant dans le hall de l'immeuble, il ouvrit sa boîte aux lettres : elle était pleine de publicité – mais il y avait aussi deux enveloppes blanches qui l'attendaient au milieu, et il sursauta en déchiffrant l'adresse d'expédition de la première, *Justizanstalt Leoben, Dr.-Hanns-Groß-Straße 9, 8700 Leoben, Austria*. Le timbre était celui de la poste autrichienne, l'adresse celle d'une prison[1]. Il décida qu'il l'ouvrirait plus tard – rien ne pressait – et passa à la suivante.

En découvrant le cachet notarial, il sentit son pouls s'accélérer. *Elle était arrivée… enfin.*

Il déchira d'abord l'enveloppe extérieure, parcourut rapidement le petit mot ampoulé par lequel maître Olivier, notaire, s'excusait quasiment au nom de toute la profession pour ce « manquement aux devoirs de leur charge ».

Puis, avec un pincement au cœur, il déchira *l'autre* enveloppe, celle qui accompagnait le mot.

Celle qui avait voyagé dans le temps pour arriver jusqu'à lui, celle qui avait attendu qu'il la lise pendant presque trente ans, oubliée au fond d'un carton remisé dans un placard de notaire, celle sur laquelle était simplement écrit à l'encre bleue, d'une encre qui avait pâli :

Martin

Presque trente ans et pourtant il a reconnu tout de suite l'écriture. Presque trente ans et cependant il sent sa gorge se serrer, son cœur battre sauvagement dans

1. Voir *Nuit*, XO éditions et Pocket.

sa poitrine quand il tire le double feuillet hors de l'enveloppe et le déplie.

S'approchant du plafonnier au centre du hall, il chausse ses lunettes. Quelques secondes plus tard, les larmes se sont mises à couler. Il n'aurait pas cru cela possible, il n'aurait pas cru que, trente ans après, elles couleraient encore. Et pourtant elles sont bien là, mouillant ses joues. Car voici ce qu'il lit :

Martin,

Je ne sais pas depuis combien de temps je suis parti au moment où tu lis cette lettre et j'espère seulement qu'avec le temps cette lecture t'est moins pénible.

Mon fils, je sais par quoi tu es passé, je sais ce que c'est que de perdre un être proche et aussi ce que signifie la culpabilité. Aussi, je te demande pardon. Pardon pour tous ces cauchemars qui sont les tiens, pardon pour cette image de moi qui hantera trop longtemps ta mémoire, pardon pour toutes ces fois où tu t'es demandé pourquoi il a fallu que ce soit toi qui me trouves, et ce que j'ai voulu te dire par là. J'espère de tout mon cœur que tu pourras un jour comprendre mon geste.

Et le pardonner.

Fils, si tu as ouvert cette lettre, c'est que la maison a été vendue et que nous pouvons désormais nous dire au revoir, maintenant que le dernier lien terrestre qui nous rattachait l'un à l'autre a été rompu. Sache que je t'aime, fils, et que j'ai toujours admiré ta force de caractère. J'aurais bien voulu avoir la même, Martin, mais voilà, je n'étais pas aussi fort que toi. Toi, tu es un roseau – tu plies, mais ne romps pas. Moi, j'étais un vieux chêne frappé par la foudre. Il y a longtemps que l'arbre était mort : il est mort quand ta mère est morte.

Si tu as une femme, des enfants, parle-leur de moi tel que j'étais quand toi-même tu n'étais qu'un enfant. Parle-leur de ces années où j'ai été un père digne de ce nom, je crois. Car, Martin, te souviens-tu de nos jeux ? Des grands châteaux de sable qu'on construisait sur les rochers ? De ces lectures à voix haute, les soirs d'été, où je convoquais pour toi Long John Silver, Jim Hawkins, Tom Sawyer et Phileas Fogg ? Jamais père ne fut plus heureux que moi en ce temps-là, fiston.

On dirait bien qu'au cours des toutes dernières en revanche, j'ai tout gâché, hein ? J'ai honte de l'avouer : j'ai vendu mes vinyles de Mahler quand l'argent a commencé à manquer. J'ai vendu Mahler contre de l'alcool, Martin ! Et personne – non, personne – n'a envie que ses enfants aient un grand-père alcoolique au pied de leur lit, personne n'a envie d'expliquer pourquoi grand-père est un vieil homme titubant aux mains tremblantes.

Bon sang ! Ce sont les siennes qui tremblent à présent en lisant ça. Et avec elles les pages qu'il tient. Il jette un regard furtif autour de lui, balaie prudemment le hall des yeux, ôte ses lunettes, essuie ces larmes qui brouillent sa vision et reprend sa lecture.

Mais tu ne dois pas porter ce fardeau, Martin : tu n'es coupable de rien. J'ai su qu'à la fac tu manquais des cours, que tu avais des problèmes relationnels avec tes professeurs, que tu t'étais battu. J'ai su tout ça. J'ai compris que, d'une manière ou d'une autre, c'était à cause de moi, c'était lié à ma déchéance.

Seigneur, pense-t-il, vieux salaud, pourquoi tu ne m'en as rien dit ? Pourquoi tu m'as planté là avec mes questions, ma culpabilité et ma colère ? Pourquoi tu ne m'as pas demandé mon aide ?

Je suis désolé de ne pas t'avoir dit ces choses-là avant, de n'avoir pas trouvé le courage ni les mots quand il aurait fallu. Je n'ai jamais été un homme très courageux. En tout cas pas autant que toi, Martin…

Une chose est sûre : je n'irai pas au paradis. Et d'ailleurs, quel paradis pourrait être plus grand que cette vie ? Seuls les poètes peuvent dire la vie dans toute sa magnificence, Martin ; comment pourrait-il y avoir quelque chose de plus beau, de plus précieux que ces tendres feuilles qui s'agitent dans le vent, que cet air frais sur ta figure, que ce soleil qui réchauffe ta peau ? Que cette mer salée et tiède dans laquelle on se baignait, l'été venu ? Quelque chose de plus grand que ton cœur qui bat à l'unisson d'un autre cœur, que le goût d'un baiser ou la grâce des mots, que la littérature, que la musique… Et s'il ne peut y avoir quelque chose de plus beau, de plus grand que cela – alors, c'est que le paradis n'existe pas.

Vis cette vie, fils. Vis-la de toutes tes forces. Entièrement, complètement, goulûment. Goûtes-en chaque minute. Chaque instant. Car cette vie, c'est tout ce que tu as. Tu n'as pas à rougir de ce que tu es, ni de ce que tu as fait. Tu es quelqu'un de bien.

Il ne tient plus en place. Il va et vient, ses yeux de nouveau secs. Aurait-il pu agir autrement la nuit dernière ? Non, bien sûr que non. En cet instant, il est intensément, irrémédiablement triste – mais aussi, paradoxalement, en paix.

Il est maintenant temps qu'on se dise adieu, Martin. Il est temps de nous séparer. Je te souhaite, mon fils, pour celui qu'il te reste à vivre, de trouver ta place en ce monde… Et d'y être aussi heureux qu'il est possible.

Papa

Il referme la lettre. Il est 22 h 13, le 12 février 2018.

Remerciements

Comme toujours, un roman comme celui-là ne peut s'écrire sans avoir à son bord quelques solides matelots et capitaines. Je dois d'abord remercier Frédéric Péchenard, vice-président du conseil général d'Île-de-France, ancien chef de la brigade de répression du banditisme, ancien chef de la brigade criminelle, ancien directeur général de la police nationale, pour une passionnante conversation un matin d'automne autour de la police d'hier et d'aujourd'hui.

Au SRPJ de Toulouse, Pascal Pasamonti a bien voulu évoquer pour moi ses jeunes années rue du Rempart-Saint-étienne et le grand déménagement de la police toulousaine pour le boulevard de l'Embouchure qui – s'il eut bien lieu en 1993 – advint en février et non en mai, mais un auteur a tous les droits, n'est-ce pas ? Avec Yves Le Hir, chef de la division de police technique, nous nous sommes penchés sur la PTS des années 1980 et 1990 en la comparant à celle d'aujourd'hui : s'il est une administration qui s'est réformée en profondeur au cours des vingt-cinq dernières années, c'est bien la police. Monique

Amadieu a exhumé pour moi de vieilles photos prises à une époque où la cravate *king size* était encore de rigueur dans ses rangs. Enfin, Christophe Guillaumot m'a rappelé, entre autres, les règles des perquises et de la garde à vue, que j'avais quelque peu oubliées. C'est également lui qui m'a soufflé l'anecdote de « la montre qui retarde », astuce véridique qu'il a lui-même utilisée dans un de ses romans – car il est non seulement policier, mais auteur de talent : *Abattez les grands arbres*, qui met en scène un autre flic toulousain, Renato Donatelli.

Comme d'habitude, toutes les erreurs qui figurent dans ce livre sont de mon fait, non du leur.

Elle a été là à chaque étape de ce livre : un grand merci à Laura Muñoz – *siempre*.

Enfin, toute ma gratitude va, comme toujours, à mes éditeurs, Bernard Fixot et Édith Leblond, et à toute l'équipe des éditions XO, pour leur soutien constant et leur confiance renouvelée. Et, bien entendu, à mes premiers lecteurs et à tous ceux qui les ont rejoints depuis.

Yvelines, février 2018.

Table

Prélude (1988)

1993

2018

Gardé à vue

Épilogue

Ouvrage composé par
PCA 44400 Rezé

Imprimé en France par CPI
en février 2019
N° d'impression : 3032623

S29189/01